iPad 便利すぎる! 295のテクニック *standards*

CONTENTS

SECTION 01 基本の便利ワザ

SECTION 02 メッセージ・メール

SECTION 03 ネットの快適技

SECTION

04 写真・音楽・動画

SECTION

05 仕事効率化

SECTION 06

設定とカスタマイズ

SECTION 07

生活お役立ち技

SECTION 08 トラブル解決とメンテナンス

iPadOS 17で、さらに快適になったiPadを味わい尽くそう!

iPad SPECIAL TECHNIC 295!!

Webや電子書籍、ゲームなどを楽しむツールとして、すっかり生活になくてはならないものになっているiPad。Apple Pencilを購入し、メモやイラストに手書きを活用している人も多いだろう。もちろんiPadは、標準アプリを普通に使うだけでも、とても便利に快適に利用できる。しかし、自分の好みに合わせてより使いやすい設定にしたり、趣味を活かすアプリを入れたり、効率を上げられるカスタマイズをしたり、と少し工夫するだけで飛躍的に使い勝手は向上する。2023年・秋に登場した「iPadOS 17」で、さらに便利になったiPadを、本書を活用してより便利に使いこなしていただければ幸いである。

今購入できるiPadは4種類！

iPad Pro

超高速なM2チップを搭載した、最強スペックのiPad。とても明るく描画も超高速なLiquid Retina XDRディスプレイが非常に美しい。

M2チップ搭載
12.9インチ/11インチ
価格◉124,800円(税込み)〜

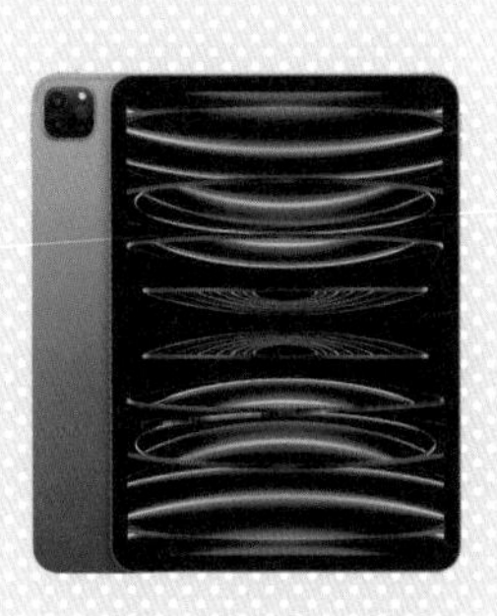

iPad Air

10.9インチの薄くて軽いボディを採用しながら、M1チップを搭載しており、仕事にも遊びにも充分すぎるスペックを誇るiPad。カラバリも多彩!

M1チップ搭載
10.9インチ
価格◉92,800円(税込み)〜

iPad

もっとも低価格で購入できるが、Apple Pencilも専用キーボードも装備でき、一般的な使用ならば上位機種とさほど変わらない実力を備えたiPad。

A13 Bionicチップ搭載
10.2インチ(※10.9インチモデルもあり)
価格◉49,800円(税込み)〜

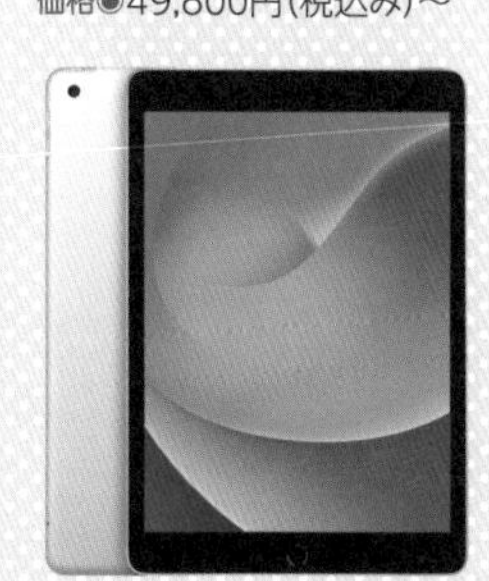

iPad mini

8.3インチと非常にコンパクトなので、スマホなみの携帯性をほこり、どこにでも持ち歩いて使えるiPad。Apple Pencilは第2世代が使える!

A15 Bionicチップ搭載
8.3インチ
価格◉78,800円(税込み)〜

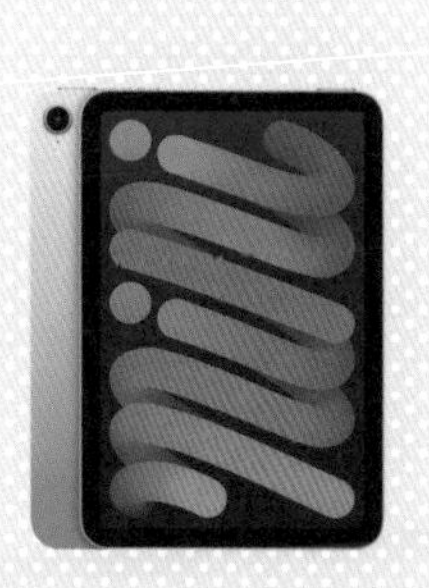

掲載アプリINDEX

気になるアプリ、サービス名から記事掲載ページを検索しよう。

Page

本書の見方・使い方

「マスト!」マーク

295のテクニックの中でも多くのユーザーにとって有用な、特にオススメのものをピックアップ。まずは、このマークが付いたテクニックから試してみよう。

「上級技!」マーク

やや難度の高い技や、少しマニアックなテクニックにはこのマークがついています。

「iPadOS 17」マーク

iPadOS 17で新たに使えるようになった技にはこのマークがついています。

App

メディアプレイヤー
作者／SoundCloud
カテゴリ／マルチメディア
価格／無料　言語／日本語

QRコード

本書ではアプリを紹介する際に、QRコードを掲載しているが、このQRコードは、標準のカメラアプリで簡単に読み取れる。以下の手順でアプリのインストールを進めていこう。

QRコードの利用方法

1 カメラで読み取る

QRコードの掲載されたページでカメラアプリを起動するとすぐにQRコードを感知してくれる。黄色の「App Store」をタップしよう。

2 アプリページへ

するとApp Storeの該当アプリのページにアクセスするので、「入手」もしくは価格の表示された部分をタップしてインストールしよう。

掲載アプリINDEX

8ページにはアプリ名から記事を検索できる「アプリINDEX」を掲載。気になるあのアプリの使い方を知りたい……といった場合に参照しよう。

本書掲載の情報は2023年12月10現在のものであり、各種機能や操作方法、価格や仕様、WebサイトのURLなどは変更される可能性があります。本書の内容はiPadOS 17の機種にて検証した上で掲載していますが、すべての機種、環境での動作を保証するものではありません。以上の内容をあらかじめご了承の上、すべて自己責任でご利用ください。

SECTION 01

基本便利技

iPadシリーズの、まずは理解しておきたい基本機能や、
最新iPadOS 17の新機能、また標準搭載ながらも
すぐには気づきにくい便利機能など、
ひとまず設定しておきたい便利技がこちら。

001 ウィジェット ウィジェットの機能が向上! 直接アプリの操作ができる

ウィジェット上で直接アプリ操作ができる

iPadOS 17では、ホーム画面に配置できるウィジェットの機能が大幅に進化し、直接ウィジェット上でアプリを操作できるようになった。アプリを開いたり閉じたりする手間が省けるため、アプリの操作がより効率的に行える。

ただし、この機能はインタラクティブウィジェットに対応している一部のアプリに限定され、利用可能な機能も制限されている。たとえば、「リマインダー」では実行済みの未完了タスクにチェックを入れることができ、「ミュージック」や「ポッドキャスト」ではウィジェット上に表示された楽曲や番組を直接再生・一時停止することが可能だ。

1 リマインダーのタスクにチェックを入れる

2 ポッドキャストを再生・一時停止する

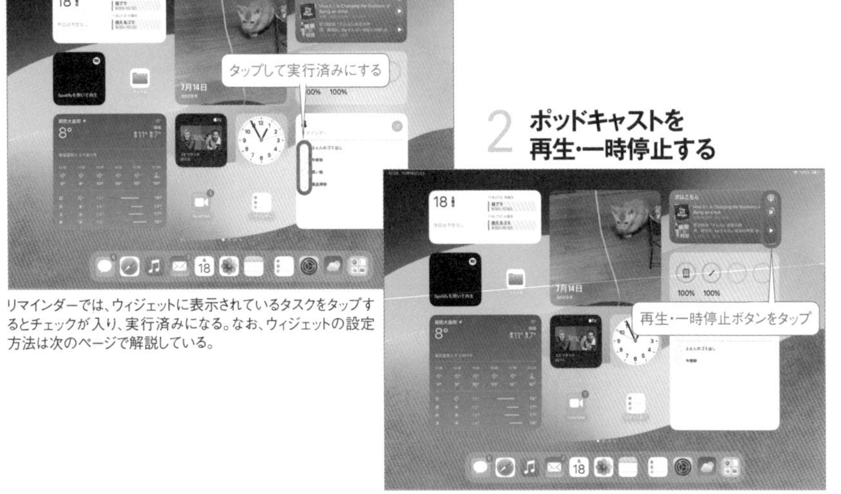

リマインダーでは、ウィジェットに表示されているタスクをタップするとチェックが入り、実行済みになる。なお、ウィジェットの設定方法は次のページで解説している。

ポッドキャストでは、番組名横にある再生・一時停止ボタンをタップして操作できる。

マスト!

002 ウィジェット さまざまな機能をホーム画面で使える「ウィジェット」機能

ホーム画面の好きな場所にウィジェットを配置しよう

現在のiPadでは、ホーム画面にさまざまな機能を持つウィジェットを置いて、華やかで実用的な画面にすることができる。ここでは、ホーム画面に置けるウィジェットにはどのようなものがあるかをさらっと紹介しよう。自分の好きなアプリのウィジェットをホーム画面に置いておけば、iPadを使うのがより楽しくなる。ウィジェットは大きさを自由に変更でき、置き場所も変更できるので、自分が見やすい形にカスタマイズしていこう。

ホーム画面を超便利にしてくれるウィジェットの配置例

1 Launcher
よく使うアプリをコンパクトなスペースに凝縮して配置でき、アプリ起動がとにかく便利になる。101ページで詳しく紹介している。

2 MusicHarbor
自分の好きなアーティストの最新のリリース情報が表示される。今後のリリース情報などの表示も可能だ。アプリは74ページで紹介。

3 Documents
Documentsアプリで最近使ったファイルが表示される。アプリは95ページで紹介している。

4 AppleTV
AppleTVで現在視聴している番組が表示される。

5 時計
シンプルで見やすい時計のウィジェット

6 Podcast
現在視聴中のPodcast番組、次に再生、配信予定の番組が表示される。アプリは78ページで紹介している。

7 バッテリー
iPad本体、または接続中の機器のバッテリーが表示される。

ウィジェットは簡単に追加できる

ウィジェットを追加するには、ホーム画面を長押しして、画面の左上に「+」を表示させ、そこをタップして始められる。標準アプリだけでなく、自分の使っているさまざまなアプリのウィジェットを追加することができる。大きさも自由に選ぶことが可能だ。

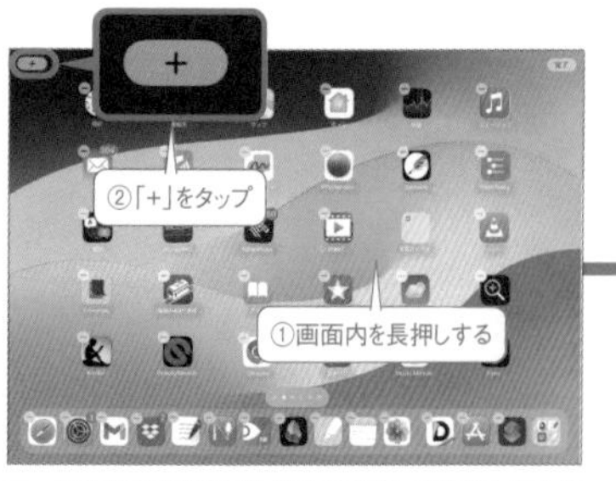

ホーム画面内のどこでもいいので長押しするとアイコンなどが震えだす。左上に表示される「+」をタップしよう。

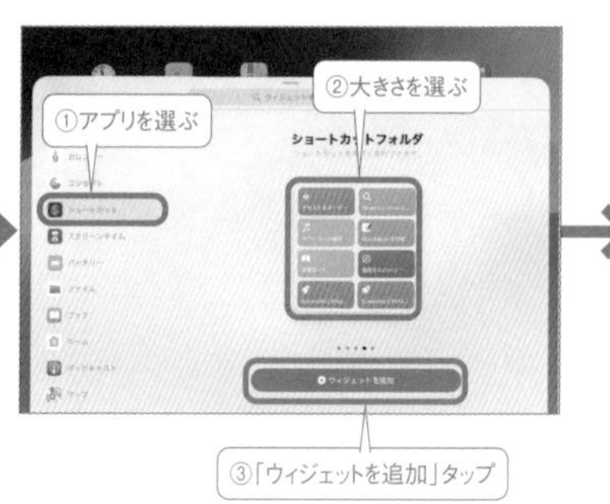

ウィジェットの選択画面が表示される。下にスクロールさせて使いたいアプリを選ぼう。大きさも選択できる。

ホーム画面にウィジェットが配置される。右上の「完了」をタップでOKだ。再度長押しして、位置を変えることもできる。

003 ロック画面 ロック画面にウィジェットを設置しよう

縦向きと横向きで異なるロック画面を作る

これまでのiPadOSでは、ロック画面には通知や時刻などが表示されるだけだったが、iPadOS 17ではロック画面を大幅にカスタマイズできるようになった。ウィジェットの配置が可能になり、ロック解除せずにカレンダーアプリでスケジュールを確認したり、天気アプリで天気予報をチェックできる。

ただし、iPadの画面の向きによって表示できるウィジェットの数や種類が異なるため、注意が必要だ。横向きの画面では、より多くのウィジェットを配置したり、大きなウィジェットを配置したりすることが可能だ。縦向きと横向きそれぞれに最適化されたロック画面を作成するのがおすすめだ。

1 ロック画面で長押しをする

ロック画面で長押しするとカスタマイズ画面に切り替わる。「ウィジェットを追加」をタップして、配置したいウィジェットをタップしよう。

2 ウィジェットが表示される

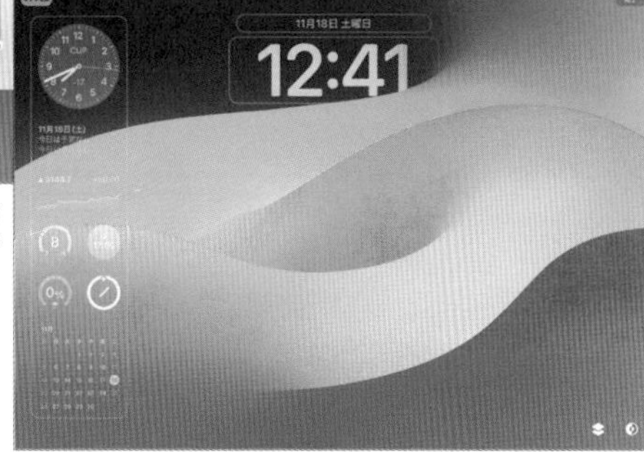

ロック画面にウィジェットが表示される。ロックが解除されていれば、ウィジェットをタップするとそのアプリが起動する。

004 ロック画面 ロック画面のスタイルやカラーをカスタマイズする

写真にさまざまなエフェクトを与えてより美しくする

iPadOS 17では、ロック画面の壁紙や文字のスタイル、カラーを細かくカスタマイズできるようになった。写真の位置を変更したり、写真を引き立てるカラーフィルタやフォントを適用することができる。Live Photosで撮影した写真を適用すると、ロック画面の写真をスローモーション再生することも可能だ。

また、ロック画面を複数作成してロック画面を切り替えたり、ロック画面と集中モードを関連付けすることもできる。たとえば、仕事中に集中モードと関連付けたロック画面に切り替えることができる。

1 ロック画面を追加する

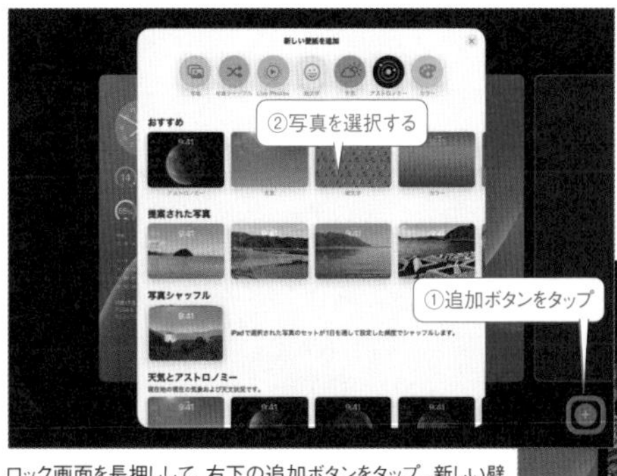

ロック画面を長押しして、右下の追加ボタンをタップ。新しい壁紙を追加の画面が表示されるので、壁紙にしたい写真を指定しよう。

2 集中モードと関連付ける

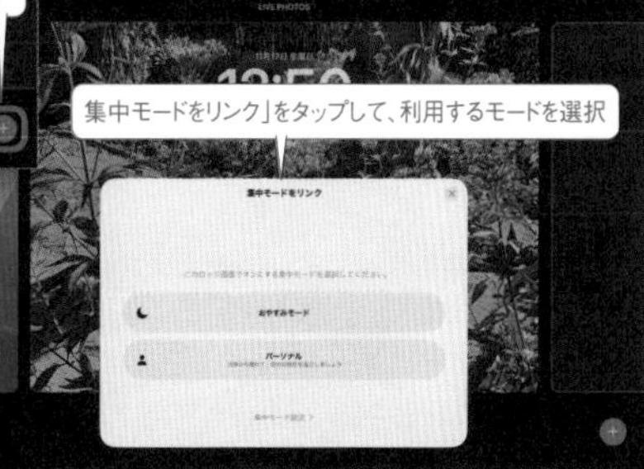

特定のロック画面のときに集中モードにするには、カスタマイズ画面でロック画面中央にある「集中モードをリンク」をタップして、利用するモードを選択しよう。

iPad OS 17

005 ステージマネージャ ステージマネージャで複数のアプリをスムーズに使いこなす

パソコンのウィンドウのようにアプリ操作ができる

iPadOS 16から新しく追加された「ステージマネージャ」は非常に便利。この新機能は、簡単にいうとパソコンのウインドウのような操作をiPadのアプリでもできるようにしてくれるものだ。

設定画面、またはコントロールセンターからステージマネージャを有効にすると、これまで全画面表示だったiPadのアプリが、ホーム画面から浮かんだようなウィンドウ形式に変化し、アプリの隅にある黒い部分をつまんでドラッグすると、アプリの大きさを好みのサイズに変更することができる。

アプリ上部にあるマルチタスクボタンのメニューから「別のウィンドウを追加」を選択すると、ほかのアプリが起動して複数のアプリを同時に表示できる。Slide Overのようにアプリを重ねたり、Split Viewのようにピッタリ合わせることも可能だ。

一見すると、Split ViewやSlide Overとの差がわからないが、ステージマネージャでは、2つ以上のアプリを同時に表示できるのが大きな特徴だ。iPadOS 17では、以前よりもウインドウのサイズを細かく調節できるようになり、使いやすくなっている。

また、画面左側に最近使ったアプリが表示されるようになり、タップするとアプリを切り替えることができる。デスクトップに表示している複数のアプリをグループ化しておくことも可能だ。

なお、現在、ステージマネージャの基本的な操作は、iPad Air（第5世代）、12.9インチiPad Pro（第3世代以降）、11インチiPad Proで利用できる。

1 ステージマネージャを有効にする

設定アプリを開き、「マルチタスクとジェスチェ」から「ステージマネージャ」にチェックをつけよう。

2 アプリの隅をドラッグする

アプリを起動すると全画面表示ではなく、ホーム画面から浮かび上がったような状態になる。アプリ隅の黒い部分をドラッグしよう。アプリのサイズを変更することができる。

3 別のウインドウを追加する

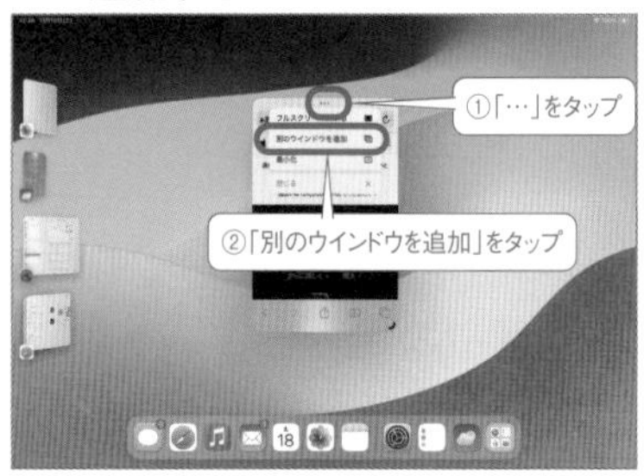

別のアプリを起動したい場合は、アプリ上部の「…」をタップして「別のウインドウを追加」をタップ。

4 起動するアプリを選択する

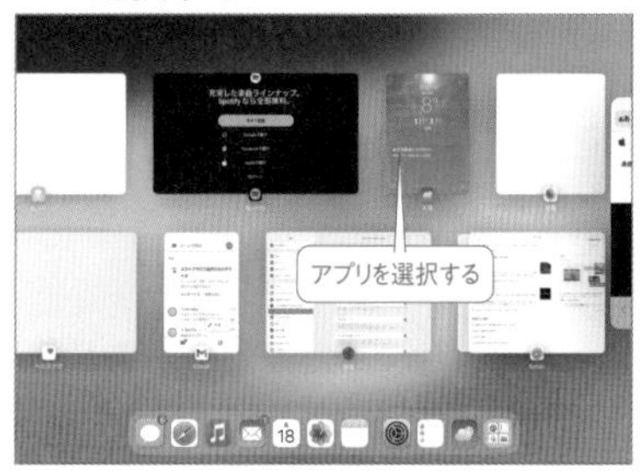

画面右にウインドウが隠れ、Appスイッチャーが起動するので、表示したいアプリを選択しよう。

5 2つ目のアプリのサイズを変更する

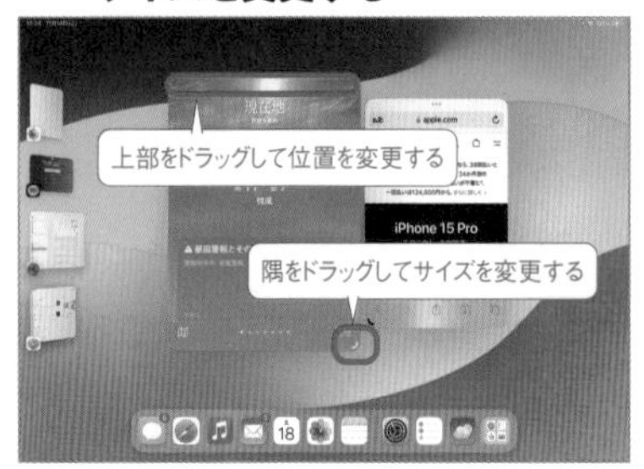

2つ目のアプリが表示される。ウインドウ隅をドラッグしてサイズを変更したり、ウインドウ上部をドラッグして位置を変更することができる。

6 開いているアプリをグループ化する

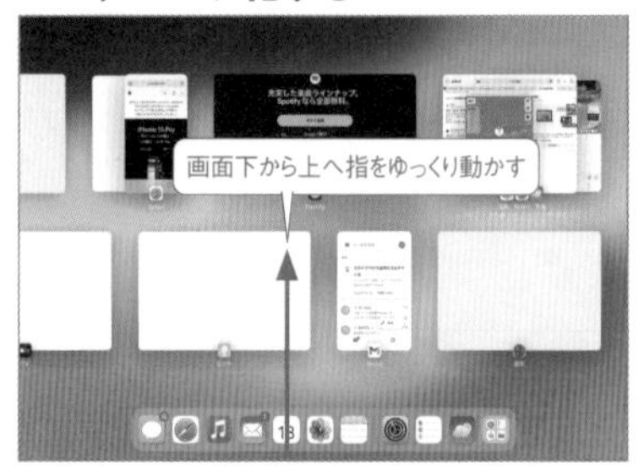

開いているアプリをグループ化して保存しておきたい場合は、画面下から上に指をゆっくり動かそう。Appスイッチャーが起動してウインドウがグループ化される。

ステージマネージャ

006 ステージマネージャで効率よくアプリを切り替える

ステージマネージャを有効にして、画面左端に表示される最近使ったアプリを活用すれば、AppスイッチャーやDockを使うよりも、スムーズによく使うアプリに切り替えることができる。また、この最近使ったアプリ画面では、ステージマネージャを使ってグループ化しておいたアプリに簡単に切り替えることができる。作業内容ごとにアプリをグループ化し、素早く切り替えよう。

ステージマネージャ

007 同じアプリを複数表示させることができる

ステージマネージャでは、同じアプリを複数のウインドウで同時に表示させることもできる。Safariで複数のページを比較検討したり、ノートアプリで過去のノート記事を比較したりするときに便利だ。ただし、すべてのアプリに対応しているわけではない。最大4つのウィンドウを表示することができ、それ以上同じアプリを追加すると古いウインドウから「最近使ったアプリ」に移動させられる。

Safariは複数起動に対応している。ページの内容を比較したいときは、タブの切り替えよりも便利。

008 ステージマネージャとSplit Viewとの違いは?

ステージマネージャ

3つ以上のアプリを開くならステージマネージャの出番!

ステージマネージャを使っていると、Split ViewやSlider Overとどう使い分けるべきか疑問になることがある。最大4つのアプリを同時起動できるのがメリットなので、基本的に3つ以上のアプリを一画面に表示したい場合に利用しよう。おすすめの組み合わせはSNSアプリ、ノートアプリ、Safariの組み合わせだ。テキスト作成やノート作成をメイン画面にして、Safariで情報収集し、InstagramなどのSNSを背面に設置しておく。Safariは複数同時起動できるので、1つはYouTubeを開いておくのもよいだろう。

左から、Instagram、GoodNootes 5、Safari(ウェブページ)、Safari(YouTube)を起動したところ。ステージマネージャ上で、SafariでYouTubeを開けばプレミアム会員でなくてもバックグラウンド再生できる点がうれしい。

009 手書き Pencilでさまざまな操作ができるスクリブル!

日本語入力にも対応 キーボードなしでスラスラ入力できる

テキスト入力可能な場所でApple Pencilで手書きの文字を書くと自動的にテキストに変換して入力してくれる「スクリブル」機能は便利だ。認識精度は非常に高いので、ユーザーによってはキーボード入力よりも効率よくテキスト入力ができるだろう。テキスト入力可能な場所の多くで対応している。オンスクリーンキーボードを開いていないときでも、素早くメッセージに返信したりでき便利だ。

また、メモやフリーボードではパレットの左端にあるスクリブルペンに切り替えることで、スクリブル機能を利用することができる。

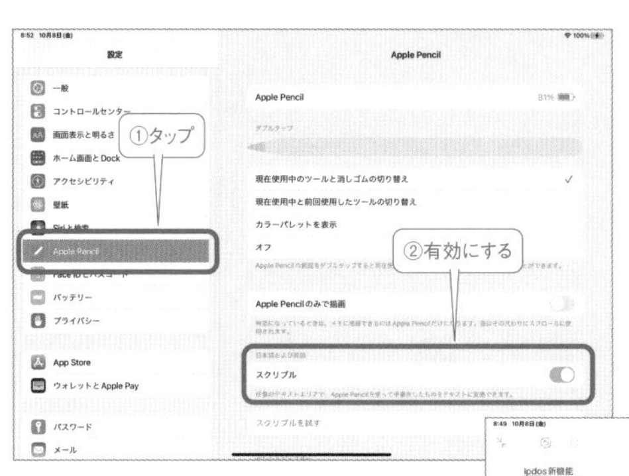

1 スクリブルを有効にする

「設定」アプリ→「Apple Pencil」を開き「スクリブル」を有効にしよう。あとは文字入力できる箇所で実際に手書き入力すると自動でテキストに変換してくれる。

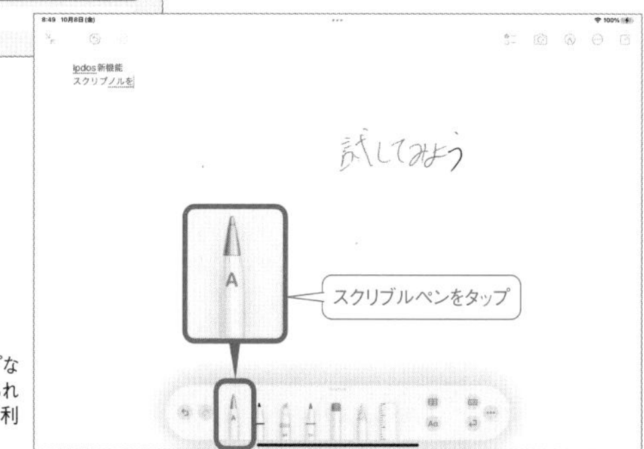

2 いろんなアプリで手書きしてみよう

スクリブルは多くのアプリで利用できる。Safariやマップなどの入力フォームのほか、ペンツールが出せる場所であれば、左端のスクリブルペンを選択することでスクリブルが利用できる。

010 手書き スクリブルで長文を書き続けるには

スクリブル独自に用意されているジェスチャを使いこなす

スクリブル機能を使ってApple Pencilで長文のテキストを書きたいときは、用意されているさまざまなジェスチャを覚えておこう。単語を削除したい場合は対象のテキストをこすり、文字と文字の間に新たにテキストを挿入したい場合は、その領域をタッチして押さえたままにしてから開いたスペースに書き込もう。ジェスチャ操作を覚えておけばキーボードを立ち上げて修正作業をする手間が省けるだろう。

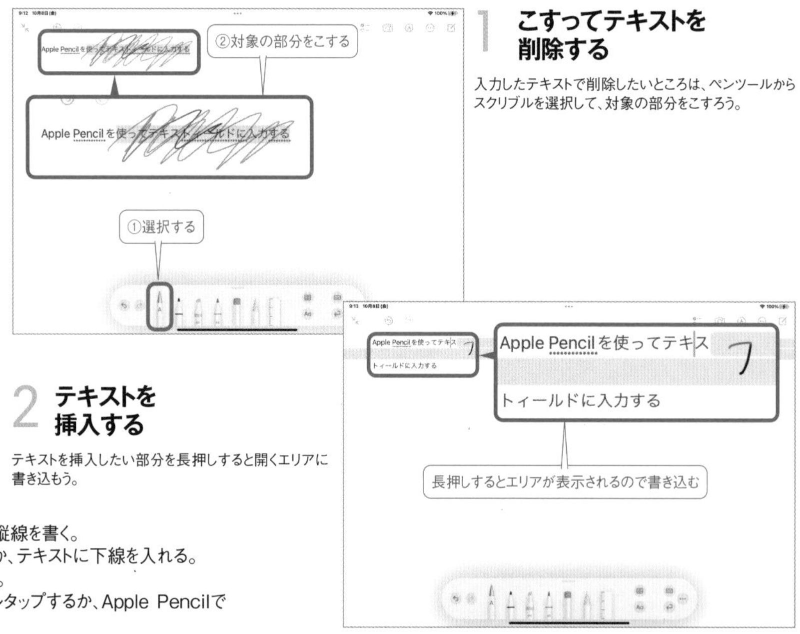

1 こすってテキストを削除する

入力したテキストで削除したいところは、ペンツールからスクリブルを選択して、対象の部分をこすろう。

2 テキストを挿入する

テキストを挿入したい部分を長押しすると開くエリアに書き込もう。

その他のスクリブル操作

○**文字をつなげる/切り離す**:文字の間に縦線を書く。
○**テキストを選択する**:テキストを円で囲むか、テキストに下線を入れる。
○**単語を選択する**:単語をダブルタップする。
○**段落を選択する**:段落内の単語をトリプルタップするか、Apple Pencilで段落上をドラッグする。

011 日本語入力 非常に使いやすい日本語入力をマスターする

フローティングキーボードで片手で文字入力をする

iPadを使って文字入力するには、iPhoneやほかのスマホと同じく画面を直接指でタッチするスクリーンキーボードを使うのが一般的だが、画面が大きいこともあって文字入力しづらい。しかし、iPadのキーボードには入力操作を快適にするさまざまな機能が用意されている。知っておこう。

まずは「フローティングキーボード」を使ってみよう。有効にするとキーボードがスマホサイズの小さなキーボードサイズに変化し、片手で楽々と文字入力が行えるようになる。スマホのフリック入力に慣れている人に便利な機能だ。また、フローティングキーボードは画面上の好きな場所に自由に移動させることができる。以前にあった分割キーボード機能がアップデートされたものと思えばよいだろう。

キーボード入力時の操作感が改善

iPadで原稿作成や長文メールなどを作成する際は、外付けキーボードを利用したほうが効率的に文字入力が行える。しかし、iPadではPCのキーボードとはやや異なる動作をするためこれまで使いづらくもあった。iPadOSではこうしたキーボード入力周りが日々改善されている。たとえば、日本語のあとにスペースキーを押すと全角スペース、英語のあとにスペースキーを押すと半角スペースキーが入力されるなど半角と全角の区別をしてくれるようになっている。

日本語キーボードには対応していないものの、入力した文章内に誤字脱字やスペルミスがあるときは、アンダーラインやハイライトで表示して教えてくれたり自動修正してくれる。タップすれば正しい文字の入力が候補が表示され、置き換えることが可能だ。

とても使いやすいiPadOSの文字入力

1 フローティングキーボードを有効にする

フローティングキーボードを有効にするにはキーボード上でピンチイン。するとスマホサイズのキーボードに変更する。ピンチアウトで元のキーボードに戻る。

2 好きな場所にキーボードを移動する

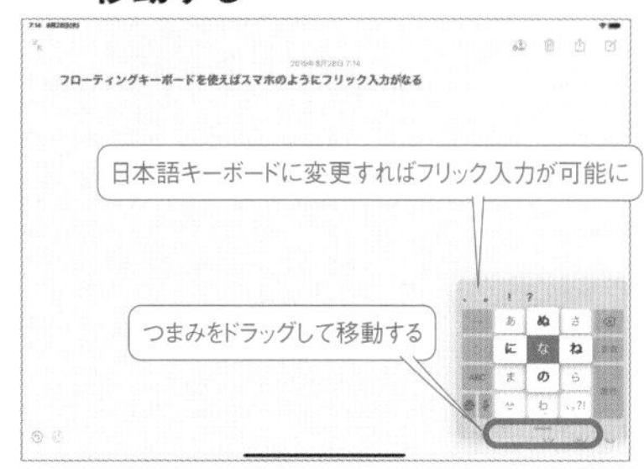

フローティングキーボードの下にあるつまみをドラッグして、画面の好きな場所に移動できる。スマホ操作に慣れている人ならフリック入力を使いこなそう。

3 半角スペースと全角スペースを自動で判断して入力

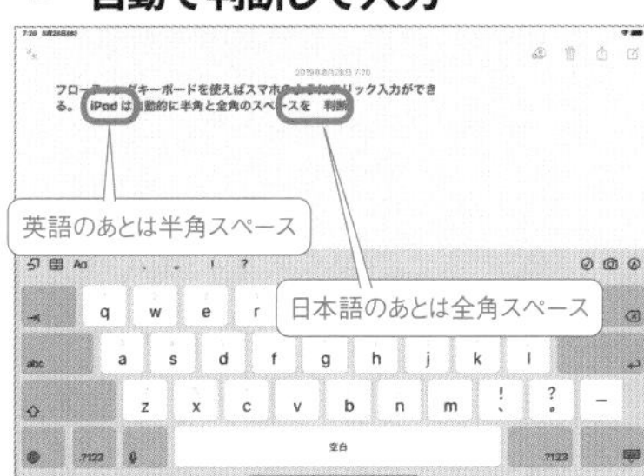

前の文字が英語のときにスペースキーを押すと半角スペース、前の文字が日本語のときにスペースキーを押すと全角スペースを入力してくれる。

4 外付けキーボード装着時の文字入力が快適に

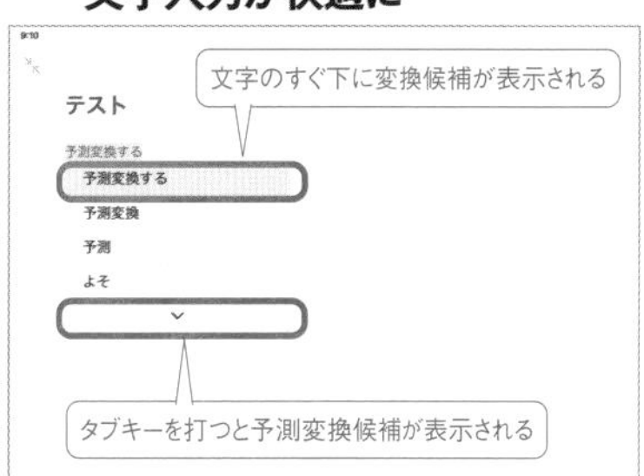

外付けキーボード装着時に文字入力すると、文字変換候補は入力した文字列のすぐ下に表示される。また、タブキーを打つと予測変換候補の選択ができるようになった。

5 ピリオド、句点、小数点をきちんと判断して入力

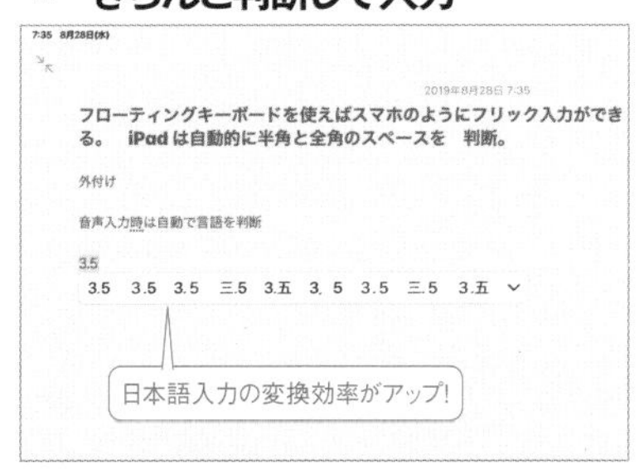

日本語キーボード使用時でもピリオド、句点、小数点の使い分けをきちんと判断して入力してくれる。たとえば、「3.5」と入力しようとしたら「3。5」と入力されることはなくなった。

6 音声入力時は自動で言語を判断

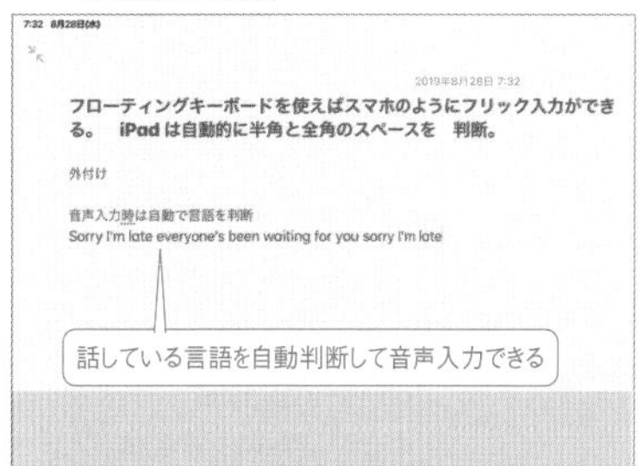

これまで音声入力する際は入力したい言語のキーボードを表示してから音声入力モードに切り替える必要があったが、iPadOSでは自動で言語を判断して入力してくれるようになった。

キーボード

012 半角英文字の最初の大文字を防ぐ方法

半角アルファベットを入力する際、勝手に文頭の文字が大文字になってしまうことがある。これは自動的に文頭を大文字にする補正機能が有効になっているため。設定の「一般」→「キーボード」→「自動大文字入力」をオフに設定することでこの機能が無効になる。逆に英文字を常に大文字で入力したい場合は、「↑」や「shift」を素早く2回タップすればCAPS LOCK状態になり、「↑」をタップするまでは続けて入力できる。

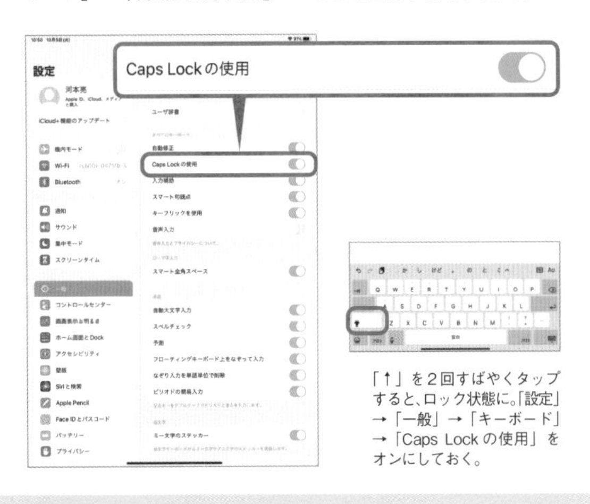

「↑」を2回すばやくタップすると、ロック状態に。「設定」→「一般」→「キーボード」→「Caps Lockの使用」をオンにしておく。

上級技

キーボード

013 キーボードを切り替えずに記号や文字を入力する

数字や記号やアルファベットが混在しているテキストを入力する際、いちいち文字種を切り替えたり、シフトキーを押すのは面倒だ。iPadユーザーなら覚えておくと入力が楽になるのが「Quick Type」機能だ。QWERTYキーボードを使っているときに限って、キーを上下にフリックするだけで文字種を切り替えることができる。使いこなせれば文字、数字、記号、句読点もすべて1つのキーボードで打てるようになる。

英語キーボードを使っているとき、キーを上下にフリックすると文字種を切り替えて入力することができる。

キーボード

014 画面最下部にキーボードを固定したままフリック入力を行う

iPadのキーボードでフリックを入力を行うには、キーボードを分割するかフローティングにすればよいが（17ページ参照）、下の位置で固定して使いたい場合もあるだろう。その方法はQWERTYキーボードを表示させた状態で、キーボードの中央から左右の手の指を1本ずつ使って左右に広げてみよう。すると、キーボードを最下部に固定したまま分割できる。キーボードのアイコンのボタンをタップして「結合」を選べば元に戻すことができる。なお、iPad Proでは利用できない場合もある。

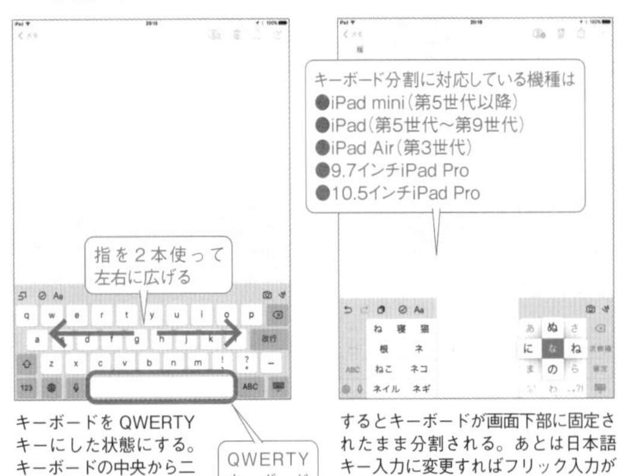

キーボードをQWERTYキーにした状態にする。キーボードの中央から二本指で左右に広げるようにスライドさせよう。

するとキーボードが画面下部に固定されたまま分割される。あとは日本語キー入力に変更すればフリック入力が可能だ。

テキスト入力

015 登録された予測変換を削除する

iPadで文字入力していくと、よく変換するワードが学習され次回以降、その単語が変換候補として表示されるようになる。これは非常に便利な機能なのだが、間違えて変換してしまった単語が学習されることもあり、学習した予測変換を消去したい場合もあるだろう。設定を開いて「一般」→「転送またはiPadをリセット」→「リセット」→「キーボードの変換学習をリセット」をタップ。学習された予測変換がすべてクリアされる。

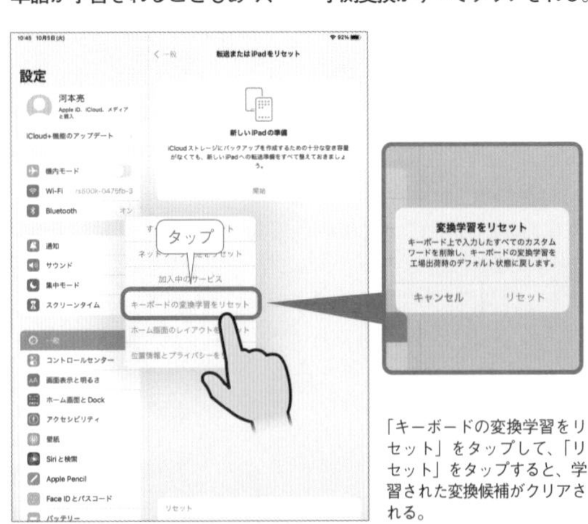

「キーボードの変換学習をリセット」をタップして、「リセット」をタップすると、学習された変換候補がクリアされる。

入力

016 入力した文字は確定後でも再変換できる

iPadで入力した文字で誤字が見つかった場合、わざわざ対象の部分にカーソルを移動して入力し直す必要はない。誤字の部分を長押しして範囲選択状態にしよう。iPadのキーボード上部にほかの変換候補が表示されるので、入力したい変換候補を選択すれば、再変換してくれる。

なお、キーボードはiPad標準のものでも、サードパーティ製のものでもよいが、日本語入力にしておかないと変換候補は表示されないので注意しよう。

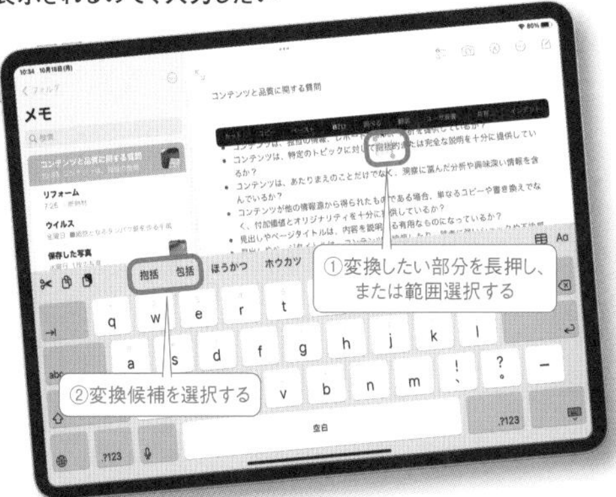

上級技

入力

017 カギ括弧をフリックで素早く入力する

キーボード入力をしていて、イライラするのがフリックキーボード使用時におけるカギ括弧入力。わざわざキーボードを切り替えたり、辞書登録するなど面倒だ。しかし、iPadのキーボードでは、「や」を長押しして左右にフリックすることで入力可能となっている。iPadだけでなくiPhoneユーザーにも便利な機能だ。iPadでフリックキーボードに変更するには、「日本語（かな）」キーボード画面でフローティングキーボードに切り替えればよい。キーボードボタン長押しから切り替えることができる。

「日本語（かな）キーボード画面でフローティングキーボードに変更する。フリックキーの「や」を長押しするとカギ括弧が現れる。

マスト!

入力

018 日付や時間の入力は予測変換を使おう!

キーボードで時間を入力する際に「○月○日○時」や「20247/02/09」など、数字とかなのキーボードを切り替えて入力するのは面倒だ。実は日付や時間は、数字だけの入力でも変換候補に時刻や日付を表示してくれる。たとえば「12時34分」と入力したい場合は「1234」と数字だけの入力で変換候補に「12時34分」が現れる。日付も同様で「43」と数字を入力で変換候補に「4月3日」が現れる。ほかに「明日」や「昨日」でも変換候補に現れる。

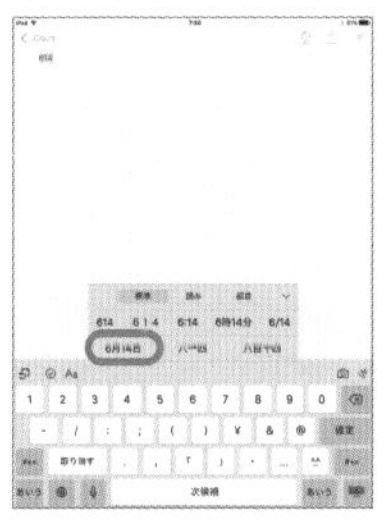

時間を入力する際はそのまま時間の数字だけを入力。日付の入力も同じく数字を入力するだけでよい。

上級技

キーボード

019 二本指タップでiPad上でマウスカーソルを動かす

iPadで範囲選択するには、タップして表示される範囲選択カーソルをドラッグする必要があるが、手間がかかる上、誤操作を起こしやすい。しかし、このカーソル機能を使えば、キーボード上で二本指を動かすだけでスムーズにカーソル移動ができるようになる。カーソル移動している間はキー操作は無効になるので誤入力する心配もない。範囲選択する場合は、画面をタップして表示されるメニューから「選択」を選択したあと、二本指でカーソルを移動させよう。

キーボード上で二本指を置いて動かすと、トラックパッド状態（キーボード上に文字が表示されなくなる）に切り替わり、カーソルを自由に動かすことができる。Gboardなど、他社製キーボードでは使用できない。

020 手書き文字 「メモ」アプリで手書きした文字をコピー&ペーストする

テキストのように手書き文字を処理できる

手書きした文字を切り取ったり、コピー&ペーストする際は、通常「投げ縄」ツールを使って対象となる部分を範囲選択する必要がある。しかし、「メモ」アプリでは、通常のテキストと同じように手書き文字でもカーソルを使って範囲選択して、切り取りやコピー&ペースト操作ができる。

手書きした文字をダブルタップすると、文字の上下に範囲選択カーソルが表示され、選択した状態になる。カーソルを左右にドラッグすれば手書き文字の選択範囲を変更することが可能だ。範囲選択後タップするとコピー、ペーストなどの編集メニューが表示される 。

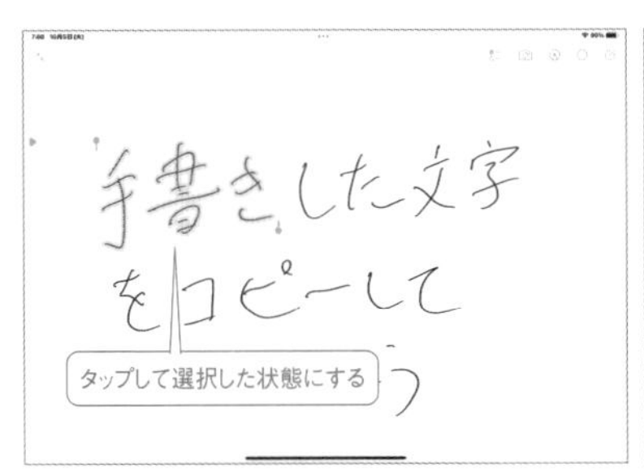

ドラッグして移動する

1 文字を選択して移動する

「メモ」アプリで手書きした文字をタップする。するとその文字が選択された状態になるのでドラッグしてみよう。移動することができる。

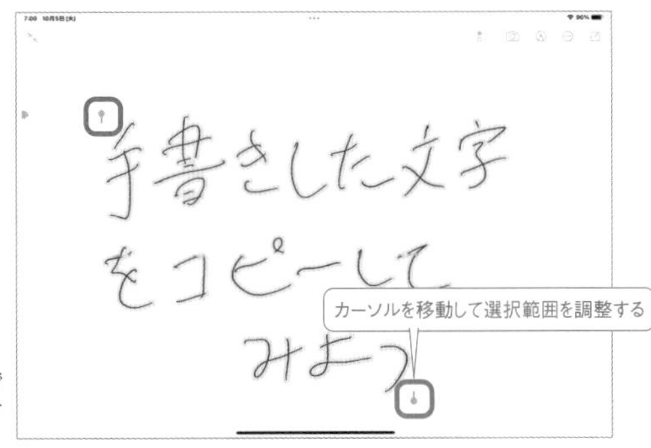

2 選択範囲を調整する

上下に表示されるカーソルをドラッグして移動させることで選択範囲を調整することもできる。また、メニューからコピーやカットなどの操作ができる。

021 テキスト操作 テキストの選択・コピペが超簡単にできる

タップの回数で選択範囲を変更できる

iPadOSではテキストの範囲選択やコピー、ペーストまわりの操作が簡単にできる。テキスト群を1度タップすると通常のカーソル、2度タップすると単語を選択、3度タップすると1つの段落を範囲選択できる。指でカーソルを動かして範囲調整する必要がない。タップ操作後にはメニューが表示されコピーやペーストも簡単にできる。

また、選択した範囲を3本指で左にスワイプすると「取り消す」、右にスワイプすると「やり直し」操作ができる。

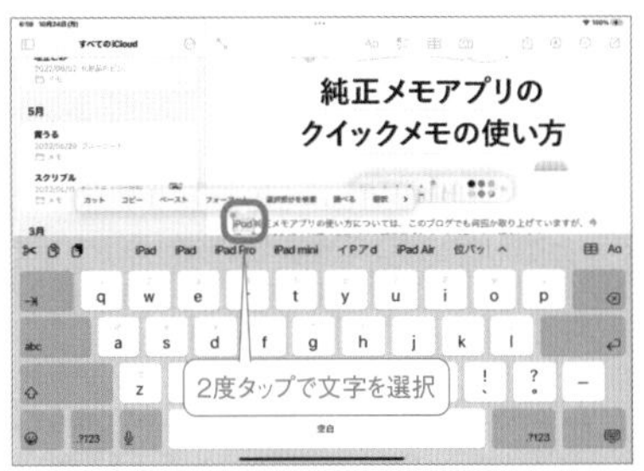

1 タップの回数で選択範囲を変更

テキストを2度タップすると単語が選択される。テキストを3度タップすると一文が範囲選択される。

取り消す

3本指で左にスワイプで「取り消す」

2 3本指でのピンチ操作で「取り消す」「やり直し」

テキスト入力画面で3本指で左にスワイプすると直前の操作の取り消しができ、右にスワイプすると取り消した動作のやり直しができる。

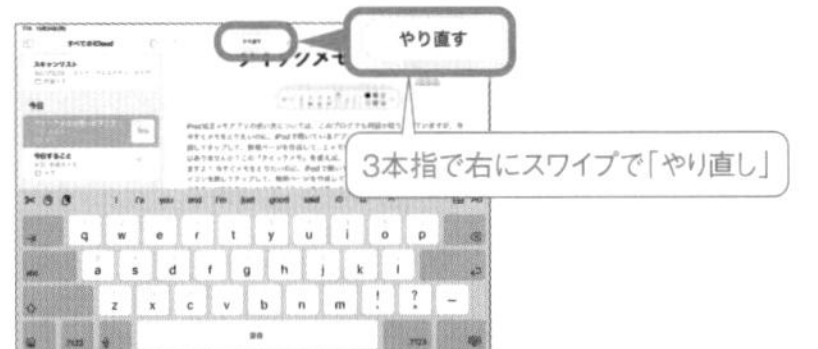

メモ

022 素早くメモアプリを呼び出しメモを取る

「メモ」アプリを頻繁に使う人が知っておくと便利なのが「クイックメモ」という機能だ。画面右下から中央にスワイプすると小さなメモアプリが現れ、キーボードやApple Pencilで素早く手書きのメモを作成できる。作成したメモは「メモ」アプリ内の、クイックメモ専用のフォルダに保存される。また、クイックメモは、ほかのアプリを起動中でも引き出すことができ、好きな位置に自由に移動させることができる。

「設定」から「マルチタスクとジェスチェ」を開き、「指で隅からスワイプ」を有効にしておこう。

設定有効後、画面右端から中央へスワイプするとクイックメモが表示され、メモを作成することができる。

メモ

023 「メモ」アプリでPDFを管理する

iPadOS 17では、「メモ」アプリを使ったPDF管理機能が大幅に向上した。PDFを貼りつけると各PDFのページがサムネイルで表示され、タップすると素早くページを開くことができる。また、サムネイルを左右にドラッグしてページ順を自由に入れ替えたり、サムネイルを長押しすると表示されるメニューから、新しく白紙のページを追加したり、回転させたり、削除するなど簡単なPDF編集をすることも可能だ。

上級技

メモ

024 意外に便利なメモアプリのスキャン機能

iPadの「メモ」アプリには紙の書類を直接撮影して保存する機能が搭載されている。紙の四隅を自動で認識して撮影し、また複数の書類がある場合は連続して撮影することで1つにまとめることができる。

OCR機能こそ搭載されていないものの、ほかのスキャンアプリと異なりインラインスケッチとの連携性が高いのが特徴で、保存された書類をApple Pencilでタップすると画面下部からインラインスケッチに切り替わり、書類に直接手書きの注釈を描くことが可能だ。

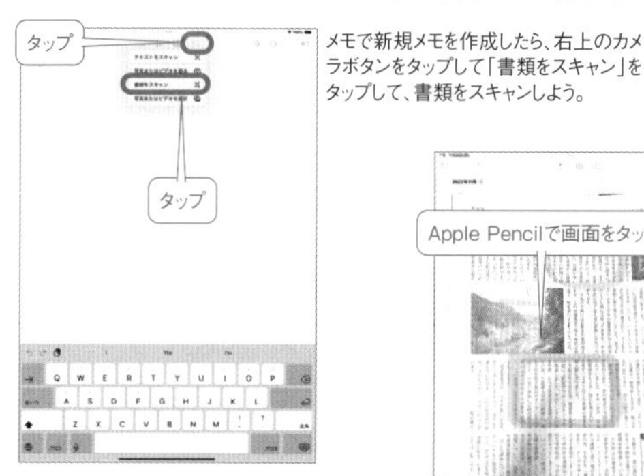

メモで新規メモを作成したら、右上のカメラボタンをタップして「書類をスキャン」をタップして、書類をスキャンしよう。

スキャンされた書類をタップしてレタッチ画面が表示されたら、Apple Pencilでタップする。インラインスケッチに切り替わり手書きで注釈を入力できる。

メモ

025 手書きの図形がきれいな形に修正される

「メモ」アプリの手書き機能では、手書きで円や四角や星などの図形を描いた際に、自動で補正してくれる機能がある。利用するには、図形を描いたあとに画面からペンをすぐに離さず少し止めておき、自動補正された図形が表示されたらペンを離せばよい。

なお、直線を描くと真っ直ぐな直線に補正してくれる。メモの重要部分に下線を引きたいときにも便利だ。

026 フリーボード Apple純正の手書きノートアプリ「フリーボード」を使いこなそう

キャンバスサイズに制限がなく上下左右に描ける

思いついたアイデアを手書きでメモするには「メモ」アプリのマークアップを使えばよいが、作成したメモを元に追記していくことが多い人は、「フリーボード」を使おう。フリーボードは、思いついたアイデアを手軽にメモするためのApple純正のノートアプリだ。キャンバス（ボード）上ならどこでも指先、またはApple Pencilを使って自由自在に描くことができる。

「メモ」アプリとの大きな違いは、キャンバスサイズに制限がないことだ。「メモ」アプリや通常のノートアプリでは、書き足す余地がなく、新しいページを作る必要がありメモが分散されがちだった。しかし、フリーボードではキャンバスのサイズに制限がなく上下左右に自由自在に拡大できるため、あとで追記しやすかったり、1つのメモであらゆる情報を管理できる。マインドマップやブレインストーミングなどのアイデア展開にも最適だ。

付箋を使って書き留めたアイデアを整理できる

手書きメモ以外にも、写真、ビデオ、オーディオ、書類、PDF、Webリンク、付箋なども追加できる。また、700以上の図形ツールを含む豊富なブラシツールが用意されており、マークアップよりも細かな編集をすることが可能だ。

特に付箋が便利で、作成した付箋は好きな場所に移動させたり、サイズを変更することができる。複数のアイデアやメモをパーツのように並び替えて整理しなおしたいときに役立つだろう。付箋の背景色やスタイルもカスタマイズすることが可能だ。

さらに、このアプリには共有機能も備えており、友だちや同僚を招待して100人までリアルタイムで共同作業でき、ほかのユーザーがどの場所を編集しているかもわかる。

フリーボードを使ってみよう

1 キャンバスの余白を広げる

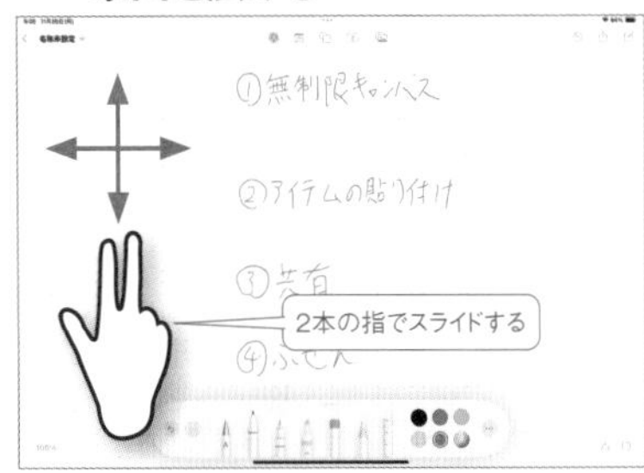

キャンバス上で2本の指で上下左右にスライドするとスクロールし、スクロールした分だけ余白が自動的に増える。

2 キャンバスを拡大縮小する

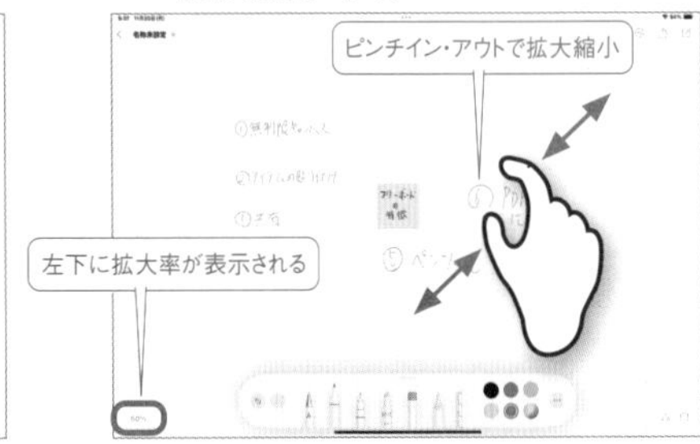

キャンバス上でピンチイン・アウトをするとキャンバスを拡大縮小できる。余白を増やすだけでなく全体を俯瞰したり、詳細を見たいときに利用しよう。

3 付箋を追加する

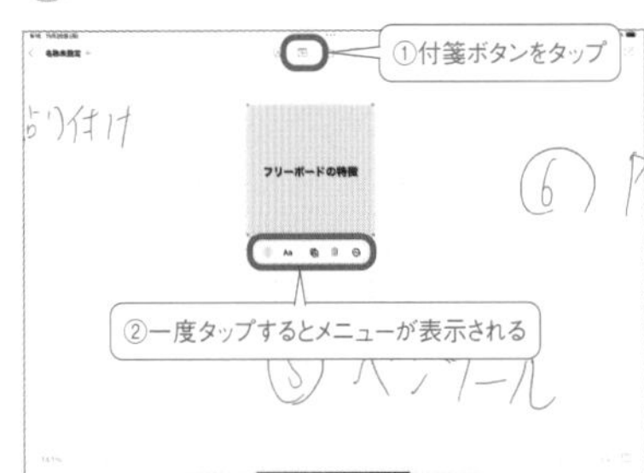

付箋を追加するには上部メニューから付箋ボタンをタップする。ボード上に付箋が表示される。一度タップするとメニューが表示され、カラーやスタイルを変更できる。

4 付箋にテキストを入力する

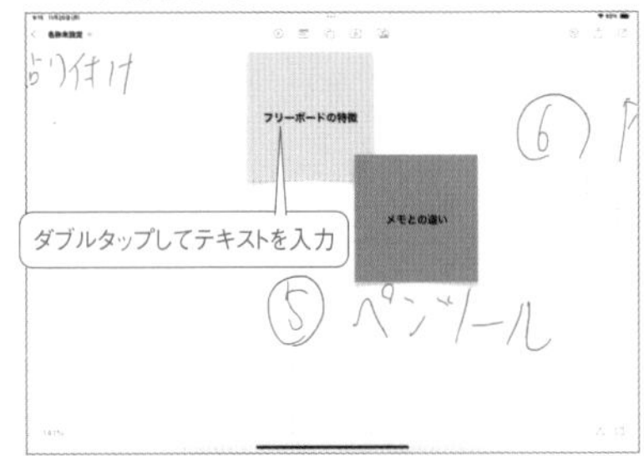

付箋をダブルタップすると付箋にテキストを入力できる。入力されたテキストは付箋を移動すると一緒に移動する。

5 図形を挿入する

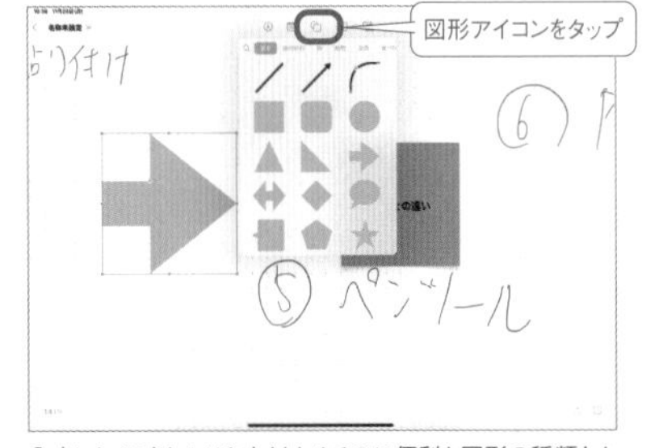

入力したメモをわかりやすくまとめるのに便利な図形の種類もたくさん用意されている。上部メニューから図形アイコンをタップして、利用する図形を選択しよう

6 矢印や放物線をカスタマイズする

図形から矢印や放物線を追加したあと、矢印をタップするとメニューが表示され、線の太さやスタイルをカスタマイズすることができる。

027 ボイスメモ iPadでも使えるボイスメモを使おう

トリミングや再録音など高度な編集機能も備えた録音アプリ

iPadには音声録音アプリ「ボイスメモ」が標準搭載されている。iPadに話しかければ、その内容をm4a形式の音声ファイルで保存することができる。録音した音声ファイルは、iCloudを通じてiPhoneやMacのボイスメモと同期することができるほか、共有メニューから外部アプリへ保存することもできる。

録音した内容から範囲指定した場所を切り抜いたり、削除するなどシンプルで使いやすい編集機能や、録音したファイルに上書き録音する「再録音」機能なども搭載しており、多機能で動作が安定している。最新版では再生機能が強化され、再生時にボイスメモの再生速度を、速くしたり遅くしたり、無音の部分をスキップすることができる。

1 録音ボタンをタップして録音する

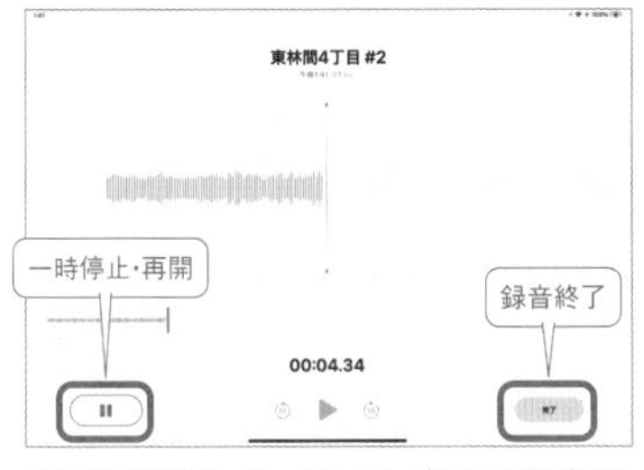

ボイスメモを起動後、赤いボタンをタップすると録音が始まる。一時停止する場合は左下のボタンをタップ。終了する場合は右下のボタンをタップしよう。

2 録音したファイルを再生する

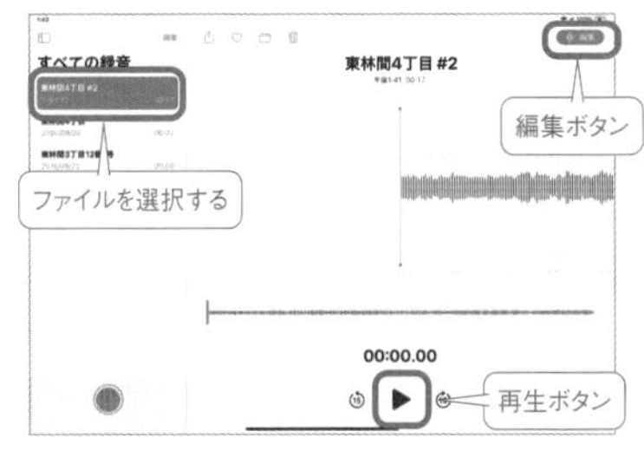

録音したファイルを再生するには左からファイルを選択して再生ボタンをタップする。編集する場合は右上の編集ボタンをタップする。

3 録音したファイルを編集する

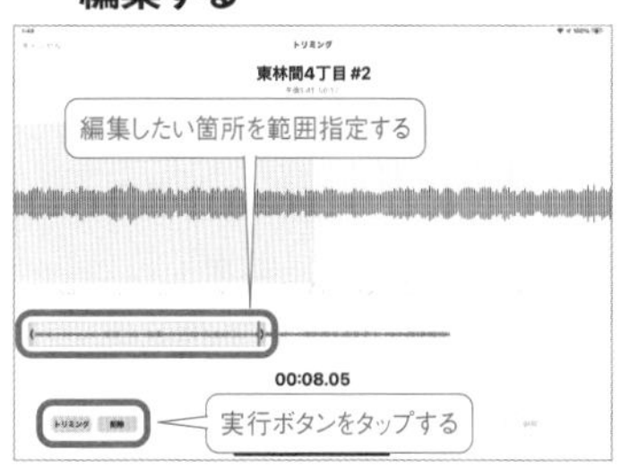

トリミング、もしくは削除したい部分を黄色い枠を調節して範囲指定する。範囲指定したら下にある各実行ボタンをタップしよう。

028 マウス マウスでiPadを操作する

ノートパソコン並にiPadが使えるようにカスタマイズしよう

iPadは、外付けのマウスに対応し、マウスのカーソル操作やクリック操作が可能だ。直接、指で画面に触れなくてもUSB、またはBluetooth経由で接続したマウスで操作できるので、iPadに外付けキーボードを取り付けノートパソコンのように操作したいiPadユーザーにとって嬉しい機能だ。以前は、USB接続やBluetoothでiPadをペアリングをしただけでは利用できず「AssistiveTouch」を有効にする必要があったが、現在ではマウスを接続したらすぐに使えるようになっている。

1 マウスを接続したらすぐに使える

マウスを接続すると自動でマウスポインタが表れ、操作ができる。スワイプする際はマウスボタンを押したまま左右上下にドラッグさせよう。

2 右クリック操作ができる

マウスの右ボタンをクリックすると、長押ししたときに表示されるメニューが表示される。なお、マウスの左ボタンを長押ししても同じ操作ができる。

029 マルチタスク マルチタスク機能を使って複数のアプリを同時に操作する

簡単に複数のアプリを起動し同時に操作できる

iPadで複数のアプリを利用するには、Split ViewやSlide Overなどのマルチタスク機能を利用する必要がある(「ステージマネージャ」を使える機種以外の場合)。Split ViewはiPadの画面を2つに分割して2つのアプリを同時に操作する機能、一方のSlide Overは開いているアプリの上に別のアプリの画面を重ねる機能だ。

マルチタスク機能を利用するには、標準アプリの上部に追加されている「…」ボタンをタップしよう。マルチタスクメニューが現れるので利用したいタイプを選択すると有効になる。Slide Overを選択するとアプリが画面右側に隠れ、Split Viewを選択すると画面左側に隠れる。アプリが端に隠れたらほかに起動したいアプリをタップしよう。2つのアプリを同時に利用できるようになる。

なお、Dockを使ってマルチタスク機能を有効にすることもできる。アプリを開いているときに画面下部から一本指でゆっくり上にスライドするとDockが表示される。Dockから利用したいアプリを少し長押しして、上方向にドラッグ&ドロップしよう。画面の左右端にドラッグした場合はSplit Viewが起動し、画面中ほどで指を放した場合は、Slide Overが起動する。

便利なマルチタスク機能を試してみよう

1 アプリ上にある「…」をタップ

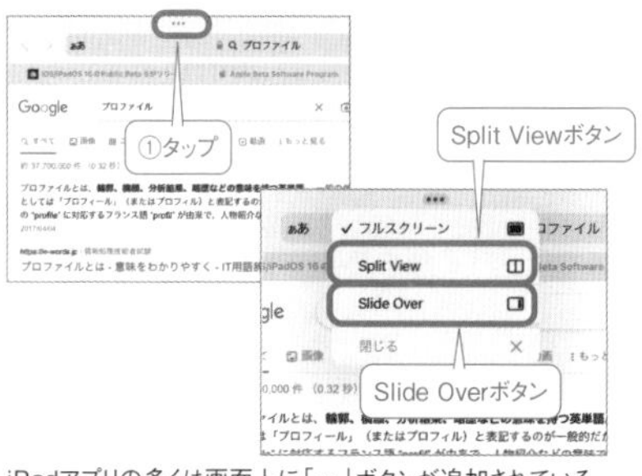

iPadアプリの多くは画面上に「…」ボタンが追加されている。タップするとマルチタスクボタンに切り替わる。利用するマルチタスクをタップする。

2 マルチタスキング機能が動作する

右端のボタンをタップした場合、Slide Overが機能してアプリが画面右端に隠れる。ホーム画面からほかのアプリを起動しよう。

3 Slide Overが機能する

ほかのアプリを起動すると端に隠れていたアプリがSlide Overとして現れる。なお、サードパーティ製アプリはまだマルチタスクボタンに対応していないものもある。

4 Split Viewを起動する

マルチタスクメニューから「Split View」を選択した場合は、アプリが画面左端に隠れる。ホーム画面からほかのアプリを起動すれば2つのアプリを同時に使える。

5 Dockを表示させる

アプリ起動中に画面下部から指を上へスライドさせるとDockを表示できる。

6 Dockからドラッグする

Dock上のアプリを少しだけ長押しして、Dock外に放すとマルチタスク機能が有効になる。画面端で放すとSplit View、画面上で放すとSlide Overになる。

上級技

030 基本操作 ドラッグ&ドロップでアプリ間でデータをやり取りする

Split ViewやDockをうまく利用する

iPadOSではアプリ間でデータをやり取りする際「ドラッグ&ドロップ」操作を使うと効率的だ。Split ViewやSlide Overで画面を分割して対象のファイルをドラッグ&ドロップするのが一般的だが、この方法を使わない方法もある。

片方の指で移動したいファイルを長押し、指を離さないようにする。もう片方の手でホーム画面に戻り、移動先のアプリを起動する。すると選択しているファイルも一緒についてくるので、コピーしたい場所で指を離そう。

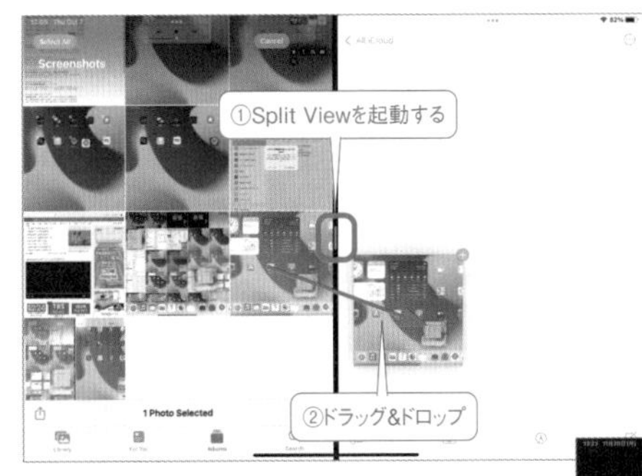

1 Split ViewやSlide Overで移動する方法

最も一般的な移動方法はSplit Viewを使った方法。片方の画面にファイルの移動先アプリを起動したら、ファイルをドラッグ&ドロップすればよい。

2 ファイルを長押しして指を離さないようにする方法

ファイルを長押しして指を離さないままもう片方の手でホーム画面に戻り、対象のアプリを起動する。その後、指を離すとファイルをコピーできる。

031 マルチタスク 作業効率の上がるシェルフ機能を使おう

一部のアプリでは「シェルフ」と呼ばれるマルチタスク機能が利用できる。これは同一アプリを複数のウインドウで開いて管理できるようにしてくれる機能で、PCの「ウインドウ」のようなものだ。たとえば、Safariを複数開いて切り替えて使いたいときに便利だ。シェルフは画面上部にあるマルチタスクボタンをタップすると画面下に自動的に表示される。シェルフから新規ウインドウを追加することも可能だ。

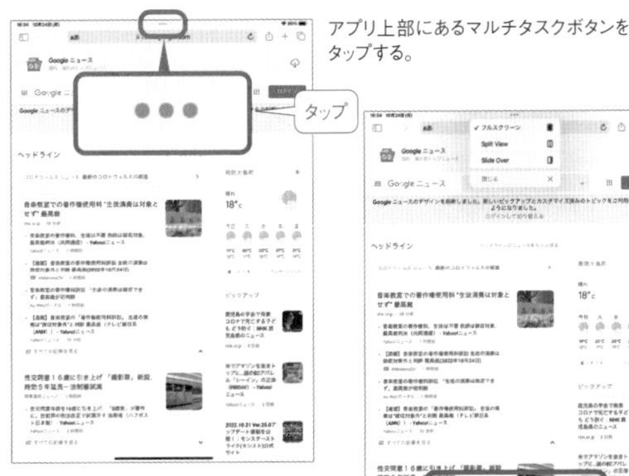

アプリ上部にあるマルチタスクボタンをタップする。

シェルフに対応しているアプリなら画面下にウインドウが表示される。追加ボタンで新しくウインドウを追加することもできる。

マスト!

032 マルチタスク Appスイッチャーでアプリを終了させる

アプリを切り替えるには、ホーム画面に戻ったあと、ほかのアプリアイコンをタップしてもいいが、ホームボタンのあるiPadの場合は、ホームボタンを2回連続して押すか、画面下から上へスワイプすると起動する「Appスイッチャー」画面から、一時停止中のアプリに切り替えることもできる。アプリを終了させたい場合はAppスイッチャーでプレビューを上へスワイプすれば、そのアプリを完全に終了させることができる。

マスト!

033 基本操作 iPadのジェスチャー操作を再度確認して使いこなそう

約30ものブラウザ操作をジェスチャー操作に割り当てることができる

iPadOSのバージョンがアップするたびに、画面をスワイプしてさまざまな機能を呼び出すジェスチャ機能は改良されている。iPad初心者はもちろんのこと、これまでiPadを使っていたユーザーも新しくなったジェスチャ操作を知らないと、目的の機能をうまく呼び出せなくなるので、基本的なジェスチャを見直しておこう。

現在のiPadのジェスチャ操作は、ホームボタンを取り除いたiPad ProやiPhone Xシリーズ以降に対応した仕様となっている。代表的なジェスチャは、画面下から上方向にフリックすると実行される「ホーム画面に戻る」操作だ。ホームボタンを押さなくてもホーム画面に戻ることができる。

画面下から上方向に指を離さずゆっくりスワイプし、画面中央あたりで指を止めるとAppスイッチャーが起動する。Appスイッチャーではバックグラウンドで起動しているアプリに切り替えたり、アプリを完全に終了させることができる。

コントロールセンターを表示させるには、iPad画面右上の隅から下方向へフリック、またはスワイプしよう。独立したコントロールセンターが表示される。

また、アプリ起動中に画面左下から右へスワイプすると、1つ前に利用したアプリに切り替えることができ、切り替えた後に画面右下から左へスワイプすると元のアプリに戻ることが可能だ。2つのアプリを切り替えて見比べ作業をするときに便利なジェスチャ操作といえるだろう。

また、iPadの左端から右へスワイプするとウィジェット編集画面が表示される。

iPadの便利なジェスチャ操作をマスターしよう

1 画面下から上にフリックしてホーム画面に戻る

ホーム画面に戻るには、画面下から上へ弾くようにフリックしよう。ホームボタンのない iPad Pro、最新の Air や mini 6 では必須の操作となる。

2 画面下から上へスワイプして中ほどで止める

画面下から上へ指をゆっくりスワイプして画面中央あたりで止めると App スイッチャーが表示される。

3 コントロールセンターを表示させる

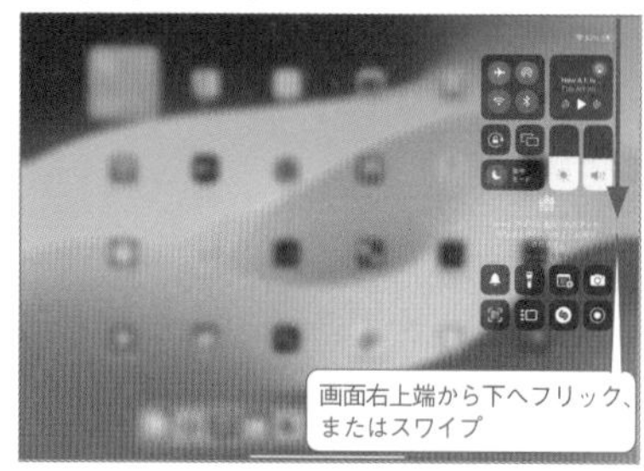

コントロールセンターを表示させるには、画面右上端から下へフリック、またはスワイプしよう。

4 1つ前に使ったアプリを表示させる

画面左下から右へ指をスワイプすると、1つ前に使ったアプリが表示される。バックグラウンドで起動した状態になっていれば、さらに前のアプリを表示させることができる。

5 ウィジェットをホーム画面に表示させる

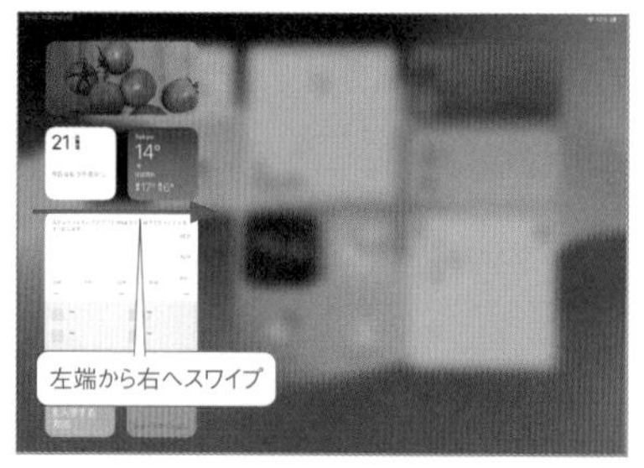

iPad の左端から右へスワイプするとウィジェット編集画面が表示される。ここから新たにウィジェットを追加したり、削除できる。

point Dockを表示させる場合に注意しよう

iPad ではアプリ起動中でも画面下から上へスワイプすることで Dock を表示させることができるが、「ホーム画面に戻る」ジェスチャと認識されることもある点に注意しよう。Dock を引き出す際は画面下からゆっくり少しだけ指をスワイプさせること。素早いフリック操作を行うとホーム画面に戻ってしまう。

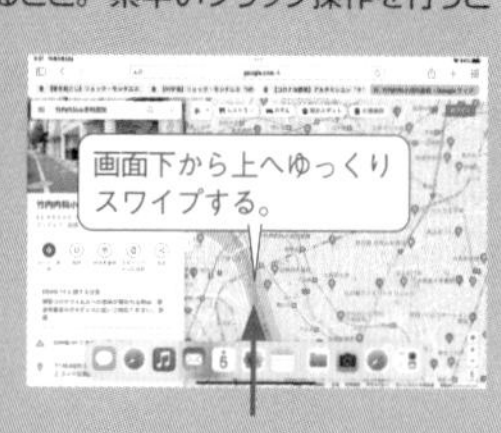

※フリック:素早く指を弾く指操作／スワイプ:ゆっくり指を滑らす指操作

基本操作

034 4本指のスワイプでアプリを切り替える

設定の「マルチタスクとジェスチャ」で「4本または5本指のジェスチャ」をオンに設定すれば、通常ホームボタンを2回押して表示するAppスイッチャーやコントロールセンターを、4本指で上へスワイプすることで表示させることができる。

また、アプリ起動中に4本指で左右にスワイプすると、アプリの切り替えが可能（タスク切り替えに表示される順番で切り替えられる）。複数のアプリを行ったり来たりするときに便利だ。この操作は覚えておくと非常に便利なので、是非活用しよう。

4本指で上へスワイプするとAppスイッチャーやコントロールセンターを表示。

4本指で左右にスワイプすると、アプリの切り換え（Appスイッチャーの順番）が行える。

ロック画面

035 ロック状態で音楽プレイヤーを操作する

現在のiPadは再生中の音楽情報が自動的にロック画面に表示され、音楽再生をコントロールすることが可能。しかし、音楽再生を一時停止してから数分経つと、ロック画面からコントロール画面が消えてしまう。そんなときはロック画面右上端から下へスワイプしよう。コントロールセンター画面で再生すると再び表示できるようになる。また、音楽再生中はロック画面にその曲のジャケット画像が表示され早送りや巻き戻しなどそれなりの操作が可能。

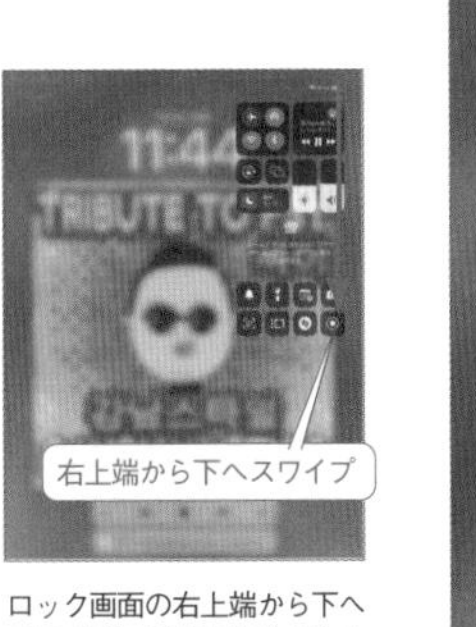

ロック画面の右上端から下へスワイプ。音楽再生をコントロールできる。再生中はロック画面上で再生操作が可能に。

ロック画面で音楽再生中のコントロールが行える。アプリが対応していればアルバム画像の表示もしてくれる

マルチタスキング

036 動画鑑賞しながらほかのiPad作業をする

「ピクチャ・イン・ピクチャ」は動画を鑑賞しながらほかの作業をするときに便利なマルチタスキング機能。FaceTimeのビデオ通話中や「Apple TV」アプリで動画を再生中に縮小ボタンをタップすると、iPadの片隅に縮小表示させながらほかのアプリを利用することができる。縮小表示されたビデオ通話や再生画面は、表示位置を変更したりサイズを変更することができる。ながら作業をしたい人は使いこなそう。

「Apple TV」アプリ（旧「ビデオ」アプリ）で動画を再生中、左上にある縮小ボタンをタップ。

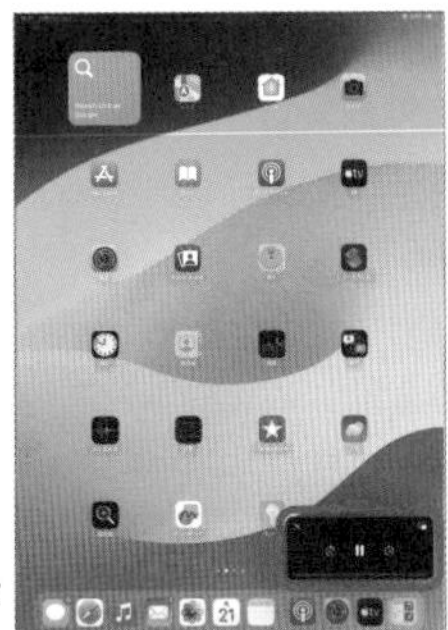

プレイヤーを縮小してiPadの画面の片隅に設置してほかのアプリを利用することができる。

画面表示

037 日付・時刻の表示形式を変更する

以前のiPadOSではiPadの上右端に時刻だけが表示されていたが現在では左端に表示され、また日付や曜日も表示されるようになった。

日付と曜日の表示形式は、「設定」の「一般」にある「日付と時刻」で変更することができる。「24時間表示」をオフにすると「午前」や「午後」の文字とともに12時間表示に切り替わる。また、以前の表示形式のように時間だけを表示させるように設定を戻すよう変更できるほか、取得する都市の時間帯を手動で変更することもできる。

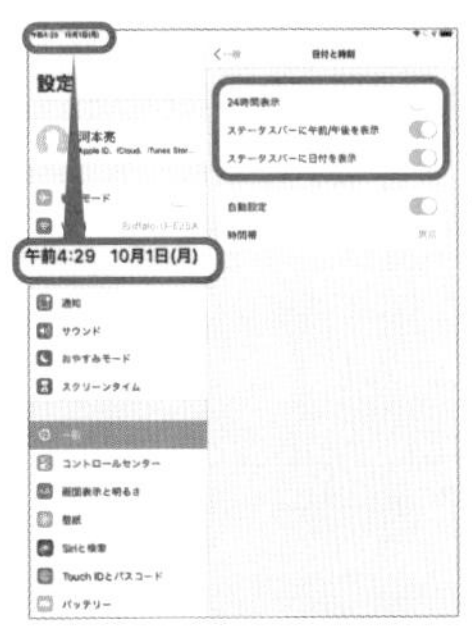

「設定」アプリから「一般」→「日付と時刻」へ進む。「24時間表示」をオフにすると「午前」や「午後」の文字が追加され、12時間表示に変更される。

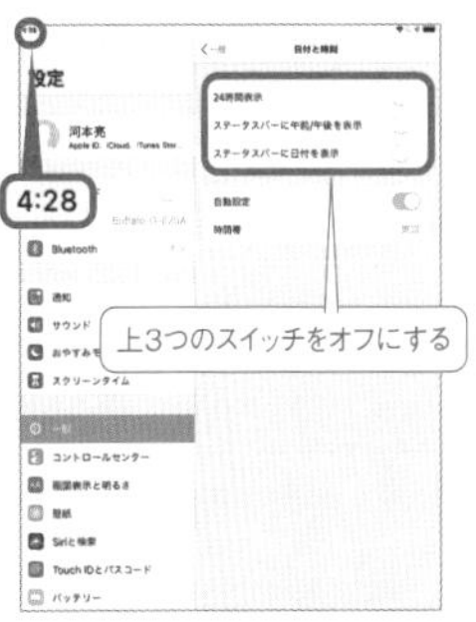

以前の時刻のみの表示形式に変更したい場合は、上3つのスイッチをすべてオフにすればよい。

電話

038 iPhoneにかかってきた電話をiPadに着信させ通話する

iPadではiPhoneにかかってきた電話をiPadで着信し、マイクとスピーカーで通話する「iPhoneセルラー」機能が搭載されている。iPadをiPhoneの子機代わりとして利用でき、離れた場所にあるiPhoneに着信があったときでも、手元のiPadで着信して通話することが可能だ。逆に電話をかけることもできる。なお、iPhoneセルラーはFaceTimeの一機能のためFaceTimeを事前にiPadにインストールしておき、iPhoneと同じApple IDでログインしておく必要がある。

FaceTimeの「設定」画面を開き、FaceTimeを有効状態にして、「iPhoneから通話」を有効にしておこう。

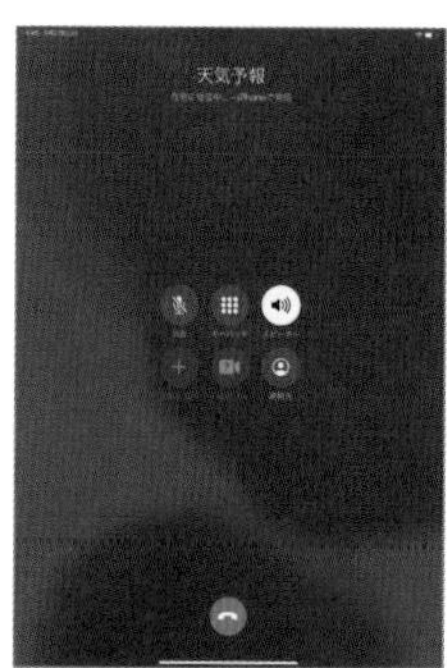

iPhoneの回線を利用して電話の着信ができるようになる。iPadから電話する場合は「連絡先」アプリに登録している電話番号をタップすればよい。

通信

039 Wi-FiやBluetoothを完全に終了するには?

コントロールセンターにあるWi-Fi や Bluetooth のボタンは、タップしてオフにしても完全にオフになっていない。繋がっていたデバイスとの接続を切断して「未接続」という状態になっているだけだ。そのため、自動接続が可能なエリアに入ると知らない間に接続してしまう。Wi-Fi や Bluetooth を完全にオフにしたい場合は「設定」アプリの「Wi-Fi」や「Bluetooth」を開き、スイッチをオフにしよう。

コントロールセンターを開き、Wi-Fi と Bluetooth のボタンをタップしてオフ状態にする。この状態はつながっていたデバイスとの接続を解除しただけだ。

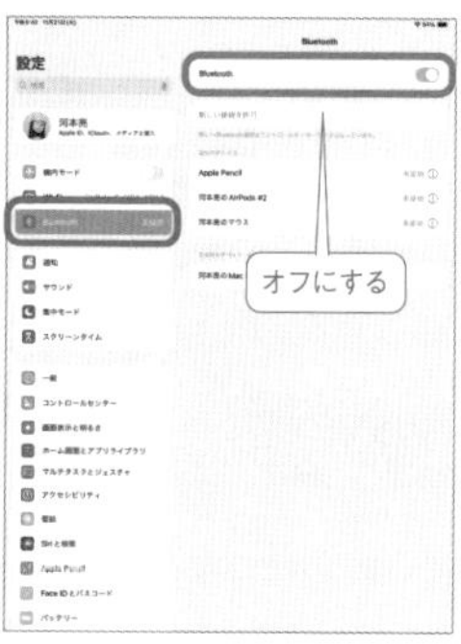

完全にオフにするには「設定」アプリを開いて「Wi-Fi」や「Bluetooth」を開く。スイッチが有効状態になっているので、これをオフにしよう。

040 テザリング Instant Hotspotでテザリングを快適に使う

iPhoneで素早くネットに繋いでiPadでインターネット

iOS の機能「Instant Hotspot」では、インターネット共有（テザリング）が簡単にできる。所有している機器の Bluetooth がオンになった状態で同じ Apple ID で iCloud にログインしていれば、Wi-Fi の接続先にテザリング接続可能な機器が表示されるので、そちらをタップするだけでテザリングが開始される。ただし、格安 SIM 業者の回線を利用している iPhone だと、テザリングができないことがあるので注意。

1 同じApple IDでサインイン

iPad と iPhone で、同じ Apple ID で iCloud にサインインしておく。Bluetooth もオンにしておこう。

2 iPhoneにWi-Fi接続

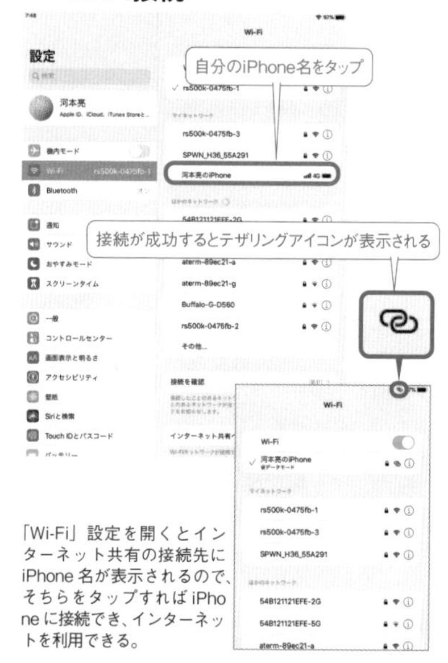

「Wi-Fi」設定を開くとインターネット共有の接続先に iPhone 名が表示されるので、そちらをタップすれば iPhone に接続でき、インターネットを利用できる。

AirDrop

041 AirDropでさまざまなデータを素早く交換する

AirDropは、Appleデバイス同士で、Wi-Fi/Bluetoothを経由して写真やテキストを直接送信できる機能。メールやメッセージを使わずに、手軽にデータのやりとりが行える便利な機能だ。「写真」アプリや「連絡先」などの標準アプリだけでなくほとんどのアプリから呼び出すことができる。iPadやiPhoneだけでなくMacともAirDropでやり取りが可能。パソコン上のファイル転送がケーブルなしで素早く行え便利だ。

アプリの共有メニューから起動し、送信したいユーザーをタップして、データを送信しよう。

Handoff

042 iPadでの作業の続きをMacやiPhoneで行う

移動中にiPadで書いた文章の続きをMacで書くときは「Handoff」機能を利用しよう。有効にするとiPadで実行中のアプリの状態をMacやほかのiOSデバイスに瞬時に反映できるようになる。メール、メモ、SafariなどApple純正アプリであれば大半は対応している。逆にMacやiPhoneで起動中のアプリ内容をHandoffを利用してiPadに反映させることも可能だ。

なお、Handoffを利用するには両方のデバイスのBluetoothを有効にし、同じApple IDでiCloudにログインしておく必要がある。

「設定」の「一般」から「AirPlayとHandoff」を開き、「Handoff」のスイッチを有効にしよう。

アプリを起動して、ほかのデバイスに近づけよう。Macの場合Dock右から表示されるアイコンをクリックしよう。

バッテリー

043 バッテリー消費の激しいアプリを調べる

アプリをたくさん起動した状態にしていると、バッテリーの持ちがかなり悪くなっている。そのため、必要時以外はできるだけiPadに負担をかけるアプリは、オフにしておきたいものだ。「設定」画面から「バッテリー」画面を開き、バッテリーの使用状況を確認しよう。この画面では、iPadにインストールされているアプリの各バッテリー使用率が一覧表示される。使用率を参考にして、バッテリー負担の高そうなアプリはアンインストールするか、App スイッチャーからオフにするといいだろう。

「設定」画面から「バッテリー」をタップ。負担の高いアプリが上から順番に表示される。

App スイッチャーを開き、バッテリー負担の高いアプリを上にスワイプしてオフにしておこう。

上級技

設定

044 アプリからの評価依頼を表示させないようにするには?

アプリを利用していると、「App Storeで評価してください」という画面が表示されることがある。星を付けるか「今はしない」を選択すれば消えるものの、アプリの使用中に突然表示されるので、作業が中断することになりやっかいだ。この画面は現れないように設定で無効にしておこう。アプリを評価したいときは、App Storeで該当アプリの「評価とレビュー」画面を開き、星の数で評価したりレビューを書けばよい。

「設定」から「App Store」と進み「App内評価とレビュー」のチェックを外そう。

マスト!

Spotlight

045 Spotlight検索をうまく使いこなそう

iPadにインストールされているアプリを素早く検索できるSpotlight検索は、アプリだけでなくあらゆるファイルを検索対象にできる。アプリやメール、メッセージ内の文章に加えてメモ、カレンダー、リマインダーなど標準アプリ内に保存されているテキストデータを検索できるほかEvernoteやLINEのメッセージなど他社製アプリの多くに対応している。なにか探したいものを思いついたら、すぐに使ってみよう。

キーワードを入力する

1 アプリ内のデータを検索する

ホーム画面の真ん中あたりを下へフリック、または右へフリックすると検索画面が表示される。キーワードを入力するとそのキーワードを含むiPad内にあるデータが表示される。

「マップをタップ

2 地名を入力してマップで表示する

地名を入力すると「マップ」というメニューが表示される。タップするとマップアプリがその場所を表示してくれる。

Spotlight

046 Spotlight検索の項目を変更する

iPad内のファイルの検索に利用するSpotlightは、初期設定だとキーワードに合致するありとあらゆるファイルを表示してしまうため、探しづらいこともある。検索対象を絞り込んで効率よく目的のファイルを探そう。「設定」画面の「Siriと検索」で、検索結果に表示したいファイルの種類のみ有効にしよう。なおこの画面ではホーム画面で上か下へフリックしたときに検索フォームとともに表示されるSiriの提案のオン・オフも行える。

iPadの「設定」→「Siriと検索」を開き、検索結果に表示したいアプリのみ有効にしておこう。

マスト!

辞書

047 iPadOS標準の辞書機能を利用する

iPadには、標準で辞書が内蔵されており、テキスト編集のメニューから選択した単語の和訳や意味を簡単に調べることができる。Safariやメモ帳などのテキストを選択し、ポップアップメニューの「調べる」をタップすれば、辞書の検索結果が表示される。選択した単語によって検索される辞書が自動的に選ばれ、日本語を選択すれば国語辞典やWikipediaなどからその単語の意味を表示してくれる。

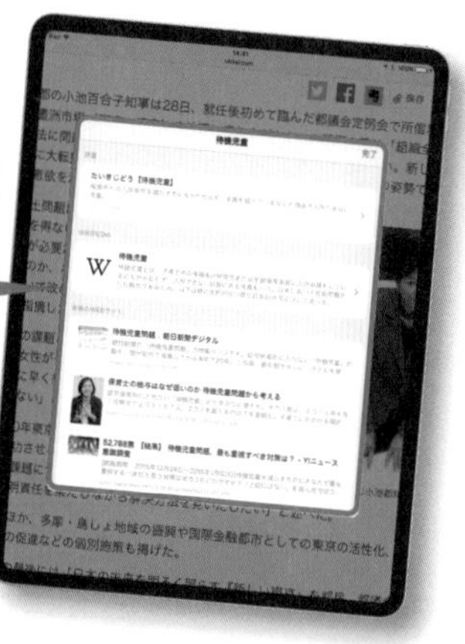

調べたい文字を選択してメニューから「調べる」をタップ。文字選択ができるなら、どのアプリからでも辞書を検索できる。日本語だけでなく英単語の意味も調べられる。

辞書

048 「調べる」の範囲を内蔵辞書に限定する

選択した文字列の意味を調べる方法は、以前より検索対象が拡大され、辞書だけでなく、関連のある映画、Wikipedia、iTunes内のコンテンツ、App Store内のコンテンツなども検索結果に表示できる。便利ではあるが毎回インターネットに接続するため、検索結果の表示が遅くなってしまう欠点もある。辞書で意味だけ調べたい場合は「調べるに表示」をオフにしよう。

「調べる」で追加された検索結果

標準設定では「調べる」を選択すると、辞書だけでなくこのように映画情報やWikipediaなどの情報も表示されてしまう。

「調べるに表示」をオフにする

以前のように辞書だけを表示するには、「設定」画面の「Siriと検索」から「調べるに表示」をオフにしよう。

ホーム画面

049 ウェブのブックマークをホーム画面に登録する

よくアクセスするWebサイトは、Safariのブックマークに登録する方法よりも、ショートカットをホーム画面に登録する方がより素早く目的のサイトにアクセスできる。Webサイトを開いたら共有アイコンをタップして「ホーム画面に追加」をタップ。ショートカットに名前を付けて保存すれば、ホーム画面にショートカットを作成できる。追加したショートカットはアプリアイコンと同じくフォルダにまとめたり、好きな位置に移動させるほか、名前を変更することもできる。

Safariでページを開き、共有アイコンをタップ。「ホーム画面に追加」をタップして名称を入力。「追加」でホーム画面にアイコンが追加される。

ホーム画面

050 ホーム画面にフォルダを作ってアプリを管理する

アイコンが増えてくると、いざアプリを利用したい時に目的のアプリが探しづらくなってしまう。そこで、ホーム画面にフォルダを作成し、ジャンル別や目的別といったようにアプリを整理しよう。フォルダを作成するには、フォルダにまとめたいアイコンを長押しタップ。アイコンが振動した状態で、このアイコンをフォルダにまとめたいアイコンにドラッグして重ねればOK。アイコンを複数選択してまとめてフォルダへ移動することもできる。便利なので知っておこう。

アイコンを長押ししてふるえた状態にして、少し動かし、アイコンの「×」マークを消した状態にする。

アイコンから指を離さないまま、一緒に移動させたい別のアプリアイコンをタップする。すると選択したアイコンが自動で重なる。

上級技

共有メニュー

051 共有メニューのアプリアイコンを並べ替えて使いやすくする

アプリで開いているデータや情報を他のアプリへ送るときに開く「共有」メニュー。各アプリの共有ボタンをタップしてメニューを開くと、送信可能なアプリのアイコンや利用できる機能が並んでいるが、よく使うアイコンや機能をアクセスしやすい位置にカスタマイズすることで、作業をより効率的に進めることができる。並び替えるには「その他」メニューを開こう。「よく使う項目」にアプリを追加すれば並び替えられる。

共有メニューを開き、並んでいるアプリアイコンの一番右にある「その他」をタップする。

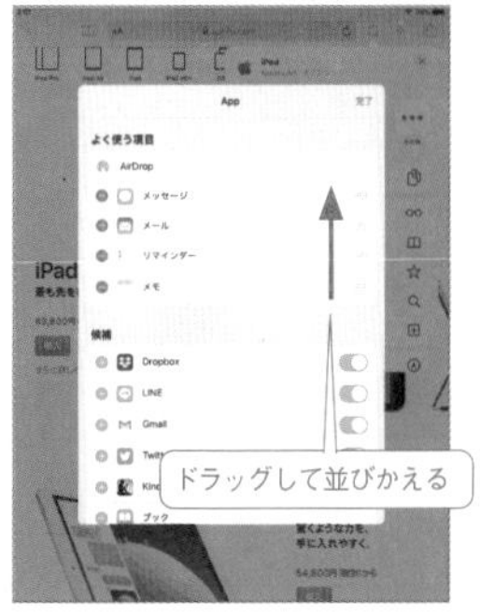

「よく使う項目」に並び替えたいアプリを追加したあと、ドラッグして並びかえよう。

上級技

Spotlight

052 iPadでちょっとした計算をするには

iPhoneと異なりiPadには電卓アプリが搭載されていないが、簡単な四則計算であればSpotlightを電卓代わりに利用することができる。このとき、キーボードでSpotlightに直接数式入力してもよいが、音声入力を使って計算式を話しかけるほうが素早く計算できるだろう。

なお、表示された計算結果をタップするとブラウザでGoogleの電卓画面が起動し、計算結果が表示される。計算結果からさらに複雑な計算をしたいときは、Googleの電卓画面を利用するのもよいだろう。

Spotlightに直接計算式を入力しよう。音声入力を使えば長い計算式でも素早く入力できる。Apple Pencilで手書きで書き込むのも便利だ。

計算結果をタップするとブラウザが起動してGoogleの電卓画面を表示することもできる。計算結果をコピーしたり、より複雑な計算ができる。

ダークモード

053 黒を基調とした暗めのダークモードに変更する

iPadにはインターフェース全体を黒を基調とした暗めな配色にする「ダークモード」設定が用意されている。ダークモードに変更すると文字やケイ線が通常よりもくっきりと見えやすくなるため、暗い場所で利用するのに効果的だ。目の疲れを軽減する効果もあるといわれている。また、自動ボタンを有効にすれば、指定した時間帯になると自動的にダークモードに変更できる。

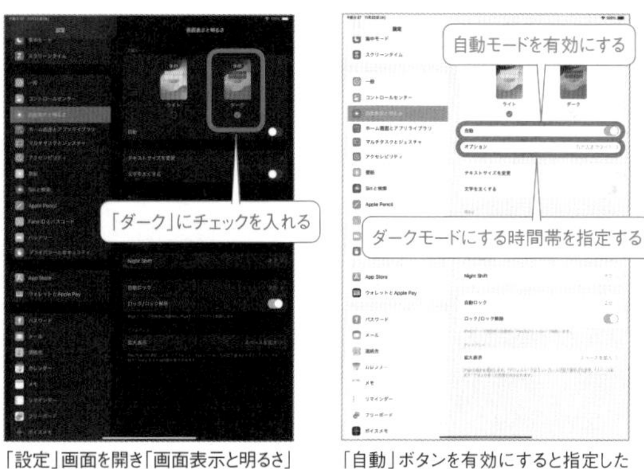

「設定」画面を開き「画面表示と明るさ」を開く。外観モードの「ダーク」にチェックを入れるとダークモードに変更する。

「自動」ボタンを有効にすると指定した時間帯になると自動でダークモードに変更する。「オプション」で時間帯を設定することができる。

基本操作

054 ナイトシフトでブルーライトをカットして目を守る

iPadのディスプレイの光がチカチカして、目が痛い人はもちろん、そうでない人もブルーライトの影響を考えて「ナイトシフト」に切り換えよう。ブルーライトを軽減して、目への刺激を和らげてくれる。手動で設定を有効にする以外に、指定した時刻間のみ自動でナイトシフトモードにすることも可能。睡眠前から起床までの時間帯をナイトシフトモードにしておけば、心地よい眠りにつけるだろう。色温度をカスタマイズすることも可能だ。

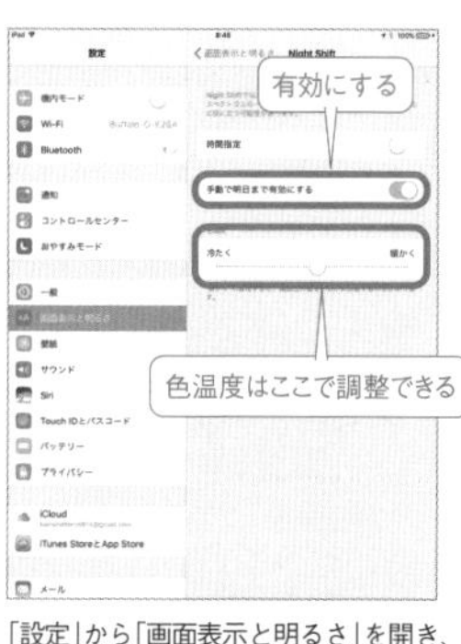

「設定」から「画面表示と明るさ」を開き、「Night Shift」に移動。「手動で明日まで有効にする」を有効にしよう。

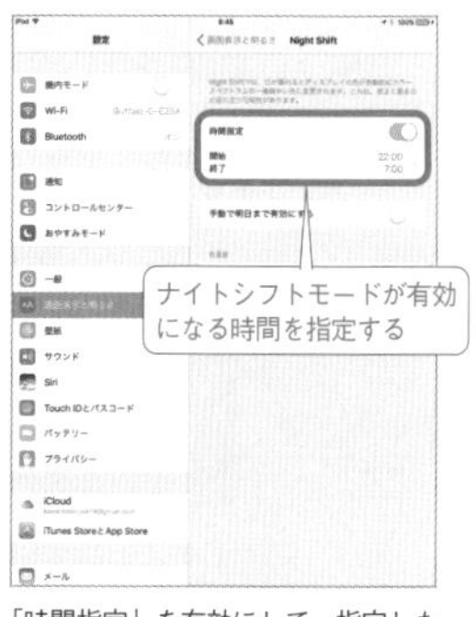

「時間指定」を有効にして、指定した時刻間のみ自動でナイトシフトモードにすることもできる。

通知

055 不要な通知を、あとでまとめて通知する「時刻指定要約」

アプリの通知の煩わしさを軽減するには「時刻指定要約」を使いこなそう。標準ではオフになっているが、この機能を有効にすると、緊急性のない不要なアプリの通知をリアルタイムではなく、指定した時刻にまとめて受け取るようにできる。メールやメッセージなどコミュニケーションアプリ以外のものは時刻指定要約に登録しておこう。余計な通知を減らすことができる。なお、なおスケジュールは1つだけでなく複数追加できる。

「設定」アプリから「通知」をタップして「時刻指定予約」と進み、スイッチを有効にする。

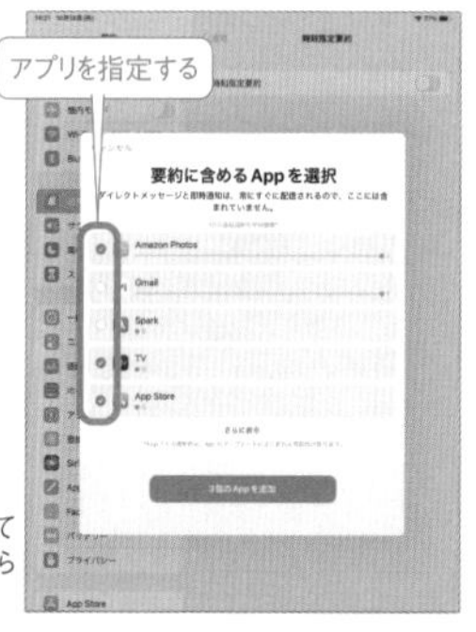

緊急性のないアプリにチェックを入れていき、次の画面でまとめて通知してもらう時刻を設定しよう。

SIMカード

056 データ専用の格安SIMを利用する

セルラーモデルのiPadを利用しているユーザーがネットに接続する場合、Wi-Fiや大手キャリアが提供するモバイルデータのほかに格安SIMを利用した接続方法がある。格安SIMの接続業者はたくさんあるが、おおよそ月額1,000円～2,000円で3～5GB程度のモバイルデータを利用できる。それほどモバイルデータを使わないなら格安SIMに乗り換えるのがおすすめだ。

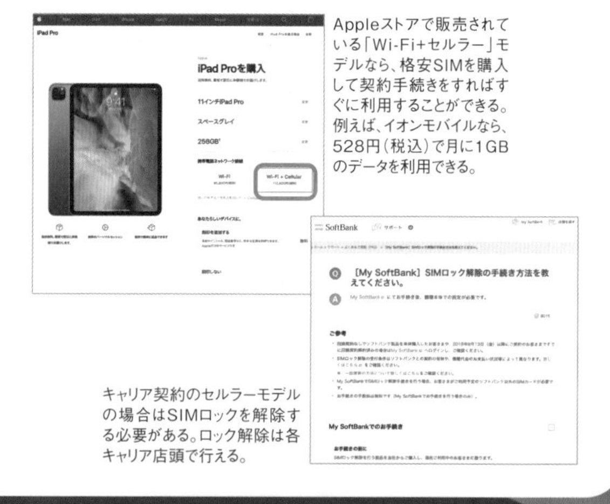

Appleストアで販売されている「Wi-Fi+セルラー」モデルなら、格安SIMを購入して契約手続きをすればすぐに利用することができる。例えば、イオンモバイルなら、528円（税込）で月に1GBのデータを利用できる。

キャリア契約のセルラーモデルの場合はSIMロックを解除する必要がある。ロック解除は各キャリア店頭で行える。

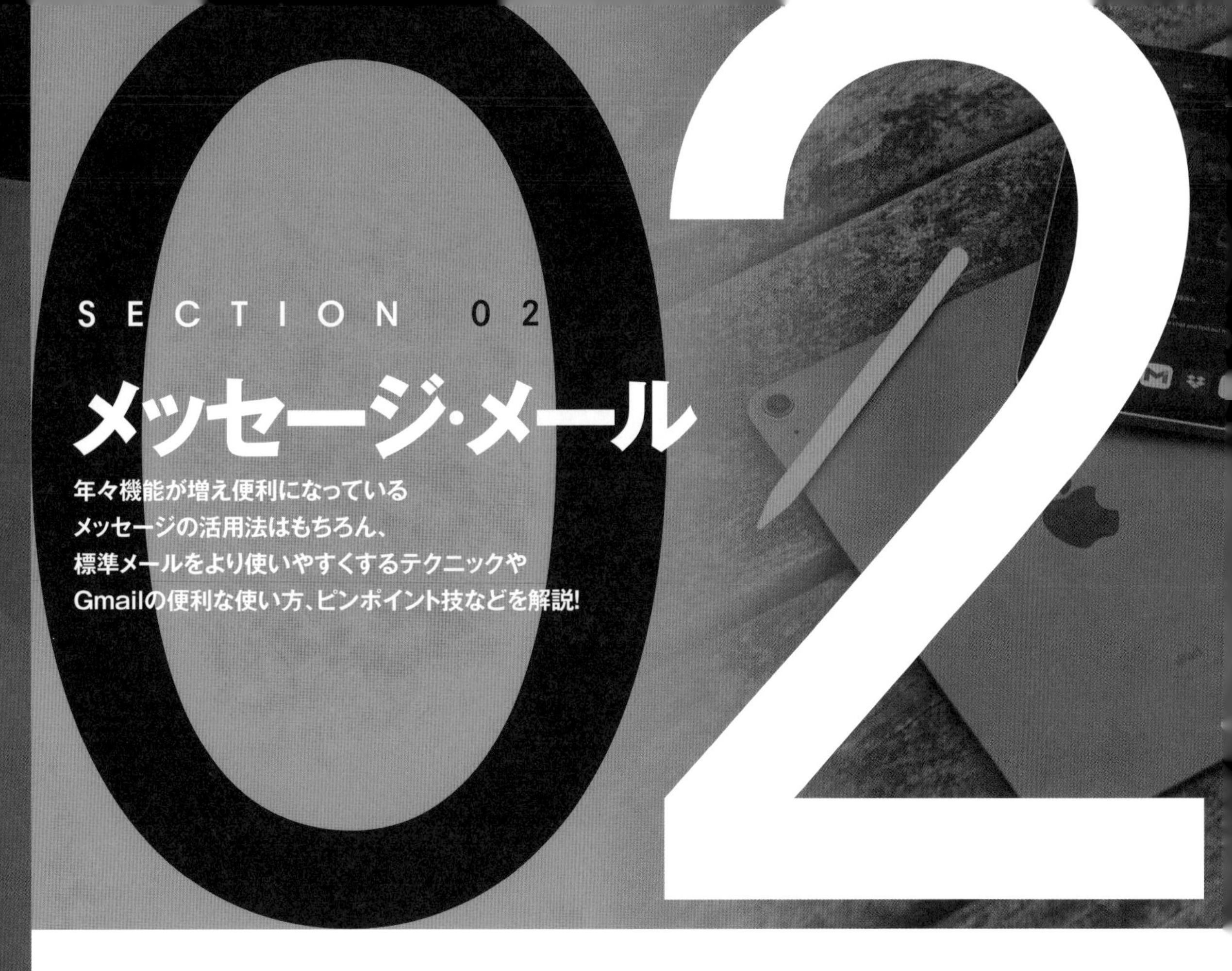

SECTION 02

メッセージ・メール

年々機能が増え便利になっている
メッセージの活用法はもちろん、
標準メールをより使いやすくするテクニックや
Gmailの便利な使い方、ピンポイント技などを解説!

マスト! iPad OS17

057 ステッカー オリジナルのステッカーを作ろう

メッセージで送信したり絵文字に使用したりできる

iPadOS 17では新機能として、写真からオリジナルのステッカーを作成する機能が追加された。キラキラしたエフェクトを追加して、元の写真より魅力のあるステッカーを作成できる作成したステッカーは、メッセージアプリで絵文字やミー文字などと同じように送信することが可能だ。またステッカーはiCloudと同期でき、iPhoneやMacで利用することもできる。

ステッカーの作成方法は非常に簡単。写真アプリから作成に利用したい写真を選択すればよい。なお、Live Photosの写真からも作成でき、その場合はアニメーションつきのステッカーが作成される。

1 ステッカーを作成する

「写真」アプリからステッカーにしたい写真を開き、フルスクリーンにする。ステッカーの対象を長押しして「ステッカーに追加」をタップしよう。

2 ステッカーを使う

メッセージアプリでステッカーを使う場合は、入力欄左の「+」ボタンをタップし、ステッカータブを開こう。作成したステッカーが表示されるので選択すると送信できる。

マスト!

058 メッセージ 「メッセージ」アプリで手軽なチャットを楽しもう

iMessageとiPhoneのモバイル通信は少し違う

iPadではApple IDを所有していれば、メールのほかに「メッセージ」アプリを使ったコミュニケーションができる。LINEとよく似たチャットアプリで、おもにApple IDを所有しているユーザー同士でさまざまなコミュニケーションを行うのが一般的な使い方だ。

メッセージでは、テキストだけでなく、写真やステッカー、手書きのイラストやメモをやり取りできる。LINEを使ったことがある人なら初めてでも違和感なく利用できるだろう。

なお、iPadで利用できるメッセージは「iMessage」だけである点に注意したい。iMessageとは、宛先に相手のApple ID（iPhone、iPad、iPod touch、Mac）を入力してメッセージを送信する方法だ。iPadでセルラーモデルを使っていても、iPhoneのようにガラケーやAndroidスマホなどと直接SMSやMMSを送受信できない仕様になっている。

ただし、iPhoneを併用していれば、メッセージの設定画面からiPhoneを連携させることで送受信することができる。iPhone側の設定画面の「メッセージ」で「SMS/MMS転送」を有効にして、利用しているiPadにチェックを入れよう。

point 「SMS/MMS転送」が表示されない!?

iMessageアカウント
kawamotoryo614@gmail.com
場所を変更
サインアウト
キャンセル

iPhoneの「設定」の「メッセージ」画面に「SMS/MMS転送」メニューが表示されないことがある。そんなときは、「iMessage」画面下に表示されている自分のApple IDをタップして「サインアウト」をタップする。サインアウト後、サインインし直すと表示される。

iMessageを使ってメッセージを送信する

1 iMessageを利用してメッセージを送信する

iPhoneのSMSやMMSを利用しないようにして、iMessageだけでメッセージを送受信するには、「設定」を開き、「メッセージ」をタップ。「iMessage」をオンにして、「送受信」をタップ。

2 IDにチェックを入れる

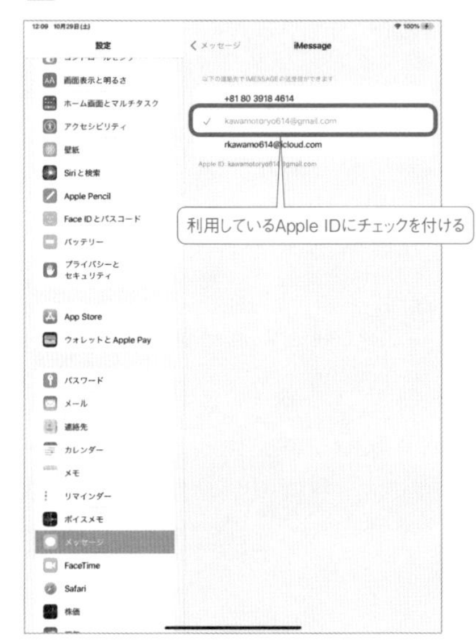

iMessageでメッセージを送信する際に利用するアドレスが表示される。ここで、電話番号ではなくApple IDにチェックを付けなおそう。

3 メッセージアプリを起動する

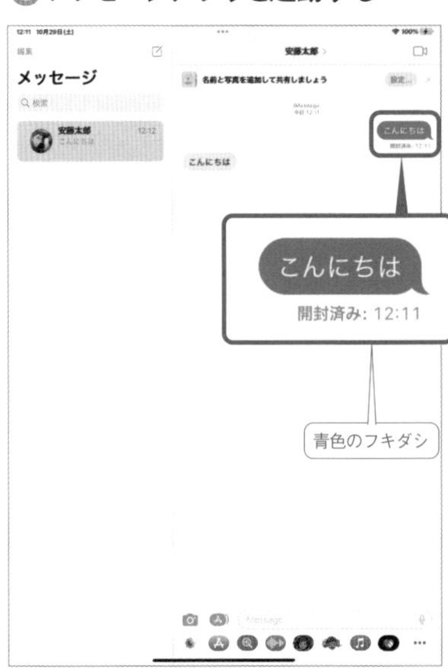

メッセージアプリを起動して「宛先」に相手のApple ID（メールアドレス）を入力する。うまく送信できれば青色の吹き出しが表示される。

4 iPhoneと連携してSMSで送信する

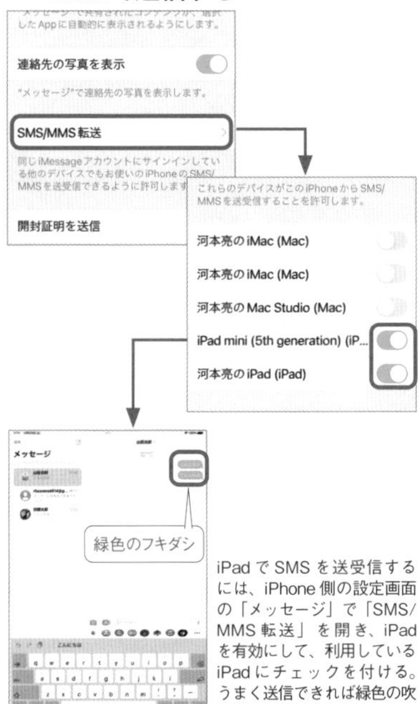

iPadでSMSを送受信するには、iPhone側の設定画面の「メッセージ」で「SMS/MMS転送」を開き、iPadを有効にして、利用しているiPadにチェックを付ける。うまく送信できれば緑色の吹き出しが表示される。

メッセージ

059 検索フィルタでメッセージを検索する

iPadOS 17では、「メッセージ」アプリの検索機能が強化され、検索フィルタを組み合わせて検索結果を絞り込むことができるようになった。目的のメッセージを素早く見つけ出すことができる。また、「写真」「リンク」などコンテンツタイプ名を入力すると、そのコンテンツが含まれるメッセージだけを表示してくれる。テキストでは検索しづらい送受信された写真やURLアドレスを探すときに便利だ。

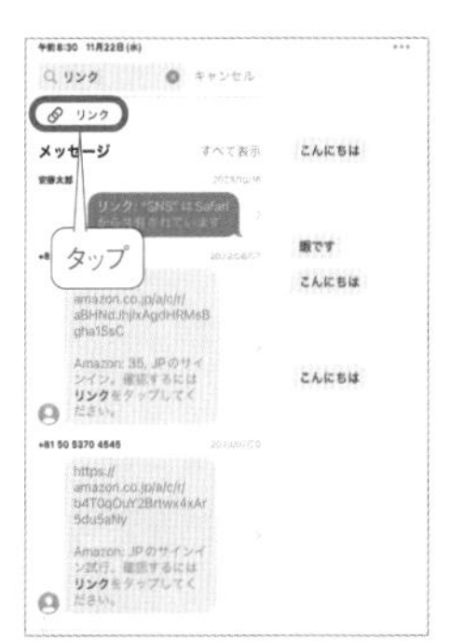

検索ボックスに「リンク」と入力すると、検索結果上部に「リンク」アイコンが表示されるのでタップ。

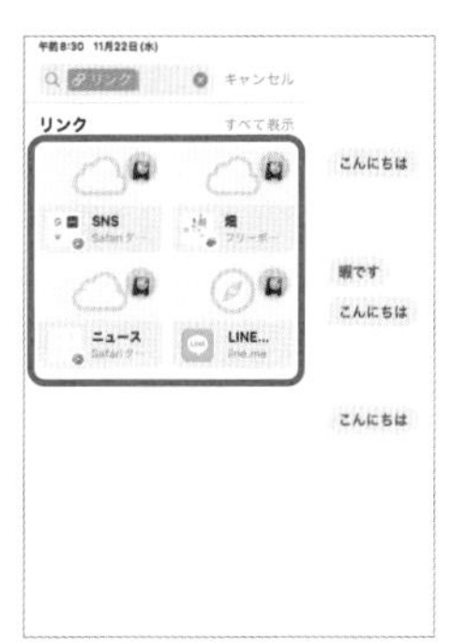

すると、リンクの貼られたメッセージのみフィルタリングして表示してくれる。

上級技

メッセージ

060 メッセージの多彩な機能を使いこなそう

「メッセージ」アプリはテキストや写真だけでなくさまざまな方法で表現力を高めることができる。手書きメッセージでは、描く過程を含め相手に送ることができる。同じ「ありがとう」のメッセージでも手書きで送れば、より思いのこもったメッセージが伝えられる。また、投稿するメッセージに、さまざまなエフェクトを加えることもできる。メッセージの吹き出しが振動したり、膨らんだりするアニメーション効果や、チャットの背景にも視覚効果を加えられる。

アプリメニューから「Digital Touch」を選択すれば手書きのメッセージを送信することが可能だ。黒いパッドに手書きしよう。

メッセージ欄の右にある「↑」を長押しすると、メッセージにさまざまな効果をつけられる。「吹き出し」はメッセージそのものの動き、「スクリーン」は画面全体の効果。

メッセージ

061 送信したあとでも編集したり取り消すことができる

メッセージアプリでは、送信後、15分以内であればメッセージの編集が可能で、またメッセージ送信後2分以内であれば送信自体を取り消すことができる。ちょっとした誤字脱字の修正をしたり、送信相手を間違ってしまった場合のトラブルにも対処できる。通知センターに表示されるメッセージも同期して修正してくれる。ただし、送信を取り消ししたことや編集したことは相手の画面に通知されるので注意しよう

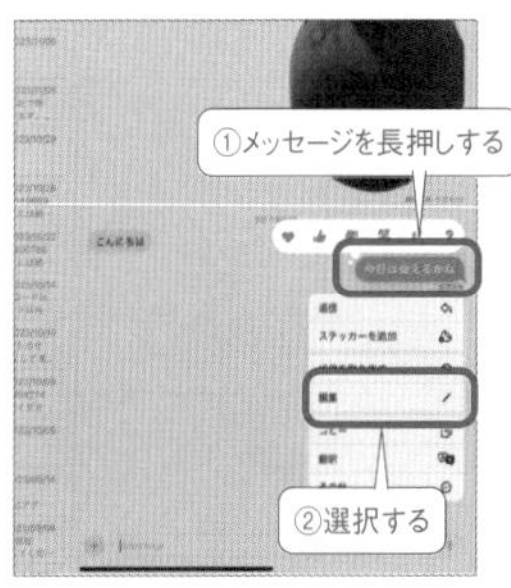

編集、または取り消したいメッセージを長押しする。メニューが表示されるので「送信を取り消す」や「編集」を選択しよう。

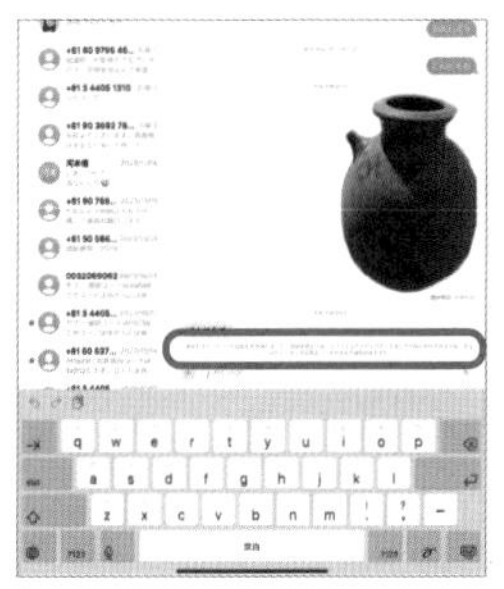

「送信を取り消す」を選択すると、メッセージが消え「あなたはメッセージの送信を取り消しました」と表示される。なお、相手の画面にも取り消したことは伝えられる。

メッセージ

062 相手のメッセージに対するリアクションも多彩!

メッセージアプリでは、相手から受け取ったメッセージに対するリアクションも多彩だ。相手のメッセージをロングタップすると、FacebookやTwitterなどのSNSでおなじみの「いいね」「ハート」などのリアクションを返すことができる。メッセージを入力して返信する余裕がないときや、やり取りに区切りをつけたいときに利用すると便利だ。また、返信は毎回、メッセージアプリを開かなくても、通知センターに表示されたメッセージを長押しすることで、素早く返信できる。

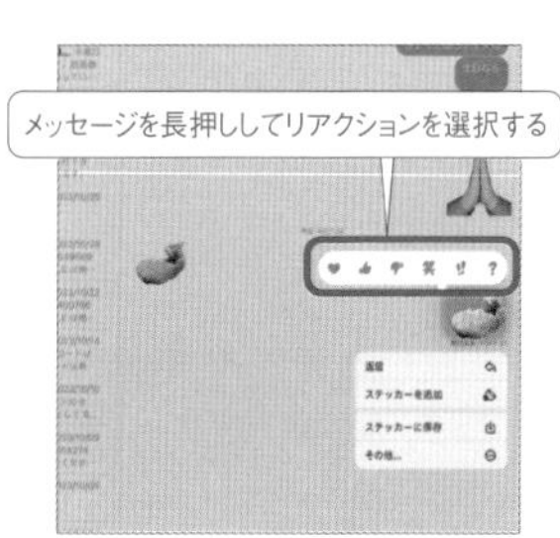

返信したいメッセージを長押しするとメニューが表示される。いいねをつけるほか、特定のメッセージに対して返信したり、コピーすることもできる。

通知センターに表示されるメッセージを長押しするとメッセージ画面がポップアップ表示され、キーボードと入力画面が起動する。ここから返信することができる。

063 メッセージ 動画や音楽を楽しみながらチャットできる!

SharePlayがメッセージでもできるようになった

iPadにはFaceTimeでの通話中に相手とテレビ番組、映画、ミュージックなどのコンテンツをストリーミング再生して一緒に楽しめるSharePlayという機能がある。SharePlayはFaceTime通話中であれば、ほかのアプリでも利用することができ、メッセージアプリにも対応している。使い方は、FaceTimeでSharePlay利用中にメッセージアプリに切り替え、メニューからミュージックアイコンを選択しよう。再生中の楽曲が表示されるので、共有したいコンテンツを選択すると相手とコンテンツを楽しめる。ミュージックを例に紹介したが、ほかのアプリでも可能だ(124ページ参照)。

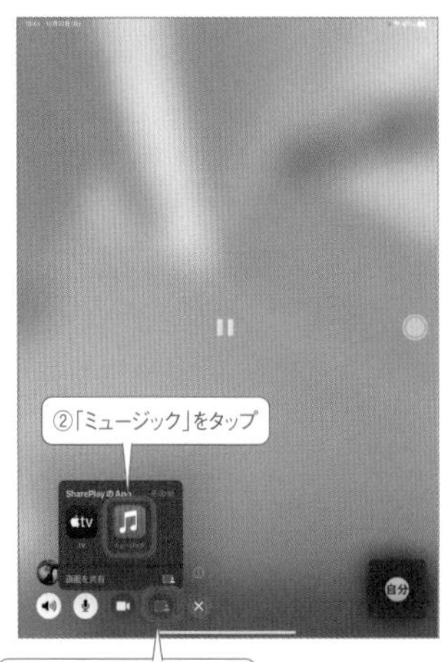

1 FaceTimeでSharePlayを起動する

まず、FaceTimeで相手と通話状態にする。下部メニューにあるSharePlayボタンをタップ。共有するコンテンツアプリが表示されるので「ミュージック」をタップ。

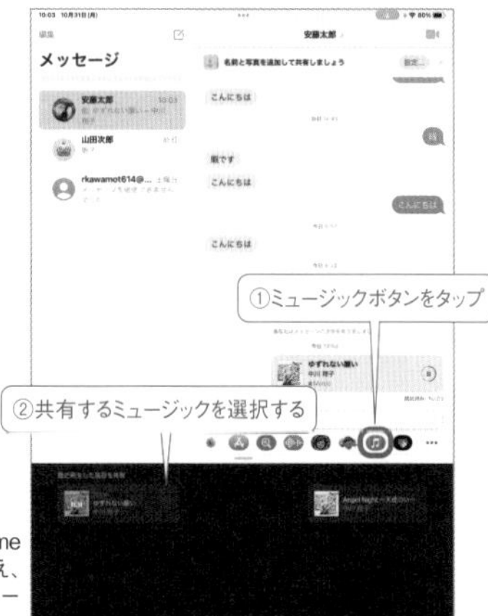

2 メッセージアプリでSharePlayをする

SharePlayするミュージックを再生後、FaceTimeを起動したままメッセージアプリに切り替え、ミュージックボタンをタップ。共有したいミュージックを選択して送信しよう。

064 メッセージ 特定のメッセージに簡単に返信できる

メッセージで、特定のメッセージに対して返信したいときがある。そんなときは、返信したい相手のメッセージを長押しして「返信」をタップしよう。入力画面が表示されるのでテキストを入力して送信すると特定のメッセージに対して返信できる。グループチャット時に返信機能を利用すれば、誰からのメッセージに対する返信かわかりやすくなるだろう。

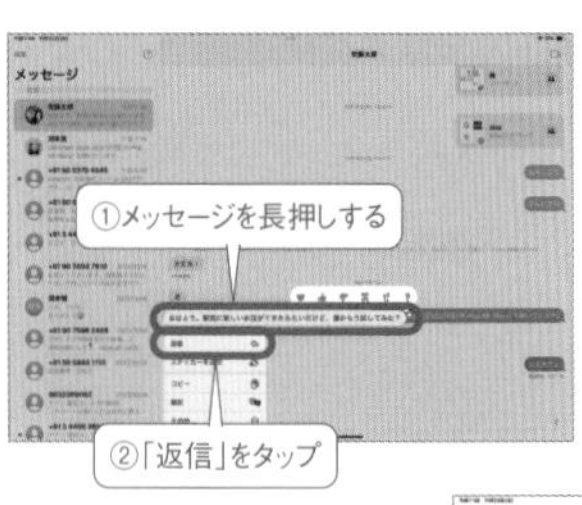

返信したいメッセージを長押しして「返信」をタップ。入力欄にテキストを入力して送信しよう。

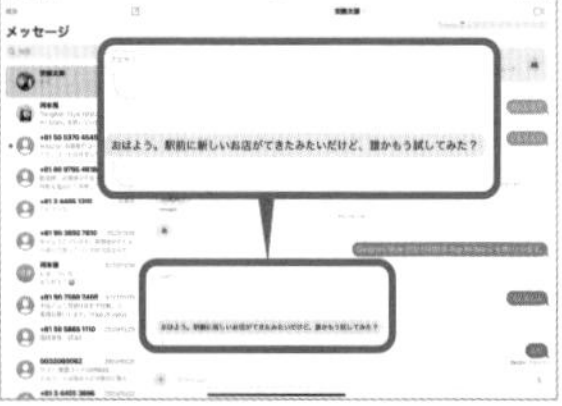

特定のメッセージに返信した場合、スレッドが作成される。グループチャットのときに誰と会話しているかがわかりやすい。

065 メッセージ カメラに向けた顔に合わせて表情が変わるミー文字を使おう

ほかのチャットアプリにはない「メッセージ」アプリ独自の機能がミー文字だ。ミー文字は目・鼻・口などの顔のパーツを細かく設定して、アバターようなキャラクターを作成する機能。作成後、カメラに自分の顔を向けると表情に合わせてミー文字の表情も変化する。そのときの自分の性格や気分に合った表情を伝えることが可能だ。ミー文字は、iPad Pro11インチまたはiPad Pro12.9インチ(第三世代以降)で利用することができる。

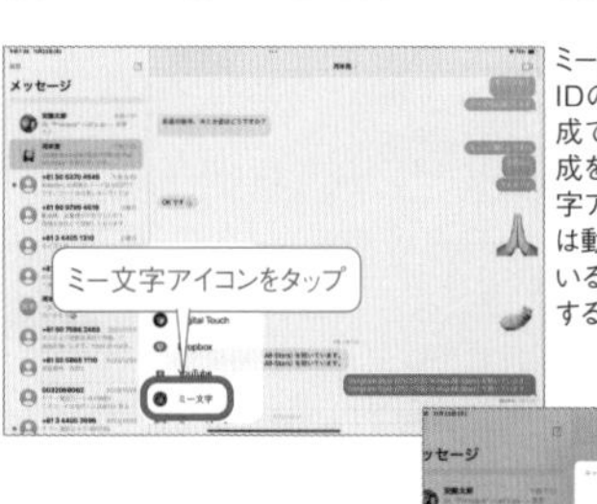

ミー文字は、iPad以外に、Face IDの搭載されたiPhoneでも作成できる。ミー文字の送信や作成をするには、メニューのミー文字アイコンをタップする。標準では動物のミー文字が用意されているが、独自のミー文字を作成するには追加ボタンをタップ。

ミー文字作成画面が表示されるので、肌、ヘアスタイルなど顔のパーツを選択していこう。「完了」をタップするとミー文字が追加される。

マスト!

066 メッセージ メッセージの「あなたと共有」とは

メッセージに投稿されたさまざまなコンテンツを探す時に便利

メッセージ相手とさまざまなコンテンツをやり取りしているなら「あなたと共有」を利用しよう。これはメッセージアプリで送られたURLや写真、音楽、Apple TVなどの情報が各アプリ上にある「あなたと共有」に自動的に保存される機能だ。たとえば、写真が送られてくると「写真」アプリの「For You」タブの「あなたと共有」に写真が自動的に表示されるようになり、わざわざメッセージアプリに切り替えて内容を確認する必要はない。以前、メッセージアプリで相手から教えてもらった情報を素早く探す時に便利だ。また、そのままメッセージの返信をすることもできる。

point

「あなたと共有」が表示される場所

○ミュージック→「いますぐ聴く」タブ
○Apple TV→「今すぐ観る」タブ
○Safari→新規タブの「お気に入り」の下
○写真→「For You」タブ
○Podcast→「今すぐ聴く」タブ
○News→「Today」タブ（日本では未提供）

「あなたと共有」を使ってみよう

Safariの場合、新しいタブを開くと「あなたと共有」という項目があり、そこにメッセージに投稿されたリンクが表示され、タップすると開くことができる。

067 メッセージ 「メッセージ」アプリの写真コレクションを利用しよう

これまで「メッセージ」アプリに送られてきた写真は1枚1枚表示される仕様だった。しかし、現在の「メッセージ」アプリでは「コレクション」という機能があり、送付された複数の写真を1つにまとめてくれる。サムネイル状態になっている写真を左右にスワイプすると、ほかの写真に切り替えることができる。また、保存する際は写真右側にある保存ボタンを一度タップするだけで、まとめて「iCloud写真」に保存することが可能だ。

また、全画面表示しているとき、上部メニューからほかのアプリに共有したり、相手に返信したり、いいねなどのアクションをすることができる。

左右にスワイプすると写真を切り替えることができ、右にある保存ボタンをタップすると保存できる。

写真をタップすると全画面表示される。上部のメニューから写真に対してさまざまな操作ができる。

マスト! iPadOS 17

068 ステッカー 作成したステッカーは絵文字として使える

メッセージアプリで作成したステッカーは、メッセージアプリだけでなく、さまざまなアプリから呼び出すことができる。絵文字キーボードに自動的に保存されているので、絵文字キーボードが利用できる場所なら絵文字として送信することができる。つまり、LINEやSNSアプリ、メールなどApple純正以外のアプリでも利用することが可能だ。ほかに、フリーボードではステッカーとして貼りつけることができる。

絵文字キーボードが使える場所なら、作成したステッカーを呼び出すことができる。メモやメッセージ、SNSで利用しよう。

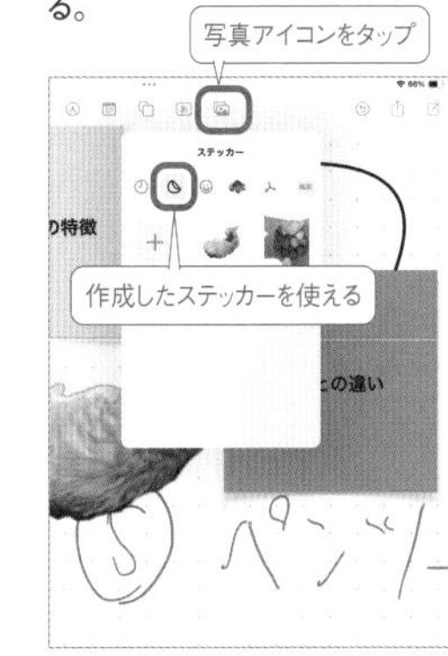

フリーボードでは写真アイコンをタップしてステッカータブを開くと、作成したステッカーをボードに貼りつけることができる。

069 メール 細かく機能向上した「メール」アプリ

時間を指定して送信できる

「メール」アプリでは前OSのiPadOS 16のアップデートとともにさまざまな機能が追加されている。送信予約機能が追加され、今すぐ送信するだけでなく、「今夜21時」など時間を指定して自動送信することができる。

また、送信後、送信を取り消す機能も追加された。標準では送信後10秒以内であれば取り消せるが、最大で送信後30秒以内まで送信取り消し時間を設定できる。検索機能も改善されており、キーワードを入力するたびに以前よりも多くの精度の高い提案が出るようになり、目的のメールを探しやすくなっている。

1 送信を取り消す

メール送信後、取り消しをしたい場合は、メール一覧の下に表示される「送信を取り消す」をタップしよう。

2 送信日時を指定する

送信日時を指定する場合は、送信ボタンを長押しする。すると送信メニューが表示されるので送信する日時を指定しよう。

070 メール メールをフィルタリングして目的のメールを素早く見つける

iPad標準の「メール」アプリに搭載されているフィルタ機能を使用すれば、受信トレイのメールから「未読」や「添付ファイル付き」といった条件で、簡単にメールを絞り込むことができる。フィルタを使うには、受信トレイを開き、メッセージ一覧の左下にあるアイコンをタップする。「適用中のフィルタ」をタップして、絞り込み条件を選択しよう。フィルタの種類は固定されており、ユーザーがカスタマイズすることはできないが、未読メールを探して延々とスワイプするといった手間が省けるので、覚えておくと便利な機能だ。

受信トレイを開いてメッセージ一覧画面を開いたら、左下にあるアイコンをタップし、「適用中のフィルタ」をタップする。

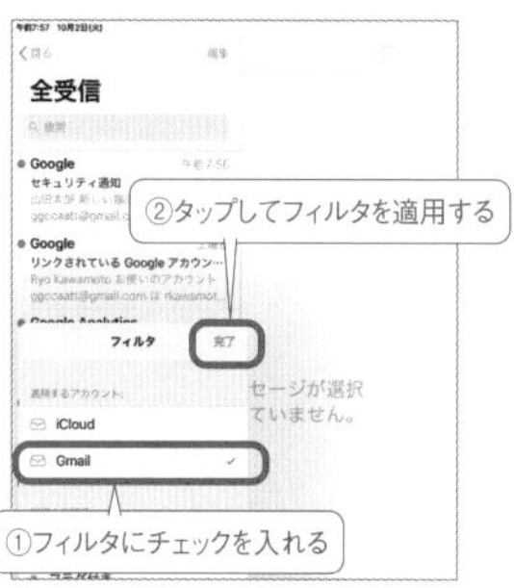

使用できるフィルタの一覧が出るので、適用したいフィルタをタップしてチェックマークを入れ、「完了」をタップすれば、メールがフィルタリングされる。

071 メール メールの送信元を設定する

「メール」アプリで複数のメールアカウントを使い分ける場合、注意したいのがメールを送信する際の送信元アドレス。標準設定ではメールを送信する際に利用される送信元アドレスは、設定の「メール」にある「デフォルトアカウント」にチェックが入っているメールアドレスになる。ただし「メール」アプリのサイドメニューに表示されているアカウント名をタップしてからメールを作成した場合は、そのアカウントが送信元となる。

また、メール作成時に「差出人」をタップすれば、送信元アドレスを変更することができる。

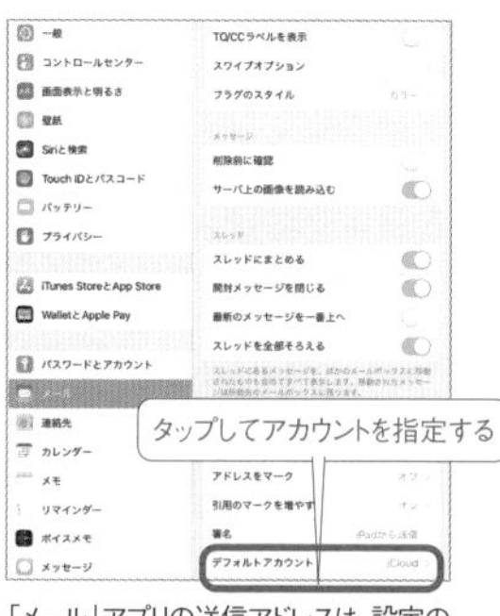

「メール」アプリの送信アドレスは、設定の「メール」を開いて「デフォルトアカウント」から設定したアカウントでメールが送信される。

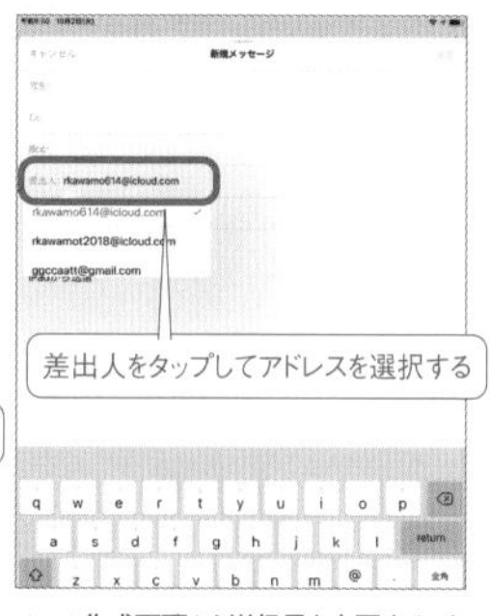

メール作成画面から送信元を変更することもできる。「差出人」をタップして、送信元に利用するメールアドレスを選択しよう。

マスト!

メール

072 メールの作成画面で写真や動画を添付する

標準の「メール」アプリではメールに写真や動画を添付するには2通りの方法がある。1つは、写真アプリで写真や動画を選び、共有アイコンから「メールで送信」を選ぶ方法。もう1つはメール作成画面から本文に写真や動画を添付する方法だ。

後者の手順は簡単で、本文部分の、写真を挿入したい部分をタップしてポップアップを表示させ、「写真またはビデオを挿入」をタップすると、カメラロールもしくはフォトストリームから写真やビデオを選択してメールに添付できる。なお、添付した写真のサイズを圧縮して送信することが可能だ。

メール作成画面の本文部分をタップしてメニューを表示させ、「写真またはビデオを挿入」をタップする。

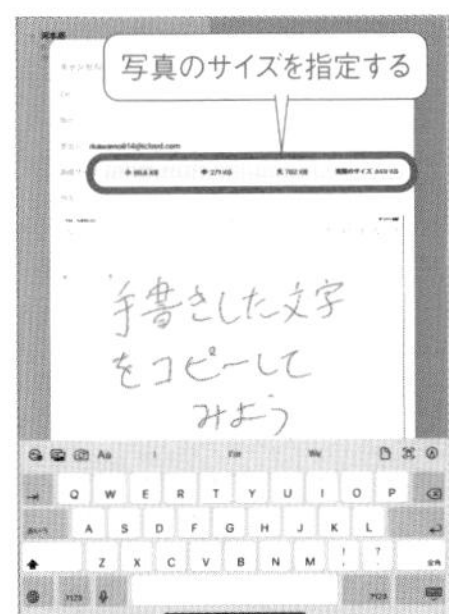

ファイルを選択するとファイルが添付される。サイズが大きい場合は、写真のサイズを指定して圧縮させよう。

メール

073 デフォルトの署名「iPadから送信」を変更するには

「メール」アプリを初期設定のままで使っていると、メール作成時に文末に「iPadから送信」という一文が自動的に追加される。この一文を削除したい場合は「設定」アプリの「メール」にある「署名」欄をカスタマイズしよう。「iPadから送信」という一文を削除したいだけであれば署名欄にある文章を削除すればよい。代わりに自分の名前や住所、メールアドレス、電話番号などの署名を追加するとメール作成時に自動的に署名を追加することもできる。なお、「メール」に登録しているアカウント全体につけるか、指定したアカウントのみ署名を付けるかも設定できる。

「設定」アプリを開き「メール」を選択する。続いて「署名」をタップ。

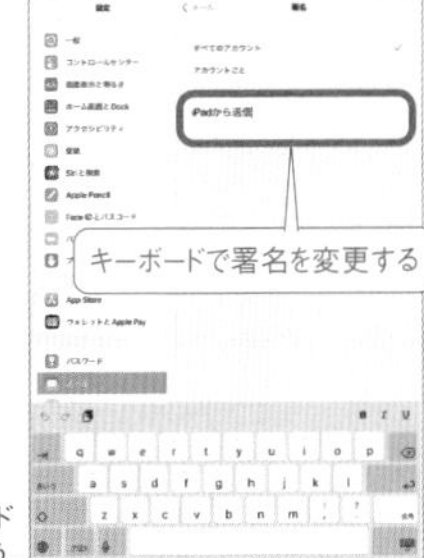

フォームの中の「iPadから送信」をキーボードで削除し、代わりに入れたい署名を入力しよう。

マスト!

074 添付写真やPDFにマークアップしてメールを送信する

メール

インラインスケッチと同じツールメニューで手書き入力ができる

iPadの「メール」アプリでは、添付した写真やPDFにマークアップを使って指やApple Pencilで簡単に手書きの注釈を入れることができる。PDFに修正指示を入れたり、地図写真に手書きで説明を入れて送信するときなどに役立つだろう。手書き入力したファイルは共有メニューから外部に保存できる。

利用できるツールはインラインスケッチと同じく、ペン、マーカー、鉛筆、投げ縄ツールなど。また、iPadOSのアップデートにあわせてペンの太さやカラー、さらに定規ツールをカスタマイズできるほか、定規ツールを使って直線を引いたり、角度を測ることができるようになった。

1 メニューからマークアップを選択する

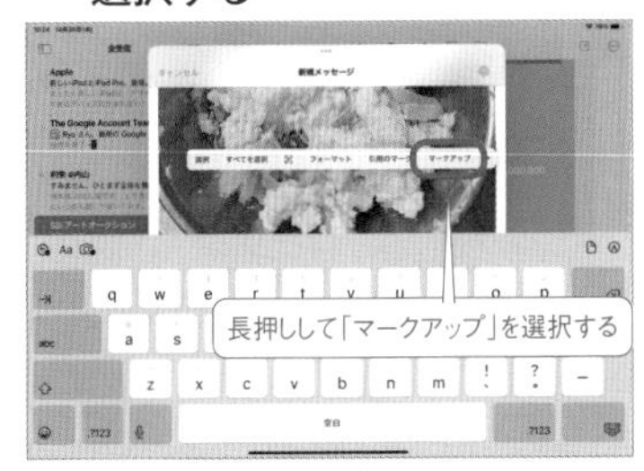

添付したファイルにマークアップをするには、ファイルを長押しして表示されるメニューから「マークアップ」を選択しよう。

2 マークアップで注釈を入れる

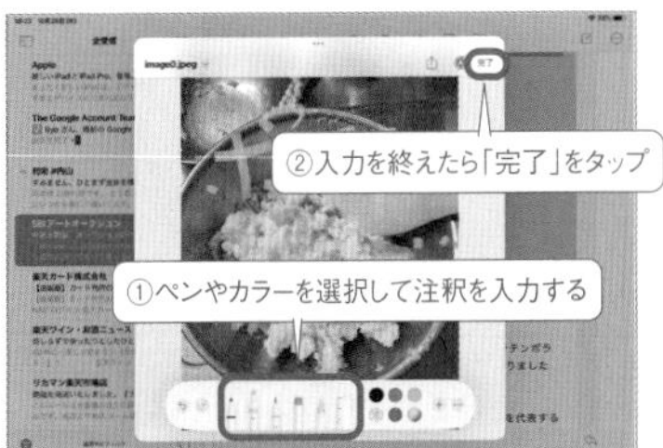

マークアップが起動する。下に表示されるツールメニューからペンやカラーを選択して、手書きでファイルに注釈を入力しよう。

3 共有メニューから外部に保存する

マークアップで入力した注釈はメールに添付するだけでなく、外部に保存することもできる。共有メニューをタップして保存先を選択しよう。

075 Gmail Gmailを iPadで送受信しよう

GmailをiPadの「メール」アプリで送受信する

iPadでメールを利用する場合、ぜひ活用したいのがGoogleのメールサービス「Gmail」。単なるフリーメールとしてだけでなく、強力な迷惑メール対策や条件を指定してメールを振り分けるフィルタ機能など、便利な機能が利用できる。

設定のメールからGmailアカウントを登録すれば、標準のメールアプリでGmailの送受信が行え、Googleカレンダーとの同期も行われる。事前に、SafariやパソコンからGmailのアカウントを取得しておき、メールアドレスとメールパスワードを用意しておこう。Gmailアカウントを追加すると事前にGmail上で作成した「ラベル」がそのまま「メール」アプリにも反映される（表記は「メールボックス」となる。Gmailで受信したメールをiCloudのメールボックスに移動するなどサービス間で自由にデータの移動が行える。

Gmailをメインで利用するなら、Gmail専用アプリがオススメ。メールはプッシュ受信されるのでテンポよくメールのやり取りができる。また、ラベル設定や迷惑メール設定などの機能がiPadから利用できる。インターフェースはPC版そのままで使い方に迷うこともない。GmailだけでなくiCloud、Outlook、Office365、Yahooメールなども使っているアカウント情報を入力するだけで利用できる。

App

Gmail
作者／Google, Inc.
価格／無料　言語／日本語

iPadの「メール」でGmailを送受信する

1 「メール」アプリでGmailアカウントを新規で追加する

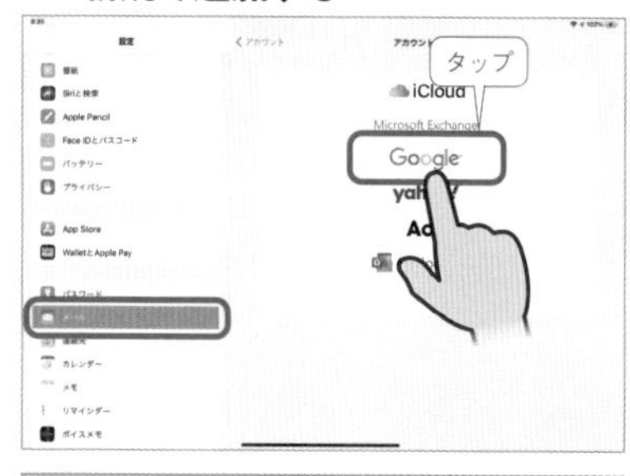

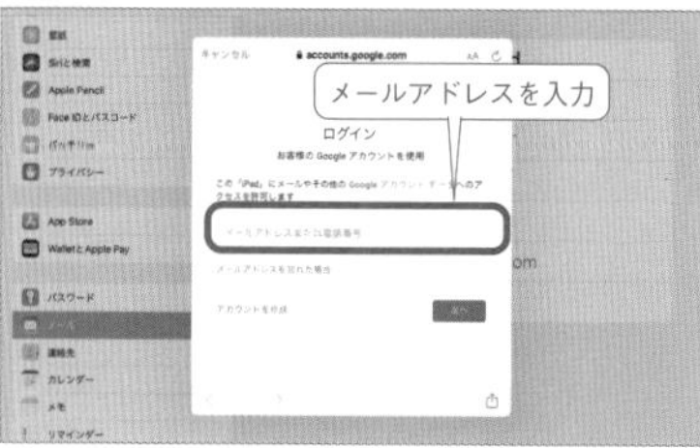

設定の「メール」→「アカウント」から「アカウントを追加」をタップ。「Google」をタップして、Gmailのメールアドレスを入力する。

2 パスワードを入力し同期する内容を設定

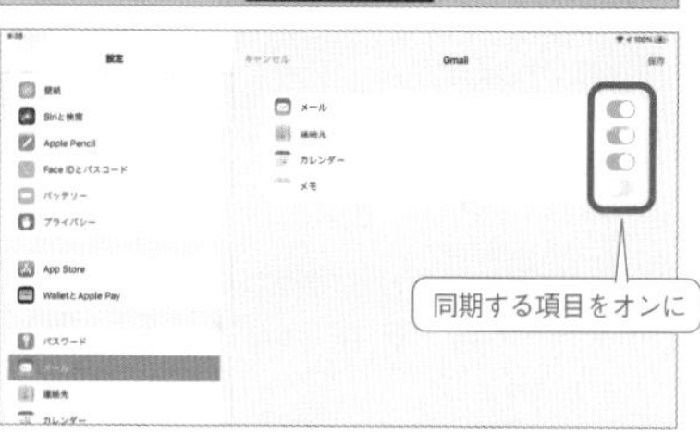

次の画面でパスワードを入力し、iPadと同期する内容を選択する。これらの設定は、メール設定に登録されたアカウントをタップしていつでも変更可能。

Gmailアプリでほかのメールアカウントを使う

1 「Gmail」アプリにほかのメールサービスを登録する

Gmailアプリは Gmail以外のアカウントを扱うこともできる。このアプリの使い勝手が気に入っている人は試してみよう。右上にあるアカウントアイコンをタップして「別のアカウントを追加」をタップする。

2 メールサービスを選択してアカウントを追加する

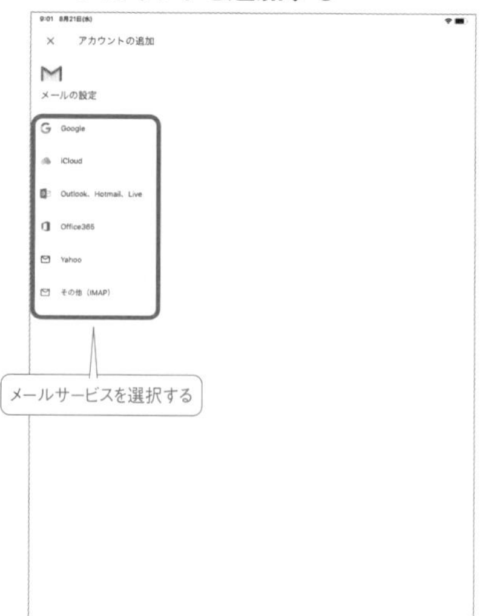

アカウントの追加画面が表示される。追加するメールサービスを選択して、アカウントとログインパスワードを入力しよう。

076 Gmail Gmailをさらに使いこなす活用テクニック①

プロバイダ宛のメールもGmailで一括管理

Gmailには、プロバイダや会社のメール（POP3）を受信して取り込む機能が搭載されている。プロバイダのメールサーバにメッセージを残すことも可能だ。もちろんGmailのラベル機能やフィルタ機能も利用でき、プロバイダ宛のメールにラベルを付けてまとめてチェックするという使い方もできる。

Gmailでプロバイダメールを受信する大きなメリットは、Gmailの高機能な迷惑メールフィルタを利用できる点。手動でフィルタを鍛えることも可能なので、確実に迷惑メールを遮断できる。

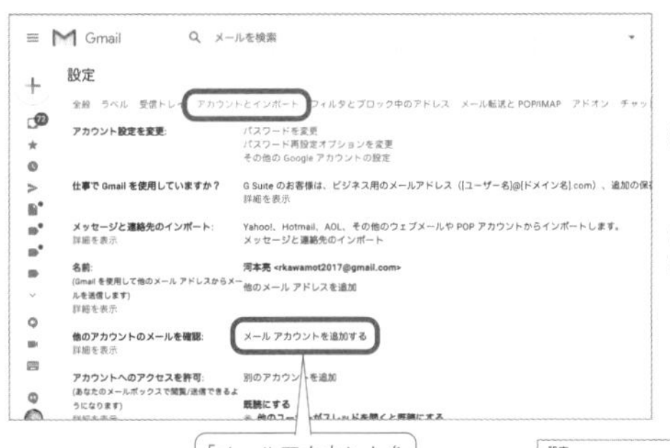

1 Gmailの設定を開く

ブラウザでWeb版Gmailへログインしてメール設定を開き、「アカウントとインポート」をクリック。「他のアカウントで〜」にある「メールアカウントを追加する」をクリックする。

Gmail
https://mail.google.com/

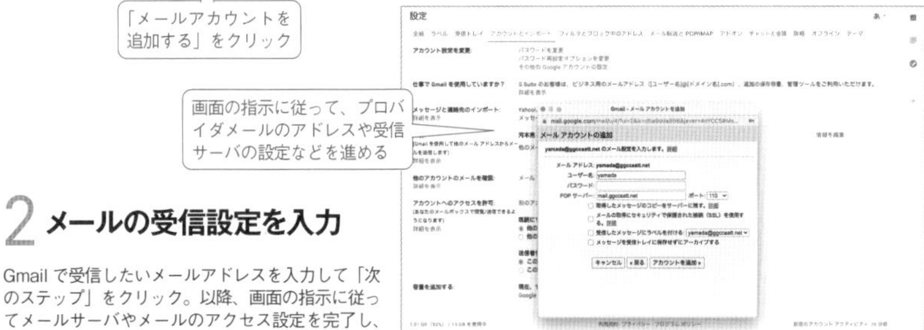

2 メールの受信設定を入力

Gmailで受信したいメールアドレスを入力して「次のステップ」をクリック。以降、画面の指示に従ってメールサーバやメールのアクセス設定を完了し、メールで送信される確認コードを入力すれば、プロバイダメールをGmailで受信できる。

マスト! 077 Gmail Gmailをさらに使いこなす活用テクニック②

フィルタ機能でラベル付けなどメールに処理を実行

Gmailの便利な機能の一つ「フィルタ」は、設定した条件に合致する受信メールに、様々な処理を自動的に行ってくれる便利な機能。中でも、メールにラベルを付ける機能は、受信したメールを自動的に整理してくれるので、いちいち手動でラベルを付けて整理する手間が省ける。他にも転送やアーカイブなど、使いこなすことでメールを様々な用途に応用することができる機能だ。iPadですぐに受信する必要の無いメールは、ラベルを付けてアーカイブしておくと余計な受信を回避できる。

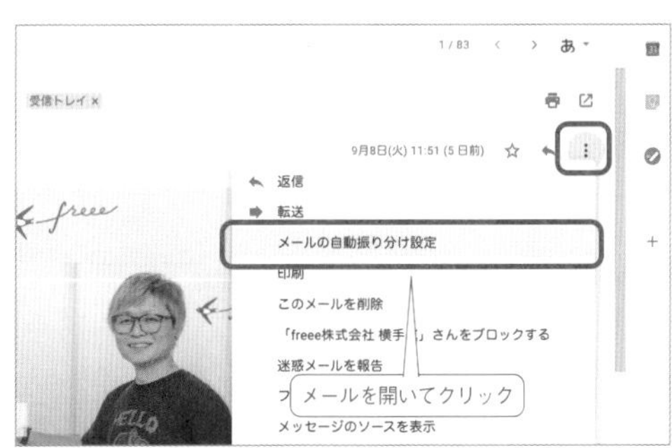

1 フィルタしたいメールを開く

ブラウザでWeb版のGmailへアクセスしたら、フィルタを使って処理したいメールを開き「メニューボタン」をクリック。メニューから「メールの自動振り分け設定」をクリックして開く。

Gmail
https://mail.google.com/

2 フィルタ条件を指定する

条件指定画面が表示されるので確認＆条件を追加し、「この検索条件でフィルタを作成」をクリック。フィルタの処理内容（ラベル付け、アーカイブなど）を設定して、「フィルタを作成」をクリックすれば完了。一般的な用途としては、特定のラベルをつけ（メルマガ、ショッピングなど）、受信トレイをスキップさせ、受信トレイを見やすくするのが目的だ。

078 Gmail Gmailをさらに使いこなすテクニック③

検索演算子を使いこなそう

Gmailを効果的に活用するためには、検索演算子を利用することが重要だ。検索演算子は、特定の条件で検索を行うためのキーワードや記号のことで、Gmailでは、検索ボックスに演算子を入力することで、メールを特定の条件に基づいて絞り込んだり、特定の属性や状態のメールを見つけることができる。たとえば、「from:john@example.com」と入力すれば、特定の送信者からのメールのみ検索し、また「subject:会議」と入力すれば、特定の件名のメールのみ検索してくれる。

1 代表的なGmailの検索演算子と入力例

検索演算子	説明	例
from:	特定の送信者からのメールを検索	from:john@example.com
to:	特定の受信者宛のメールを検索	to:jane@example.com
subject:	特定の件名を持つメールを検索	subject:プロジェクトミーティング
is:unread	未読メールを検索	is:unread
label:	特定のラベルが付いたメールを検索	label:重要
filename:	添付ファイルの名前でメールを検索	filename:報告書.pdf
in:	特定の領域でメールを検索	in:inbox、in:trash
before:	指定した日付より前のメールを検索	before:2023/01/01
after:	指定した日付より後のメールを検索	after:2022/12/01
has:attachment	添付ファイルを含むメールを検索	has:attachment

期間を絞るためには「before:」や「after:」を使う。例えば「before:2023/01/01」と入力すれば、指定した日付以前のメールを検索できる。

2 指定した期間内に絞って検索するには?

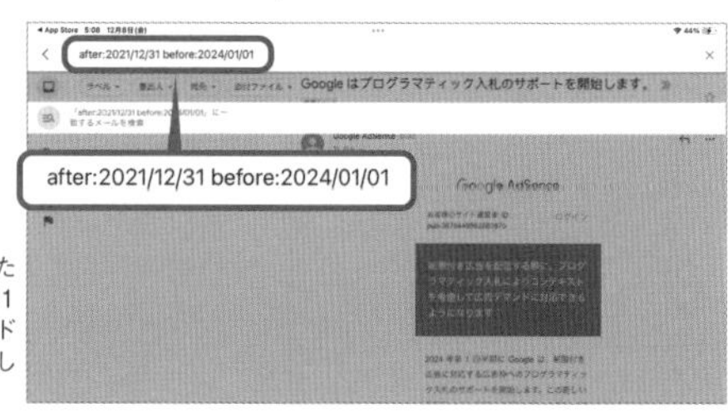

2022年1月1日から2023年12月31日までの指定した期間でメールを検索する場合、「after:2021/12/31 before:2024/01/01」と入力しよう。その後にキーワードを入力すれば、さらにキーワードを含んだメールのみ表示してくれる

079 Gmail 高優先度のメールのみ通知させよう

「Gmail」アプリでは重要なメールが届いたときのみ通知する機能が搭載されている。機能を有効にするにはGmailアプリの設定画面の「通知」設定で「高優先度のみ」にチェックを入れよう。AIの判断で返信が必要と思われるメールや、期日が間近に迫っているメールなど、自動的に重要とマークされたメールを通知してくれる。

なお、通知設定画面では逆に、新着メールであればすべて通知するようにしたり、通知をなしにすることもできる。

Gmailアプリの受信トレイの一番下にある「設定」をタップする。通知設定を変更するアカウントを選択する。

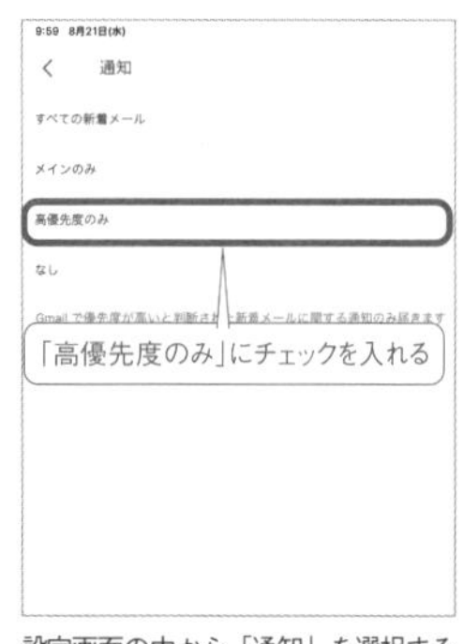

設定画面の中から「通知」を選択する。「高優先度のみ」にチェックを入れると、重要なメールと判断したメールのみ通知してくれるようになる。

080 iCloudメール 無料で使えるiCloudメールを使おう

iCloudメールは、Apple IDを持っているユーザーであれば、誰でも無料で利用できるメールサービス。最大5GBの容量が利用でき、「メール」アプリで受信したときにすぐに通知してくれるプッシュ通知に対応している。迷惑メールに対応しているほか、数百MBあるファイルでもクラウド経由で送信することができる。

最大5GBの容量が利用できるが、iCloud写真やiCloud Driveなどほかのサービスと共用することになるので、容量が足りなくなった場合は、不要なメールを削除したり、有料プランに乗り換えよう。

「iCloudメール」を有効にする

利用するには、「設定」からアカウント画面を開き、Apple IDでログインしたあとメニューから「iCloud」を開き、「iCloudメール」をオンにしよう。

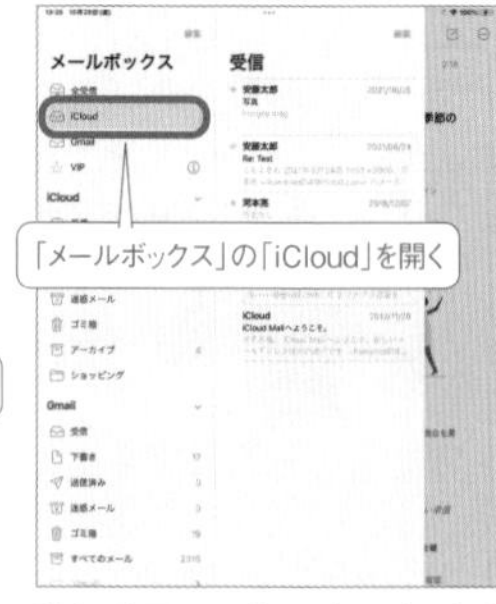

設定が完了したら「メール」アプリを起動する。iCloudメールが利用できるようになる。メールボックスの「iCloud」が受信トレイだ。

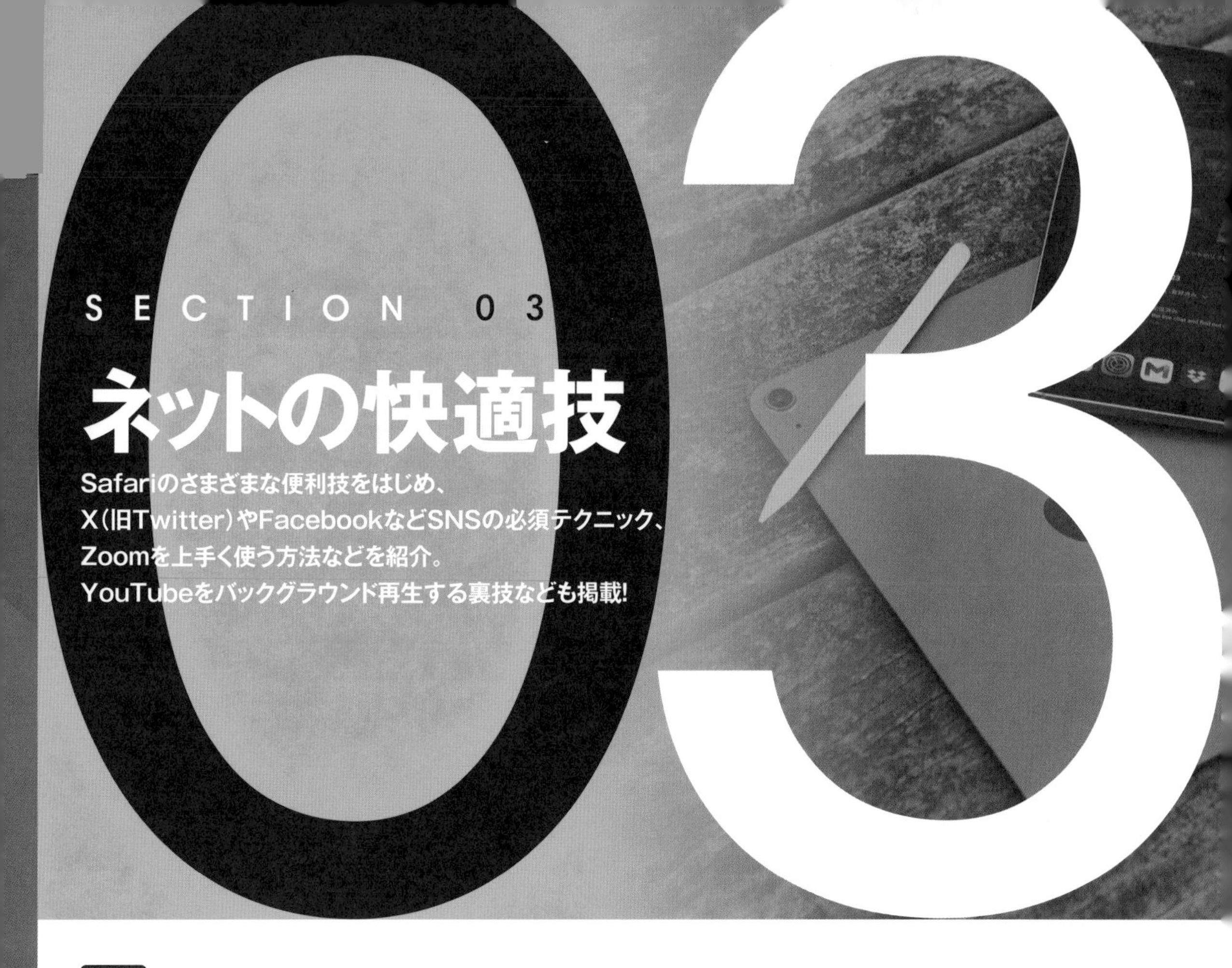

SECTION 03

ネットの快適技

Safariのさまざまな便利技をはじめ、
X(旧Twitter)やFacebookなどSNSの必須テクニック、
Zoomを上手く使う方法などを紹介。
YouTubeをバックグラウンド再生する裏技なども掲載!

マスト!

081 スクリーンショット スクリーンショット機能を活用する

縦長のページを単一ファイルで保存できる

iPadOSのSafariでは、Webページ1画面ぶんだけでなく、縦長のページ全体を1つのスクリーンショットとして撮影できる。ページ全体を撮影した場合、PDF形式のファイルとして保存するため、オフラインで後からじっくり記事を読んだり、資料としてページをアーカイブしておいたりするような用途に役立てたい。なお、スクリーンショットに手書きできるマーカー機能も利用できるので、ウェブページにちょっとしたメモを書き留めたいような場合に便利だ。

1 スクリーンショットを撮影する

Safariでスクリーンショット撮影の操作をして、画面左下に表示されるサムネイルをタップする。ホームボタンのないiPadでは、代わりに音量アップボタンを同時押しする。

2 「フルページ」をタップする

「フルページ」をタップするとページ全体が1枚のスクリーンショットに収められる。「完了」をタップして「PDFを"ファイル"に保存」をタップする。

082 Safari 快適にWebを楽しめる「Safari」の基本的な使い方

まずは検索、ページ閲覧、タブの使い方を完全マスター

iPadの標準アプリの1つである「Safari（サファリ）」は、シンプルで洗練されたインターフェースに多彩な機能を詰め込んだWebブラウザだ。インターネット、ウェブページは今や、最も使用頻度の高い情報ソースになっており、必要な情報を検索し、それが掲載されているウェブページを快適に閲覧できるSafariは、iPadを使うすべてのユーザーにとって手放せないアプリと言えるだろう。

まずはそのSafariの基本的な使い方をマスターしておこう。キーワードを入力して、それが掲載されているウェブページを探すには、アプリ最上部にあるボックスである「スマート検索フィールド」を利用する。目的のウェブページのURLがわかっていれば、それをスマート検索フィールドに入力することで一発で表示できる。

リンクをたどってウェブページを行き来する、いわゆるネットサーフィンも、Safariなら簡単だ。閲覧履歴をさかのぼって以前見たウェブページを再表示することもできる。さらに、複数のウェブページを並行して読みたい、比較したいといった場合は、タブ機能が便利。この機能を使うことで、Safariのウインドウ内をタブで区切り、それぞれのタブに異なるウェブページを表示することができる。

ウェブページを検索する

1 キーワードを入力する

スマート検索フィールドに検索キーワードを入力して、キーボードのreturnキーをタップする。キーワードはスペースで区切って複数入力することもでき、その場合はすべてのキーワードに関連するウェブページが検索される。

2 検索結果が表示される

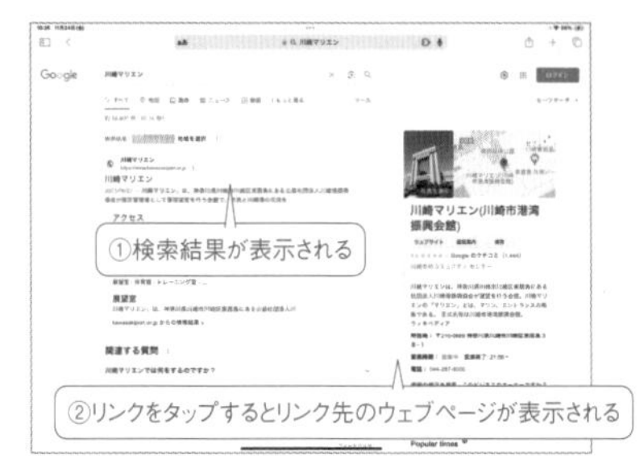

キーワードに関連するウェブページが、検索結果に一覧表示される。各リンク（青色の文字）をタップすると、そのウェブページを表示できる。

ウェブページを行き来する

1 リンクをタップする

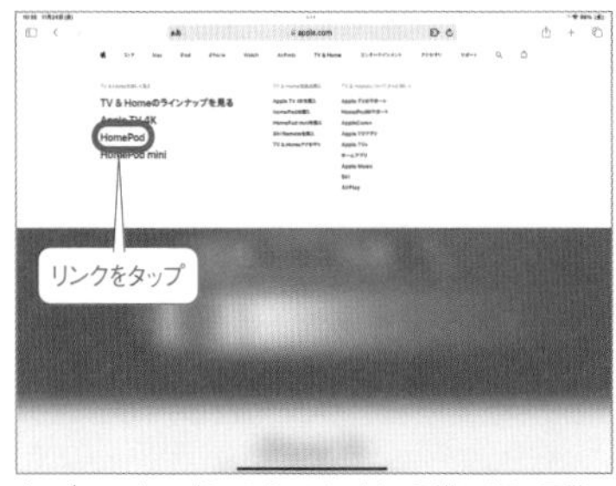

ウェブページの一部のテキストやバナー画像、ボタン画像には、別のウェブページに移動するための「リンク」が設定されている。そのリンクをタップする。

2 リンク先が表示される

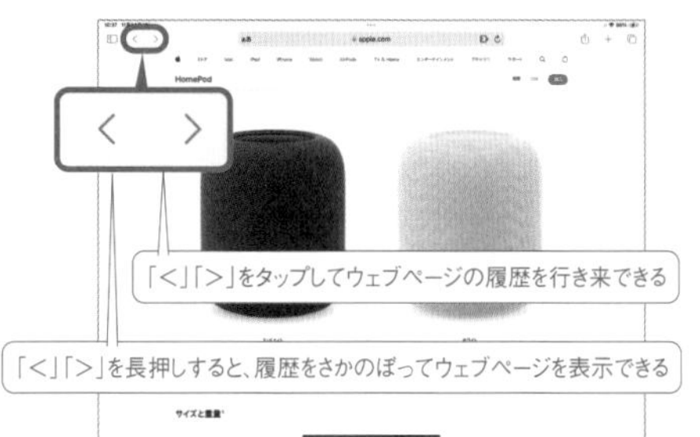

リンク先のウェブページが表示される。画面左上の「<」をタップすると、直前まで表示していたウェブページに戻り、「>」をタップすると戻る前のウェブページに切り替わる。いずれかを長押しすると閲覧履歴が表示され、ウェブページをさかのぼって再表示できる。

タブでリンク先のウェブページを開く

1 リンクを長押しする

リンクを長押しすると、リンク先ウェブページのプレビューとメニューが表示される。ここで「バックグラウンドで開く」をタップする。もしくは、リンクを2本指でタップする。

2 タブでリンク先が開く

タブが追加される。追加されたタブをタップすると、リンク先のウェブページが表示される。タブを閉じるには、タブ左端にある「×」をタップする。

083 Safari タブグループを使って効率よくWebを閲覧できる

定期的にチェックする複数のウェブページをすばやく表示できる

「タブグループ」は、異なるタブでそれぞれ開いている複数のウェブページを、1つのグループとしてまとめておき、必要なときにそのすべてを表示するための機能だ。同様の機能にはブックマークがあるが、ブックマークは1度の操作で1つのウェブページしか表示できないという違いがある。そのため、複数のニュースサイトの記事を比較しながらチェックすることが習慣になっている、よく見るウェブページが複数あるなどといった場合は、タブグループを使ってまとめておくと便利だ。

タブグループはSafariのサイドバーから作成でき、以降はサイドバーからタブグループをタップすることで、複数のウェブページをまとめて呼び出すことができるようになる。タブグループには名前を付けられるため、ニュース、スポーツ、趣味など、タブグループに含まれるウェブページの内容に応じて分かりやすい名前を付けておこう。タブグループにウェブページを登録するには、サイドバーで目的のタブグループをタップしてから、目的のウェブページそれぞれをタブで開けばいい。もちろん、後からウェブページを追加することもできる。

なお、タブグループは他のユーザーと共有することもできる。共有するにはサイドバーのタブグループを長押しして、「共有」をタップする。ビデオ会議中の相手と一緒にウェブページを閲覧したい場合などに活用したい。

タブグループを作成する

1 サイドバーを表示する

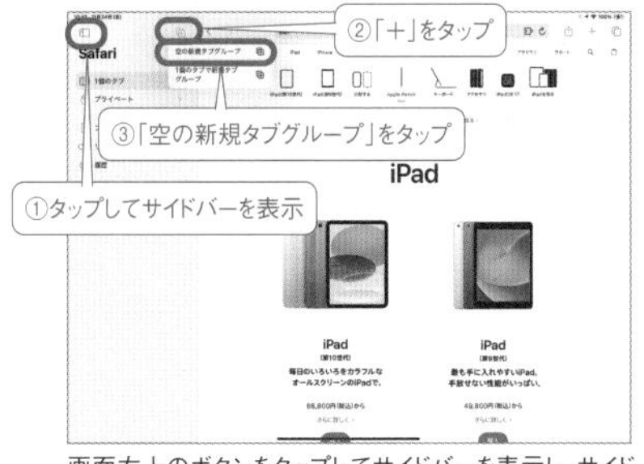

画面左上のボタンをタップしてサイドバーを表示し、サイドバーの「+」をタップすると表示されるメニューで、「空の新規タブグループ」をタップする。

2 名前を付ける

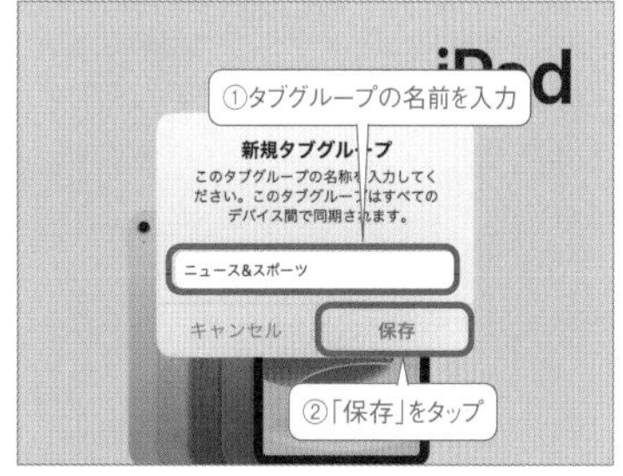

タブグループに付ける名前を入力して、「保存」をタップすると、何のウェブページも登録されていない、空のタブグループが作成される。

タブグループにウェブページを登録する

1 登録するウェブページをタブで開く

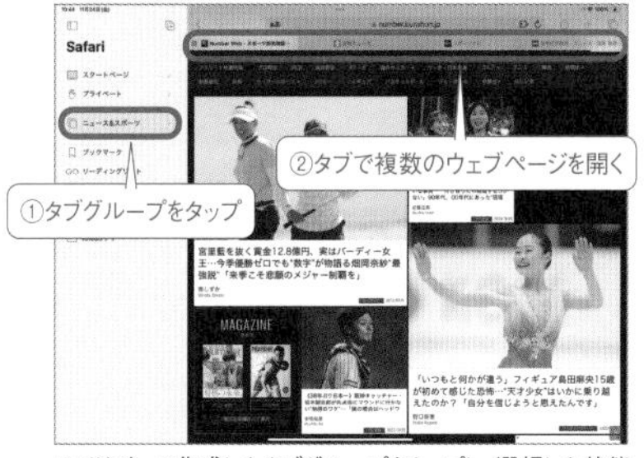

サイドバーで作成したタブグループをタップし、選択した状態で、通常と同様の操作でタブを使って複数のウェブページを開くと登録される。この状態でタブを閉じたり、リンクから別ページを開いたりすると、その状態で登録し直される。

2 後からウェブページを登録する

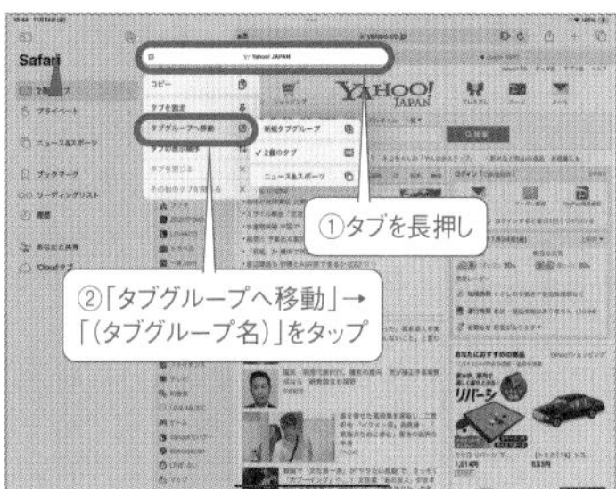

タブグループを開いていない状態で、表示中のウェブページを既存のタブグループに追加登録することもできる。追加するには、タブを長押しすると表示されるメニューから登録先のタブグループをタップする。

タブグループと通常のウインドウを切り替える

1 サイドバーを表示する

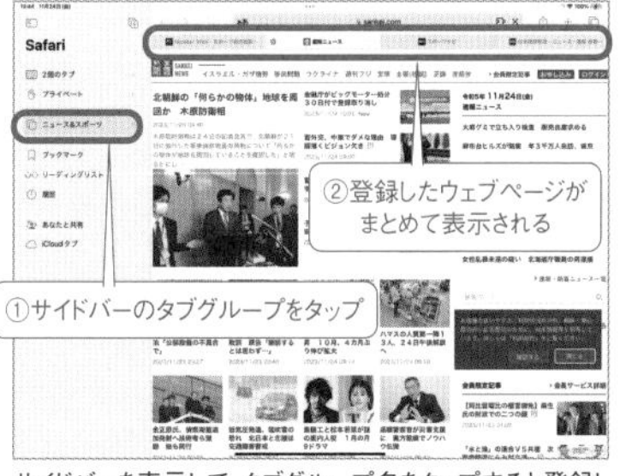

サイドバーを表示して、タブグループ名をタップすると登録したウェブページが表示される。通常のウインドウに戻るには、同じサイドバーで「1個のタブ」や「ブックマーク」など、他のメニュー項目から目的のページをタップする。

2 タブグループメニューから切り替える

タブグループの表示中は、Safariのウインドウ左上にその名前が表示される。これをタップすると表示されるメニューからも、他のウインドウに切り替えることができる。

Safari

084 複数のタブをまとめて閉じる

Safariではタブを無制限に開くことができるが、開き過ぎるとタブを1つ1つ閉じるのが面倒になる。開いているタブをまとめて閉じたい場合は、右上にあるタブボタンを長押しして「○個のタブをすべて閉じる」をタップしよう。また、特定のタブだけを残して、その他のタブすべてをまとめて閉じるといったこともできる。用が済んでもタブをうっかり開いたまま、を避けるためにもその方法を覚えておきたい。

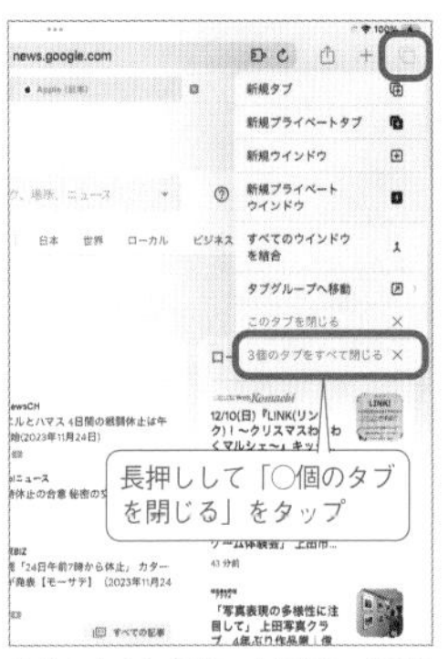

右上にあるタブボタンを長押し。「○個のタブをすべて閉じる」をタップでまとめて閉じることができる。

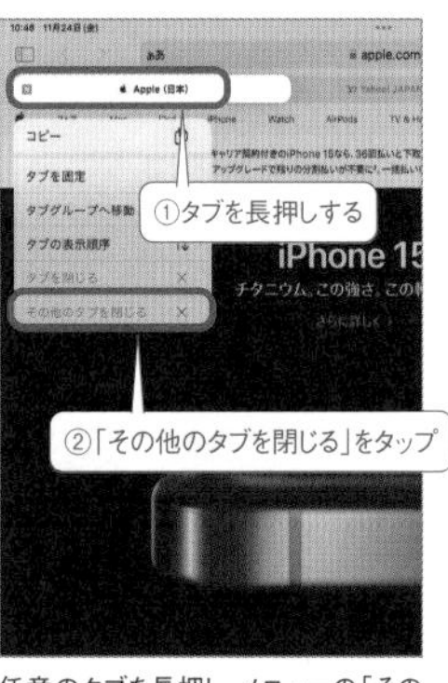

任意のタブを長押し、メニューの「その他のタブを閉じる」をタップして、長押ししたタブ以外のタブをまとめて閉じることができる。

Safari

085 たくさん開いたタブを管理する

いろいろなページを行き来しているうちに、いつの間にか大量のタブを開いてしまっていた、という経験は誰にでもあるはず。開いているタブが多すぎると、どれが目的のウェブページなのかわからなくなってしまう。そこで、タブのウェブページをすばやく探す2つの方法を紹介しよう。

1つは、タブビューで検索する方法だ。ここでキーワードを入力すると、それが含まれるウェブページが検索できる。もう1つは、古いタブを自動的に閉じるように設定することだ。どちらの方法も簡単なので、ぜひ覚えておこう。

画面右上のボタンをタップすると表示されるタブビューで、検索ボックスにキーワードを入力すると、合致するページが表示される。

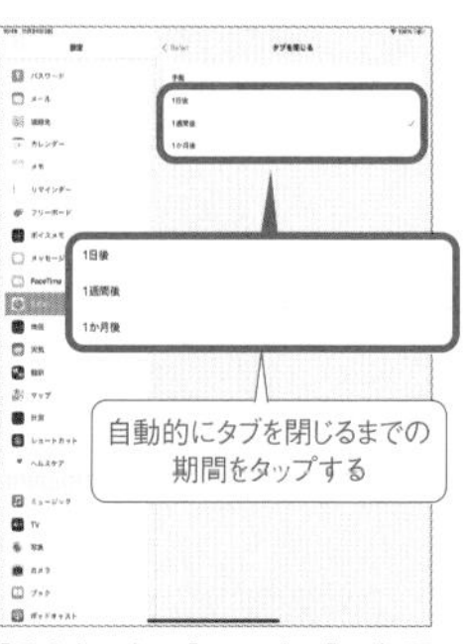

「設定」アプリで「Safari」→「タブを閉じる」とタップして、自動的に閉じるまでの期間をタップし、チェックを付ける。

上級技

Safari

086 タブをコンパクトにしてウェブページの表示領域を広げる

あまり知られていない地味な機能だが、Safariのタブおよびタブバーをよりコンパクトに表示することができる。コンパクト表示にすることで、タブはスマート検索フィールド(アドレスバー)と同列に表示されるようになるため、そのぶん、ウェブページの表示領域が広くなるというメリットがある。

タブバーの表示形式は、「設定」アプリの「Safari」の項目から切り替えることができる。

「設定」アプリの「Safari」→「タブ」で、「タブバーをコンパクトに表示」をタップして選択する。

タブおよびタブバーの表示が、初期設定の単独(上)からコンパクト(下)に切り替わる。コンパクトになっても各タブにはウェブページタイトルが表示され、タップして切り替えられる点は同じだ。

Safari

087 スタートページをもっと使いやすくしよう!

新規ページを開くとき、新規で空のタブを開くときに表示され、お気に入りに登録したウェブページのアイコンなどが表示される特別なページが「スタートページ」だ。このスタートページには他にも、閲覧履歴に基づいた提案やリーディングリスト、他デバイスで開いているウェブページなどが表示でき、各項目の表示/非表示は自由にコントロールできる。さらにスタートページの背景画像も変更可能だ。

空のウインドウ、タブを開くと最初に表示され、ポータルのような役割を果たすのがスタートページ。「お気に入り」「リーディングリスト」などに登録されたウェブページは、アイコンを長押しすると表示されるメニューから個別に削除できる。

スタートページ下部の「編集」をタップすると表示される画面では、「お気に入り」「よく閲覧するサイト」などの項目単位で表示のオン/オフを切り替えられる。さらに「背景画像」をオンにすると、選択した画像をスタートページの背景に設定できる。

088 Safari よく見るサイトはブックマークに登録しよう

「お気に入り」と「ブックマーク」を活用する

定期的にチェックするニュースサイトやブログ、よく利用するオンラインショッピングサイトなどは、「ブックマーク」に登録しておこう。ブックマークにウェブページを登録しておけば、以降はサイドバーやスタートページからすばやく呼び出せるので便利だ。

サイドバーに登録する場合は、登録先として「ブックマーク」を選択する。より頻繁にアクセスするウェブページは、「お気に入り」に登録しておこう。「お気に入り」に登録されたウェブページは、スタートページに表示され、よりアクセスしやすいためだ。

1 共有メニューから登録する

ブックマークに登録するウェブページを開き、「共有」ボタンをタップすると表示されるメニューで「ブックマークを追加」をタップする。続けて表示される画面で、登録先を選択する。

2 スタートページに登録される

ウェブページの登録先に「お気に入り」を選ぶと、Safariの起動時などに表示されるスタートページにアイコンが追加され、これをタップすることでそのページを表示できる。「ブックマーク」を選ぶとサイドバーに登録される。

上級技 iPadOS17

089 Safari 仕事用、プライベート用など、目的に応じてSafariを切り替えて使う

目的、環境別の「プロファイル」を作り、切り替える

仕事やプライベート、学習など、iPadを使ってインターネットを閲覧する目的は人それぞれであり、そのつど変わるもの。ただし人によっては、ウェブブラウジングの目的が異なるのに、ブックマークや閲覧履歴などが共通になってしまうと、使いづらいと感じることもあるだろう。そうした問題を解決してくれるのが、「プロファイル」だ。

「プロファイル」は簡単にいえば、Safariの各種設定、お気に入りやブックマーク、タブグループ、機能拡張などを、目的ごとにまとめて管理し、切り替えて使うための機能だ。「仕事用」「学習用」「趣味用」などのプロファイルを作っておけば、瞬時に目的に応じた環境に切り替えられるので便利だ。

1 プロファイルを作成す

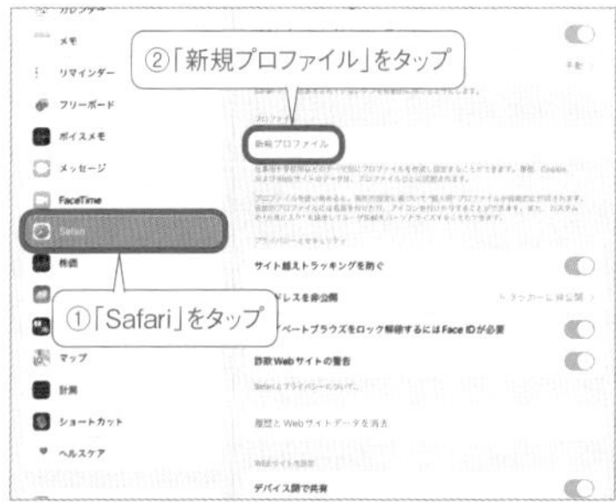

アプリで「Safari」→「新規プロファイル」をタップする。作成済みプロファイルはここに表示され、後から内容を変更したり、削除したりできる。

2 プロファイル名を入力する

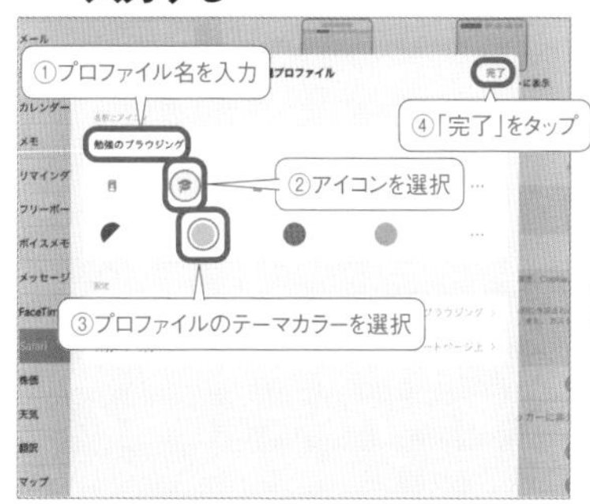

プロファイル名を入力して、アイコンとテーマカラーを選択して、「完了」をタップする。

3 プロファイルを切り替える

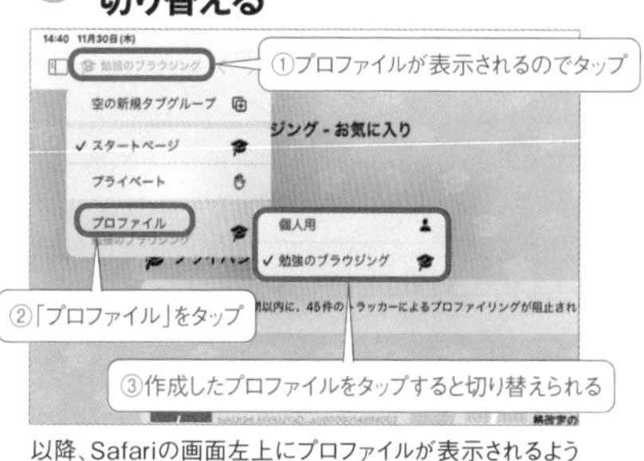

以降、Safariの画面左上にプロファイルが表示されるようになる。これをタップすると表示されるメニューで「プロファイル」をタップし、目的のプロファイルをタップすると切り替えられる。設定したテーマカラーは、スタートページの背景に使われる。

090 Safari Safariから他アプリに画像やテキストをコピーする

Split Viewでアプリを並列表示にしてドラッグ&ドロップする

Safariで表示しているページからテキストや画像、URLをほかのアプリにコピーする場合はSplit Viewを活用しよう。Split Viewで分割した画面の片方にコピー先のアプリを表示する。Safariからコピーしたい対象のコンテンツを選択して長押しすると、少し浮いた状態になるのでそのままドラッグ&ドロップしよう。コピー&ペーストよりも効率的にデータをコピーできて便利だ。なおコピー可能なアプリはメモ、メール、ファイルなどApple純正アプリが中心となっている。

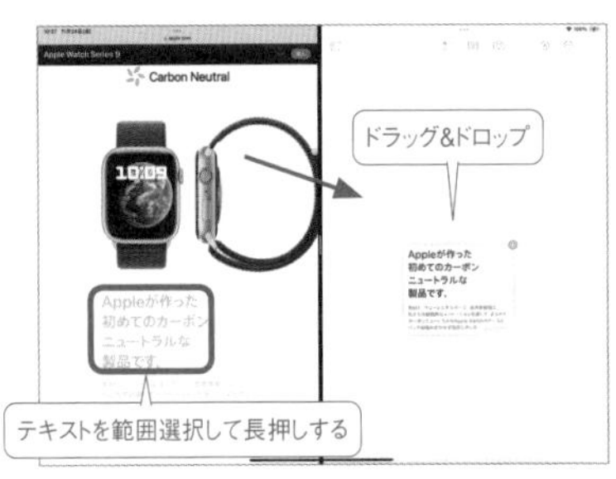

1 テキストを選択してほかのアプリにコピーする

Split ViewでSafariとコピー先アプリを表示させる。Safariで表示しているテキストを範囲選択して長押しし、少し浮かんだらドラッグ＆ドロップしよう。

2 URLをほかのアプリにコピーする

Safariで表示しているページのURLをコピーする場合は、スマート検索フィールドを長押しし、少し浮かんだらドラッグ&ドロップしよう。

3 画像をほかのアプリにコピーする

Safariで表示しているページ内にある画像をコピーする場合は、画像を長押しし、少し浮かんだらドラッグ＆ドロップしよう。

091 ウェブ翻訳 Safariで表示した海外サイトを日本語に翻訳する

海外サイトの最新情報を日本語で

「海外の最新情報を知りたいけど、使われている言語が分からない…」そんなときは、Safariに備わる翻訳機能を使おう。目的のウェブページを開いておき、右のように操作すれば、外国語で書かれたウェブページの内容が、瞬時に日本語に翻訳される。翻訳後のウェブページのレイアウトも可能な限り維持されるので、まるで最初から日本語で書かれていたかのように、海外発信ならではの情報を読むことができるはずだ。

なお、翻訳できるのは英語や中国語、フランス語などの8言語になっている。

1 「日本語に翻訳」をタップする

①「ぁあ」をタップ
②「日本語に翻訳」をタップ

スマート検索フィールドの「ぁあ」をタップして、メニューから「日本語に翻訳」をタップする。

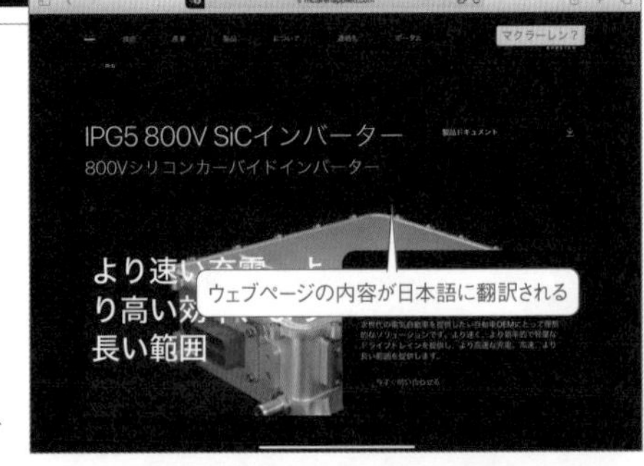

2 英語ページを日本語表示に変換してくれる

ページ全体が日本語に翻訳される。元の言語に戻すには、手順1のメニューで「原文を表示」をタップする。

092 Safari 無料でYouTubeのバックグラウンド再生をする

Safariのデスクトップモードで YouTubeを再生する

YouTube公式アプリが不便なのは、プレミアムユーザーでない場合、ほかのアプリに切り替えると自動的に動画が停止し、バックグラウンド再生できないこと。無料ユーザーでもバックグラウンドで再生したいなら、Safariを使おう。

Safariを使ってバックグラウンド再生する場合、最初にウェブページの表示方法を「デスクトップ用Webサイトを表示」に切り替えておく。この状態でYouTubeの動画を再生し、ホーム画面や別アプリなどに画面を切り替えると、一度は再生が停止される。そこで、コントロールセンターから再生を再開すれば、以降はSafari以外の画面でも再生が継続されるようになる。

1 Safariでデスクトップ用サイトを利用する

Safariで対象の動画を開く。「ぁあ」をタップして「デスクトップ用Webサイトを表示」をオンにする。なお、iPadOSでは標準でデスクトップ用Webサイトが表示されるようになっている。

2 動画を再生する

YouTubeの動画を再生する。次の手順3で再生が再開されない場合は、別途空のタブを開いておこう。

3 バックグラウンドで再生できる

ホーム画面やほかのアプリに切り替えると、いったんは再生が停止される。この状態でコントロールセンターの再生コントロールで「再生」をタップすると、バックグラウンドでの再生が開始される。

093 Safari 閲覧履歴を残したくない場合は?

プライベートブラウズを利用しよう

家族や職場で1台のiPadを共用しているような環境で、Safariを使って自分が閲覧したウェブページや、検索したキーワードは他の人に見られたくないもの。そんなときは、プライベートブラウズモードに切り替えよう。このモードでは、ウェブページの表示履歴はもちろん、検索したキーワードの履歴も、ウインドウを閉じた瞬間に自動的に消去されるので、第三者の目に触れることがなく、安心だ

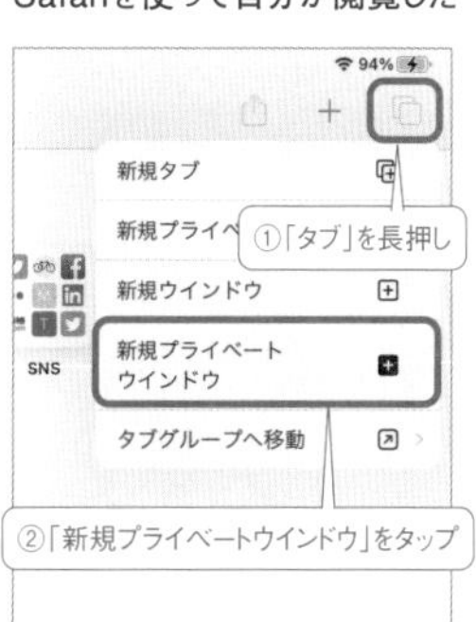

画面右上のタブボタンを長押しすると表示されるメニューで、「新規プライベートウインドウ」をタップする。

プライベートブラウズモードで新規ウインドウが開く。このウインドウでウェブページの閲覧などができるが、履歴は一切残らない。このウインドウは、タブボタンをタップすると表示される画面で閉じることができる。

094 Safari リンクを新しいウインドウで開くのも便利!

1つの画面に2つのウェブページを並べて表示できる

2つのウェブページに記載されている情報を比較しながら読みたい場合は、タブではなく、それぞれのウェブページを別々のウインドウで表示しよう。こうすることで、iPadOSの機能であるSplit ViewやSlide Overを使って1つの画面に2つのウェブページを同時に表示できるようになる。なおウインドウは2つ以上開くことができるが、同時表示できるのは2つまでだ。

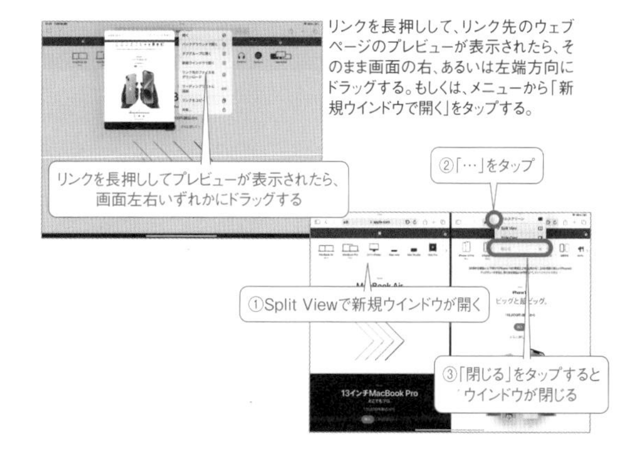

リンクを長押しして、リンク先のウェブページのプレビューが表示されたら、そのまま画面の右、あるいは左端方向にドラッグする。もしくは、メニューから「新規ウインドウで開く」をタップする。

095 機能拡張 Safariをより快適にしてくれる、おすすめの機能拡張

別アプリの機能をSafariから呼び出せる機能拡張

iPadOS 15以降のSafariでは「機能拡張」が使えるようになった。機能拡張は文字どおり、標準のSafariにはない新たな機能を追加することでパワーアップし、より快適にウェブページを利用できるようにするものだ。

機能拡張は単独のプログラムとしてではなく、App Storeで公開されているアプリに組み込まれる形で提供され、そのアプリの機能を必要とするタイミングでSafariから呼び出すという仕様になっている。そのためまずは、Safariの機能拡張への対応を明記しているアプリをiPadにインストールしておこう。インストールすると、Safariのメニューに機能拡張の項目が追加されるので、使用するものをオンにする。オンにしたものはメニューの第1階層に表示されるようになり、必要に応じてここから機能を呼び出すことができるようになる。ここでは、厳選した4つのアプリが提供する機能拡張を紹介する。

なお残念ながら、App Storeには「機能拡張」のカテゴリーは存在せず、対応するアプリだけをピックアップできない状態になっている（2022年11月現在）。そのため、機能拡張をSafariに追加したい場合は、App Storeで「機能拡張」「Safari」などのキーワードを使って検索するしかない点に注意しよう。

機能拡張を有効にする

1 機能拡張メニューを開く

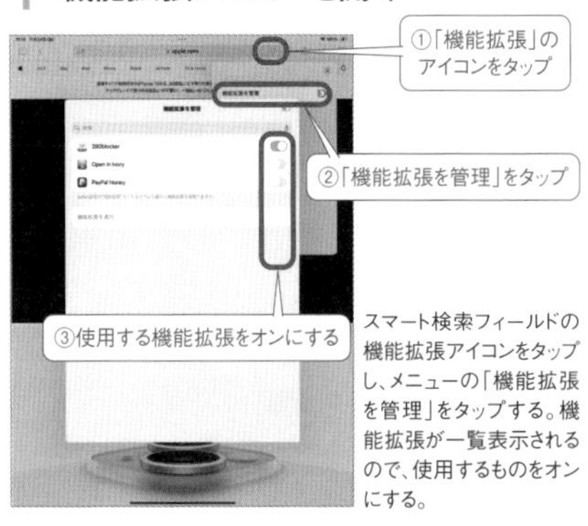

スマート検索フィールドの機能拡張アイコンをタップし、メニューの「機能拡張を管理」をタップする。機能拡張が一覧表示されるので、使用するものをオンにする。

2 機能拡張が使えるようになる

再度機能拡張のアイコンをタップすると、メニューに機能拡張が追加されている。ここから目的の機能拡張をタップすると、さまざまな機能を呼び出すことができる。

おすすめ機能拡張はこれだ！

ログイン時にパスワードを自動入力！

SNSやオンラインショップなどのログイン情報（パスワード）などを安全に保管し、必要な場面で呼び出して、自動入力できる機能拡張。

App
1Password：パスワードマネージャー
開発元／AgileBits Inc.
価格／無料（アプリ内課金有り）

空のタブを華やかに飾る

空のタブを開いた際に、ウインドウ内に大きなデジタル時計を表示する機能拡張。時計の背景には美しい自然の風景写真が表示され、癒される。

App
Momentum
開発元／Momentum Dashboard Corp.
価格／無料（アプリ内課金有り）

どんなウェブページの背景もダークモードに

開いているウェブページおよびそのサイト内の背景を黒くして、強制的にダークモードにできる機能拡張。背景が明るすぎて見づらいウェブページなどで効果を発揮する。

App
ダークモード - Dark Mode
開発元／蕾戴
価格／無料

Safariに多彩なジェスチャ操作を

タブ間の切り替えやウェブページの更新、ページ最上段までのスクロールなどを、画面上をなぞるジェスチャ操作で実行できるようにする機能拡張。アプリでジェスチャのカスタマイズも可能。

App
Svadilfari
開発元／Kashiwa Shun
価格／無料（アプリ内課金有り）

096 多機能ブラウザ PCでChromeを使っているなら iPadでもChromeを使おう

Googleアカウントで同期できる多機能ウェブブラウザ

Google Chrome(以降「Chrome」と表記)は、Safariと同様にインターネット上のウェブページを閲覧するためのブラウザと呼ばれるアプリだ。URLを入力してウェブページを表示する、タブで複数ページを同時に開く、よく見るページをブックマークで管理するといったブラウザとしての基本機能を完備しており、Safariの代わりに使うのに最適だ。使い勝手もSafariに近く、URLの入力や、ウェブ検索のキーワードの入力は、画面上端にあるアドレスバーから行うため、Safariに慣れていれば迷うことなく使い始められるだろう。

Chromeの利点はそれだけではない。ChromeはiPadだけでなく、WindowsやMac、Androidといったさまざまなデバイス向けにアプリが無料で提供されており、それぞれで同じGoogleアカウントでログインすることで、ブックマークや開いているタブに至るまで、同期できるのだ。これにより、自宅のPCで閲覧していたウェブページの続きを、外出先に持ち出したiPadで読むといったことが可能になり便利だ。SafariにもiCloudを使って他のデバイスと同期する機能が備わっているが、SafariのWindows版やAndroid版は存在しないため、iPadの他にこれらのデバイスを使っているのであれば、Chromeの方が日常的な使用に向いている。

なお、iPadOS 14以降の環境で、Chromeが最新バージョンであれば、Chromeを標準ブラウザとして設定できる。

App

Google Chrome ブラウザ
作者/Google LLC
価格/無料

Chromeを使ってみよう

Safariと比べてすっきり、シンプルな画面デザインのChrome。画面上部のタブをタップすることで、複数のウェブページを切り替えて表示できる。その下にはURLや検索キーワードを入力する検索ボックスが配置されている。

2 設定画面を表示する

Googleアカウントでログインすると、タブの同期などの機能が利用できる。まずは画面右上の「…」をタップし、「設定」をタップする。

3 Chromeにログインする

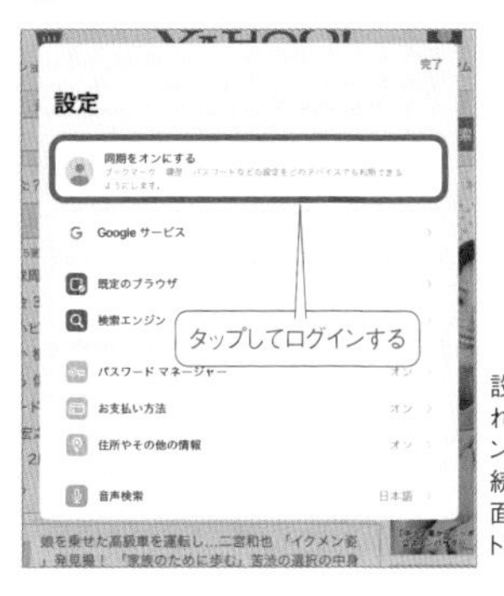

設定画面が表示されるので、「同期をオンにする」をタップし、続けて表示される画面でGoogleアカウントを入力する。

4 他デバイスのタブを表示する

画面右上の数値が表示されたアイコンをタップ、画面上の右端のボタンをタップすると、他のデバイスで開いているタブが表示される。

point

Chromeを標準ブラウザにする

ChromeをSafariに代わって標準ブラウザにするには、「設定」アプリで「Chrome」→「デフォルトのブラウザApp」とタップし、「Chrome」をタップしてチェックを付ける。標準ブラウザにすると、他のアプリでURLをタップした場合に、Chromeが起動してそのウェブページが開くようになる。

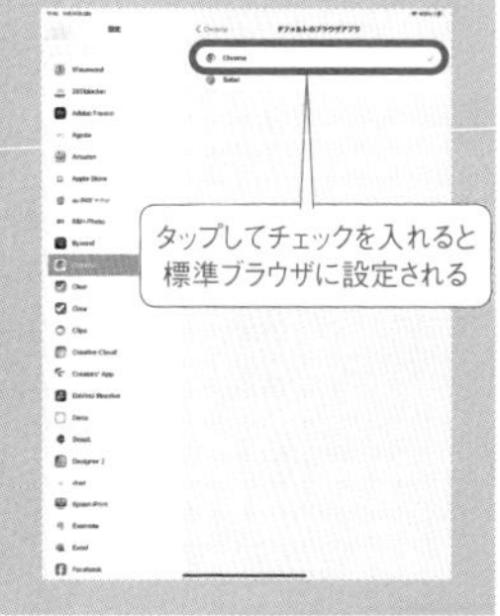

097 X（旧Twitter） 名称が「X」に変わった、定番コミュニケーションツール!

唯一の選択肢となった公式アプリだからこそ機能は充実!

誰もが利用している世界最大のSNS「Twitter」が、「X」に生まれ変わった。それに併せて公式アプリのアイコンも刷新されるとともに、運営方針の変更により、世の中に多数存在していたサードパーティアプリのほとんどが消え、公式アプリだけが生き残ることに。さらに、「ツイート」は「ポスト」に、「リツイート」は「リポスト」に、基本用語の一部にも変更が加えられたが、文字数制限の中で気ままにつぶやき、他ユーザーとコミュニケーションするという本質は、「X」になっても変わらないので、唯一の選択肢となった公式アプリを引き続き使っていこう。

公式アプリでは当然、ポストの投稿やリプライ、リポスト、リスト管理、ダイレクトメッセージなど、「X」のすべての機能が利用できるようになっている。自分や他のユーザーのポストを並べて表示し、閲覧できる「タイムライン」ももちろん健在。「おすすめ」と「フォロー中」という2種類のタイムラインを切り替えることができ、前者はユーザーの趣味嗜好、興味の対象に基づくおすすめポストが表示され、後者には自分と自分がフォローしているユーザーのポストのみが表示されるようになっている。

App
X 旧Twitter
作者／X Corp
価格／無料（アプリ内課金有り）

Xの公式アプリを使いこなそう

1 2種類のタイムラインを切り替える

公式アプリでもっとも目にする機会の多い「タイムライン」表示。画面左のホームアイコンをタップして表示できる。さらに、画面上部にある「おすすめ」「フォロー中」のいずれかをタップして、タイムラインの表示内容も切り替え可能だ。

2 最新トレンドもチェックできる

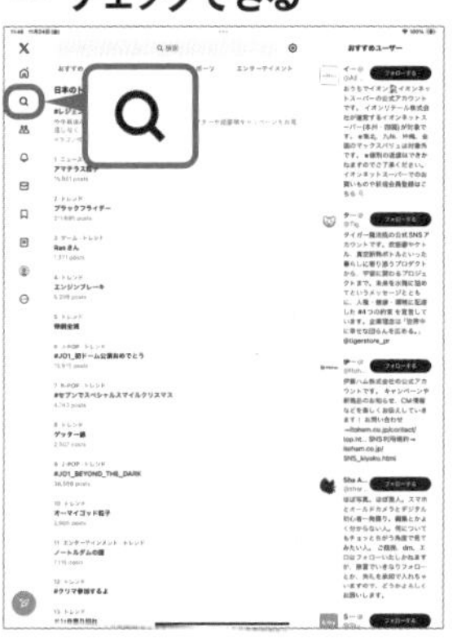

画面左の虫眼鏡アイコンをタップすると、X上で話題になっているトピックをチェックできる。トピックのジャンルは、画面上のタブで切り替え可能。

3 写真にステッカーを貼る

タイムラインへの投稿には、写真を添付することもできる。写真にはユニークなステッカーを添付して演出可能だ。写真の隠したい部分に貼る利用法もある。

4 写真にフィルタをかける

写真を投稿する際、添付した写真の右下に表示される鉛筆アイコンをタップするとレタッチができる。フィルタを適用したり、トリミングが行える。

5 ダークモードにする

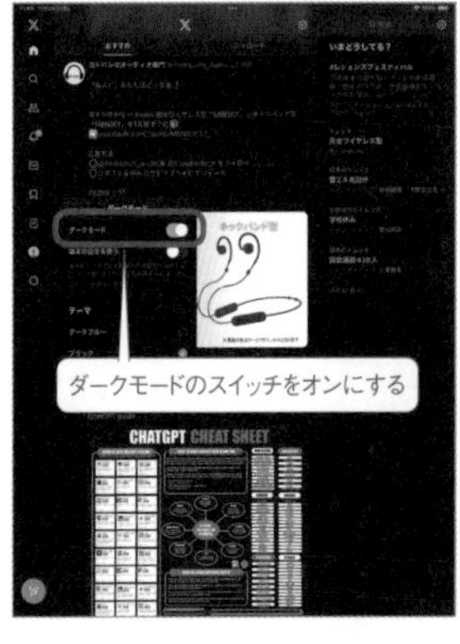

左端の一番下のアイコンをタップすると表示されるポップアップで、左下の豆電球アイコンをタップすると、ダークモードを有効にできる。

6 アカウントを追加する

左端の一番下のアイコンをタップすると表示されるポップアップで、右上のアイコンをタップすると、Xアカウントを追加できる。複数アカウントを使い分けたい場合に活用しよう。

上級技

X(旧Twitter)

098 特定期間に投稿されたポストを検索する

Xから効率的に目的のポストを探すなら、さまざまな検索コマンドを覚えておこう。Googleと同じくXでは複数のワードを入力して検索するAND検索に対応している。また検索フォームに「from:ユーザー名」を入力すると、特定のユーザーのポストに絞って検索することができる。さらに2023年1月から12月までなど指定した期間内のポストのみ表示させたい場合は「since:2023-01-01 until:2023-12-31」と入力しよう。

たとえば「日本サッカー協会」アカウントが2023年1月から11月までに投稿したポストから「代表」を含むものを抽出したい場合は「from:JFA」「代表」「since:2023-01-01 until:2023-11-30」の3つのコマンドをAND検索すればよい。

X(旧Twitter)

099 Xでの通信量を減らすには?

Xを使っていると、最新ポストや画像付きポストが自動的に更新されて表示されるため、外出先で携帯電話回線を使ってインターネットを使っている場合は、思ったよりもデータ通信量が多くなってしまう。Xの公式アプリには、こうした意図しないデータ通信量の肥大を防いでくれる「データセーバー」という機能が搭載されているので、これを有効にしておこう。
データセーバーを有効にすると、動画の自動再生が無効になり、画像の画質が自動的に下げられる。

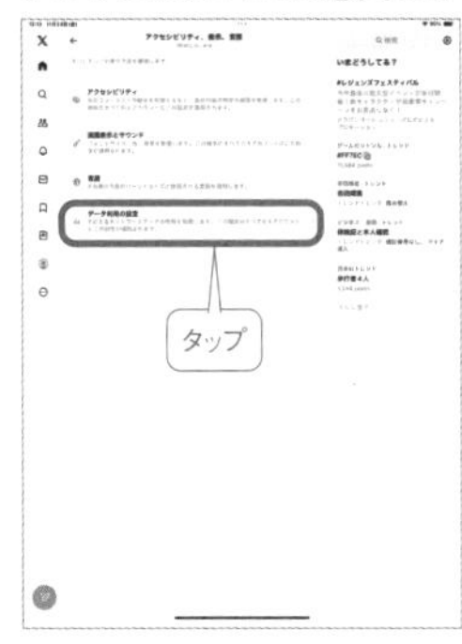

画面左下のアイコンから「設定とプライバシー」→「アクセシビリティ、表示、言語」→「データ利用の設定」をタップする。

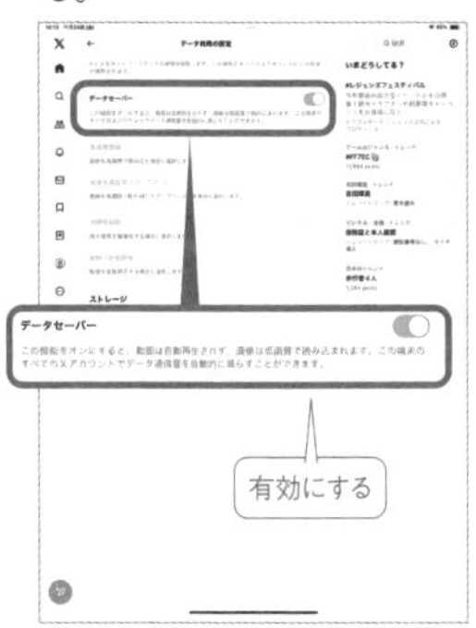

「データセーバー」のスイッチをタップして機能を有効にすると、以降はデータ通信量が抑えられる。

100 X(旧Twitter) SNS上のトレンドをいち早くチェックしよう!

ジャンル別の旬の話題、それについての言及をチェックできる

X(旧Twitter)の最大の魅力は、さまざまな情報が瞬時に拡散されること、他ユーザーのトピックに関する言及を読んだり、ときには議論したりできる点だろう。特にXの「トレンド」は、話題に乗り遅れたくない、知らないままで済ませたくない人にとって、外せない機能だ。

Xで多くのユーザーが言及しているトレンドやハッシュタグは、ホーム画面のタイムライン右に表示される。またここで「さらに表示」をタップするか、画面左の虫眼鏡アイコンをタップすると、より多くのトレンド、ハッシュタグが表示され、ジャンル別に表示を切り替えることもできる。トレンド、ハッシュタグをタップすれば、それを含む他ユーザーのポストが表示される。

1 「いまどうしてる?」でトレンドをチェックする

ホーム画面のタイムライン右に表示される「いまどうしてる?」でトレンドや注目のハッシュタグをチェックできる。「さらに表示」か画面左の虫眼鏡アイコンをタップする。

2 ジャンル別にトレンドを表示できる

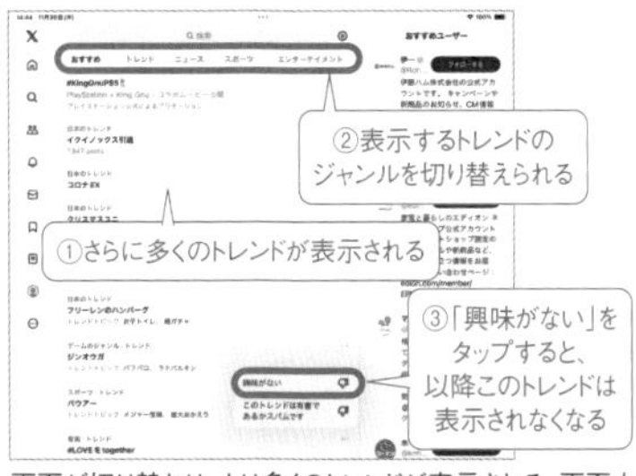

画面が切り替わり、より多くのトレンドが表示される。画面上部のタブからジャンルを切り替えることもできる。また、各トレンド、ハッシュタグの「…」をタップすると表示されるメニューから「興味がない」を選ぶと非表示になり、次回以降のトレンド提案に反映される。

3 他ユーザーのポストをチェックする

トレンドや注目のハッシュタグをタップすると、それについて言及しているユーザーのポストが表示される。トレンド一覧に戻るには、画面左上の「←」をタップする。

101 SNS Facebookアプリでコミュニケーションを満喫しよう

本格的な写真のレタッチ機能は豊富「超いいね!」にも対応

Facebookの公式アプリも、X(旧Twitter)と同様にiPadに最適化されている。写真投稿機能では、さまざまなフィルタを使ってレタッチでき、スタンプや文字の挿入も可能。友達の投稿にも多彩な反応を選べる。ニュースフィードの見やすさも専用アプリならでは。各投稿にはもちろん、「いいね」や「超いいね」が付けられる。

App

Facebook
作者／Meta Platforms, Inc.
価格／無料

1 「いいね」を付けよう

各投稿には、「いいね」や「超いいね」などのアイコンを付けたり、コメントを投稿したりできる。また、投稿の背景に画像を設定することも可能。

2 多彩な写真編集機能

Facebookの写真レタッチ機能はかなり豊富。フィルタを使ったり、スタンプを挿入したり、テキストを入れることが可能だ。

102 Messenger Facebookの仲間とチャットや音声、ビデオ通話を楽しむ

Facebook純正のコミュニケーションツールを活用しよう

Facebookにも、X(旧Twitter)のダイレクトメッセージ(DM)と同様に、ユーザーと1対1の直接的なやり取りができる「Messenger」が提供されている。公式アプリとは独立した形で「Messenger」アプリとしてリリースされており、公式アプリでログインしていれば、「Messenger」アプリにも自動ログインしてすぐに利用できる。

メッセージを送受信できるのは、Facebook上でつながりがある人に限られるので、安心して利用できる。また、テキストやスタンプによるチャットだけでなく、音声、ビデオ通話も可能で通話料はかからない。手軽かつリアルタイムでコミュニケーションを取りたいときに利用しよう。

App

Messenger
作者／Meta Platforms, Inc.
価格／無料(アプリ内課金有り)

1 テキストチャットを楽しむ

「チャット」タブの画面左にはFacebookでつながっているフレンドが表示され、タップするとチャットを開始できる。チャットは1対1だけでなく、複数のフレンドとも可能だ。

2 ユニークなスタンプが使える

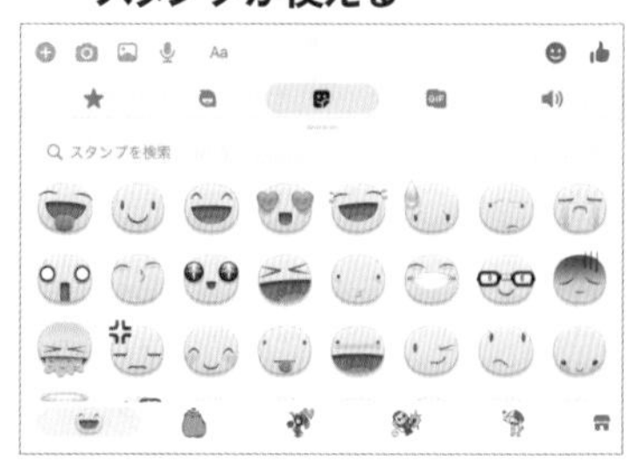

テキストチャットでは、テキストメッセージに加え、写真や動画、その場で録音した音声メッセージを送信できる。また、スタンプや「いいね」のアイコンも送信できる。

3 音声、ビデオ通話もできる

「通話」タブの画面で、目的のフレンドの音声通話、あるいはビデオ通話ボタンをタップすると、その相手と音声、ビデオ通話ができる。ビデオ通話中もスタンプの送信が可能。

103 SNS Instagramで写真コミュニケーション!

iOS用アプリでInstagramのフル機能が使える

「映える」写真を共有できるSNSとして世界中で人気のInstagram。ブレイクのきっかけはスマホ用アプリで、もちろんiOS版もリリースされているが、残念ながらこのアプリはiPadには最適化されていない。それでも、写真の加工や投稿などをしたい場合は、拡大画面になってしまうがiOS版アプリを使うのも手だ。

なお、Safariなどのウェブブラウザを使い、Instagramの公式サイトにアクセスしても、写真を投稿したり、他のユーザーが投稿した写真やストーリーを見たりできる。ただ、一部機能は、公式アプリに比べて安定性や使いやすさの面で劣ることがあるため、可能であれば公式アプリを使うことをおすすめする。

1 すべての機能を使うならiPhone用アプリ

iOS版アプリがiPadでも利用できる。iPadOS 15以降であれば、ランドスケープ表示にすることもできる。

App

Instagram
作者/Instagram, Inc.
価格/無料
カテゴリ/写真・ビデオ

2 アプリなら写真の投稿もできる

Instagramがブレイクしたきっかけとなった多彩なフィルターももちろん、iPadで利用できる。フィルターを使って、写真をドラマティックに仕上げよう。

104 Threads Instagram発の新感覚SNS「Threads」を使ってみよう!

Twitterに取って代わる存在になるか?

Twitterが「X」という名称に変わるのに伴い、数々のドラスティックな変更が行われた結果、一部のユーザーはTwitterの代わりとなる新たなSNSを求めることになった。こうしたユーザーの期待に応えるべく突如登場したのがThreadsだ。

Threadsも一般的なSNSと同様、短文や写真、動画を投稿(ポスト)しながら、他ユーザーとのコミュニケーションする、引用するといったことができる。Instagramの開発元がリリースしたアプリだけに、ThreadsのポストをInstagramにも投稿できる連携機能も搭載。ただし2023年12月現在、Threadsアプリは iPadに最適化されていない。

App Threads, an Instagram app

作者/Instagram, Inc.
価格/無料(アプリ内課金有り)

1 タイムラインでポストをチェックできる

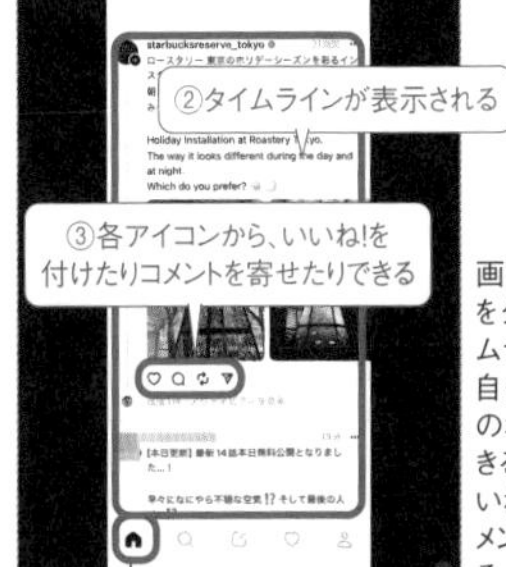

画面下の「ホーム」をタップするとタイムラインが表示され、自分や他ユーザーのポストをチェックできる。ポストには「いいね!」をつけたり、コメントを寄せたりできる。引用も可能だ。

2 写真や動画を投稿できる

ポストには、iPad内の写真や動画を添付することができる。ただし、フィルターで写真を加工、編集する機能は備わっていない。そうした用途ではInstagramを使おう。

3 ポストをInstagramにも投稿する

自分のポストはもちろん、他のユーザーのポストは、Instagramのストーリーズやフィードとして引用、再投稿することができる。各ポストに表示される共有アイコンをタップして、再投稿先や引用方法を選択しよう。

マスト!

105 ビデオ通話 さまざまなコミュニケーションに便利な「Zoom」を使う

テレワーク、オンライン飲み会に必須のアプリ

新型コロナウイルスによる緊急事態宣言が発出された状況で、大きく注目されたアプリの1つが「Zoom」だ。多くの人々が外出自粛を余儀なくされる中でも、経済活動としての仕事や生活を完全に止めることはできないというジレンマの中で、インターネット回線を使ってビデオミーティングができるZoomは、オンライン会議ツールとしてだけでなく、iPadの画面を通じて仲間と対面しながら気楽に歓談するという、オンライン飲み会という新たな文化を作ったといっても過言ではないだろう。

Zoomがここまで浸透した理由は、アプリをインストールしてアカウントを作ればすぐに、ビデオミーティングが始められる手軽さだろう。また、iPadだけでなく各種スマートフォン、パソコンなど、幅広いデバイス向けに無料アプリが提供されているため、使っているデバイスを問わずに使える点も魅力だ。無料アカウントでは、人数に関係なく40分までミーティングが行える。ビデオミーティングでは、自分の背景に映る自宅の様子や生活感が心理的障壁になることがあるが、画像で背景を隠す「バーチャル背景」や、自分自身の姿をアニメーションするキャラクターに置き換える「アバター」といった機能が用意されているので心配は無用だ。

Zoomにはほかにも、音声通話やチャット、ホワイトボードを使った手描きイラストや文字の共有など、コミュニケーションの質を高めるのに役立つ、多彩なツールが用意されているので、ぜひ活用してほしい。

Zoomを使ってみよう

1 複数人とオンラインで対面できる

Zoomのビデオミーティングでは、参加者のリアルタイムの映像を見ながら会話することができる。他の参加者の映像やアバターが表示されている枠をタップすれば、その参加者を画面中央に大きく表示することができる。

2 「ホーム」からミーティングを開始できる

ミーティングを開始するには、「ホーム」の画面で「新規ミーティング」をタップする。ここからスケジュールや画面の共有も可能だ。

3 ミーティングに招待する

自分が始めたミーティングに相手を招待するには、ミーティングの画面で「参加者」→「招待」とタップし、招待方法をタップする。

4 ミーティングに参加する

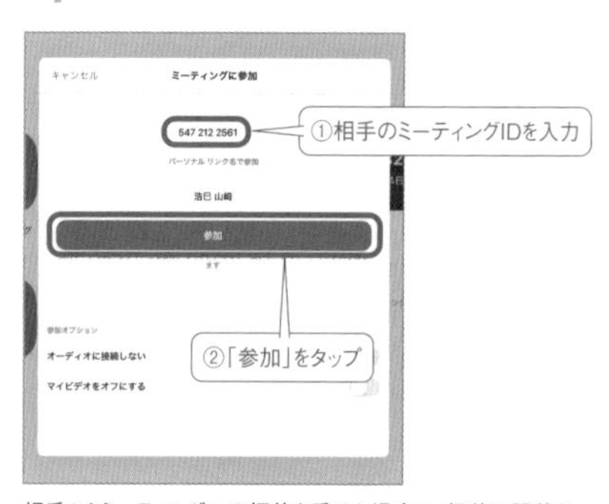

相手からミーティングへの招待を受けた場合は、招待に記載されたリンクをタップする。もしくは「ホーム」で「参加」をタップし、相手のミーティングIDを入力する。

5 バーチャル背景を設定する

背景を隠すバーチャル背景を設定するには、ミーティングの画面で「詳細」→「背景とエフェクト」→「背景」とタップして、目的の背景を選択する。背景をぼかしたり、手持ちの写真を背景にしたりできる。アバターの設定もここで可能。

App

Zoom
作者／Zoom Video Communications, Inc.
価格／無料

106 無料通話 スタンプ、電話、ビデオ通話、何でもアリのコミュニケーション、LINEを利用する

スマホ版LINEとデータ内容を同期して利用できる

無料音声通話といえば言わずと知れた国内最大の無料通話アプリ「LINE」だ。LINEはiPadでも利用することができる。

LINEを利用するにはApp StoreからiPad用LINEをダウンロードすればよい。既にほかのスマホで利用しているLINEアカウントでログインして利用するかたちとなる。ログインすると、iPad上でもスマホと同じように音声通話やメッセージの送信などに利用できるようになる。ほかにスタンプショップを利用したり、タイムラインを閲覧することも可能だ。なおiPad版LINEを利用するには、本人確認のため、ログイン時に表示されるコード番号を、スマホ版LINEを起動して入力する必要がある。以前はiPad版LINEにログインすると、スマートフォン側のLINEが強制ログアウトになってしまい、トーク履歴も消えて不便だったが、現在はiPadでもスマートフォンでも同時に同じアカウントにログインしてデータを同期できる。

さらに「LINE」アプリでは、新たに新規LINEのアカウントを取得することも可能。iPad版専用のLINEアカウントを作成したい場合はこちらを利用しよう。

App

LINE
作者／LINE Corporation
価格／無料

「LINE」のすべての機能が利用できる

1 定番の無料通話とビデオ通話

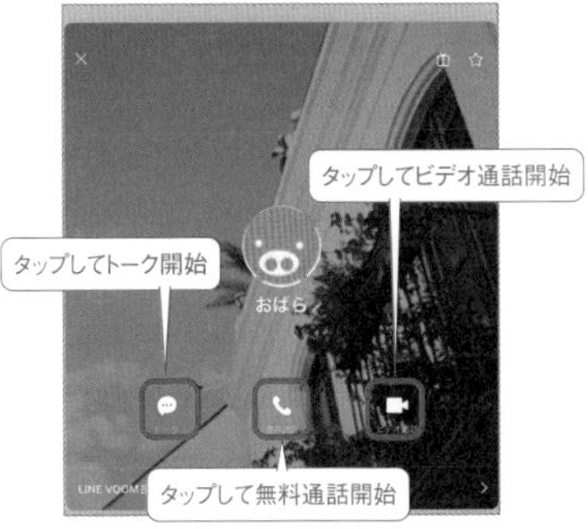

友だちリストで目的の友だちをタップ、相手のプロフィールが表示されたら、「無料通話」「ビデオ通話」をタップしてコミュニケーションを開始できる。

2 スタンプが楽しいトーク

手順1の画面で「トーク」をタップすれば、テキストチャットが楽しめる。LINEでおなじみのユニークなスタンプの数々も、もちろん使える。

3 好みのスタンプを手に入れよう

アプリ内からスタンプショップも利用可能。クリエイターズスタンプや動くスタンプなど、個性を発揮できるさまざまなスタンプが選び放題だ。

4 スタンプの管理は設定から

手に入れたスタンプを並べ替えたり、不要なスタンプを削除したりするには、LINEアプリの設定画面で「スタンプ」→「マイスタンプ」とタップする。

5 写真の加工も自由自在

トークルームに投稿する写真には、スタンプを添えたり、フィルターを使って雰囲気を一変させたりできる。これらの機能を使って「映える」写真にしよう。

point アカウント共有の注意

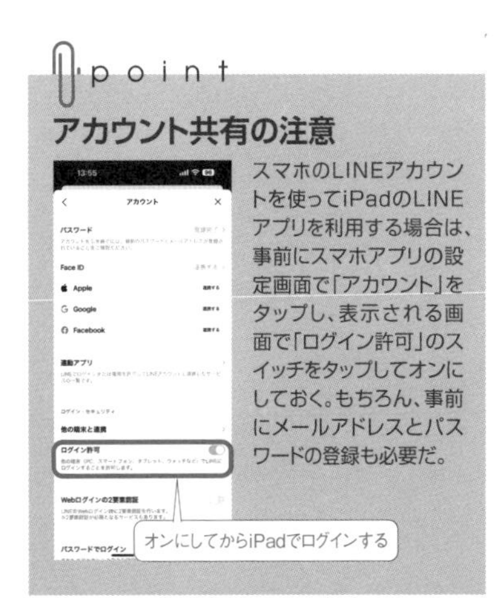

スマホのLINEアカウントを使ってiPadのLINEアプリを利用する場合は、事前にスマホアプリの設定画面で「アカウント」をタップし、表示される画面で「ログイン許可」のスイッチをタップしてオンにしておく。もちろん、事前にメールアドレスとパスワードの登録も必要だ。

あとで読む

107 気になったサイトは「あとで読む」を利用する

Safariのリーディングリスト機能はオフラインでも使えて便利だが、連携機能が豊富な「あとで読む」サービス「Pocket」は保存した記事をさらに活用できるアプリで、レイアウトがスタイリッシュでカッコいいのが特徴だ。Safariの共有メニューから呼び出してページを保存しよう。

App
Pocket
作者／Read It Later, Inc
価格／無料　カテゴリー／ニュース

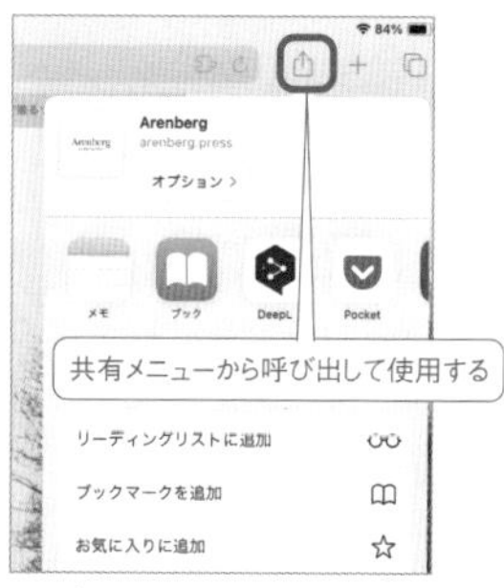

ウェブページを保存するには、Safariなどのブラウザの共有メニューで「Pocket」をタップするだけだ。

Pocketのアプリを起動すると、保存したウェブページのサムネイルが表示される。いずれかをタップすると、オフラインでその本文を読んだり、共有したりできる。

上級技

あとで読む

108 ウェブやツイートをストックして、いつでも読み返す

Safariのリーディングリストや一般的な「あとで読む」アプリはウェブページしか保存できない。しかし「Keep Everything」なら、Twitterの気になるツイートや購読しているメルマガなど、あらゆるデータを「あとで読む」として一時保存することが可能だ。保存した記事はオフラインでも閲覧可能だ。

Keep Everythingはバックグラウンドで動作するアプリ。起動したらTwitterアプリで保存したいツイートを開き、右下の共有ボタンからその他の方法でツイートを共有」をタップし、次の画面で「Keep」をタップして保存できる。

App
Keep Everything
作者／groosoft
価格／無料

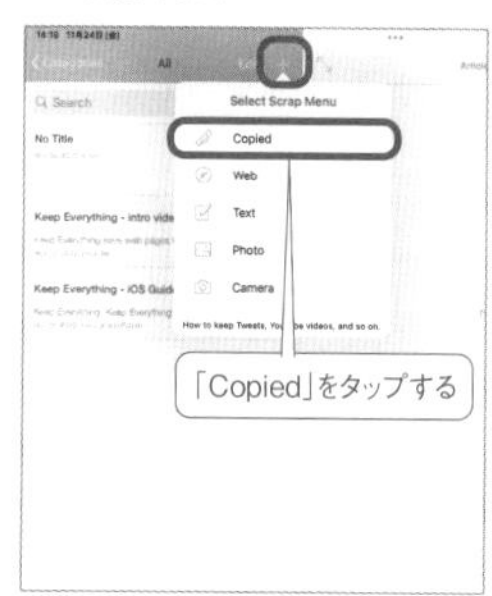

うまくバックグラウンドでコピーできないときは手動で追加しよう。保存したいものをコピーしたら、右上の追加ボタンから「Copied」を選択しよう。

ニュース

109 RSSリーダーを使うなら「Reeder 5」がおすすめ!

ウェブページの更新情報(RSS)を自動で取得し、最新のニュースやブログ記事をチェックするためのRSSリーダーの中でも、定番の地位を築いているアプリが「Reeder 5」だ。その特長はカスタマイズ性の高さと洗練された操作性で、ニュースはお仕着せではなく、自分でソースを選んでチェックしたいというユーザーに広く愛好されている。

App

Reeder 5
作者／Silvio Rizzi
価格／800円
カテゴリ／ニュース

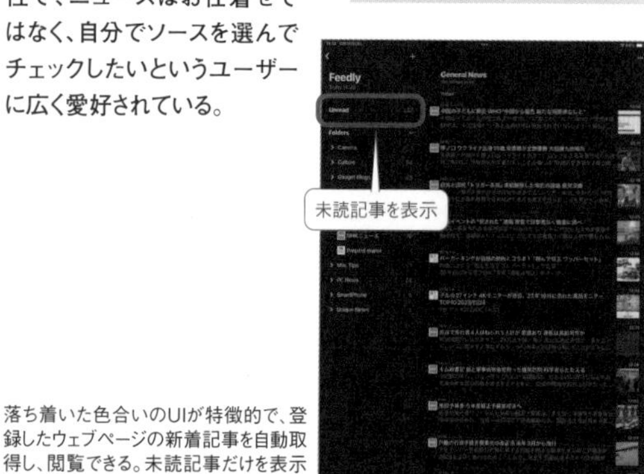

落ち着いた色合いのUIが特徴的で、登録したウェブページの新着記事を自動取得し、閲覧できる。未読記事だけを表示できるので、見逃しを防ぐこともできる。

ニュース

110 Googleが提供する最新ニュースをアプリでチェック

新聞社やウェブメディアなど、さまざまなニュースソースから主要な記事や読み物をピックアップしてくれるアプリ。そのままでも最新ニュースのチェックに役立つが、好みに応じてピックアップされる記事の傾向をカスタマイズできる点が特長となっている。カスタマイズ機能を利用するには、事前にGoogle アカウントを使ってサインインしておこう。

App

Googleニュース
作者／Google, Inc.
価格／無料
カテゴリ／ニュース

画面下の「おすすめ」をタップすると、各種ニュースソースからの最新ニュースがピックアップされて表示される。各見出しをタップすると、記事本文を読むことができる。

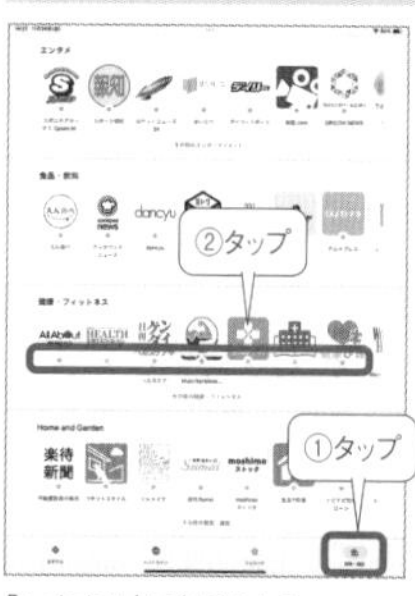

「おすすめ」に表示されるニュースソースをカスタマイズするには、画面下の「新聞・雑誌」をタップして、好みのニュースソースの「☆」をタップしてお気に入りに登録する。

SECTION 04

写真·音楽·動画

非常に多機能な「写真」アプリで
可能なことをまずは理解しておきたい。
そして音楽系、動画系のテクニック、
アプリも実用的で楽しめるものを厳選して紹介!

111

写真

写真内の対象をカンタンに切り抜きできる!

対象を長押しするだけできれいに切り抜き

写真アプリのレタッチ機能が格段に向上している。写真内から切り抜きたい対象を長押しするだけで、背景部分をきれいに削除して切り抜ける。切り抜いた部分は、メニューから新たに保存するほか、ほかのアプリに簡単にコピーできる。Split Viewを併用すれば、長押ししたあとドラッグ&ドロップでほかのアプリに素早くコピーできる。写真アプリのほか、スクリーンショット、クイックルック、Safariなどでこの機能は利用可能だ。なお、A12 Bionic以降を搭載したiPadデバイスのみの機能で、古い端末では使えない。

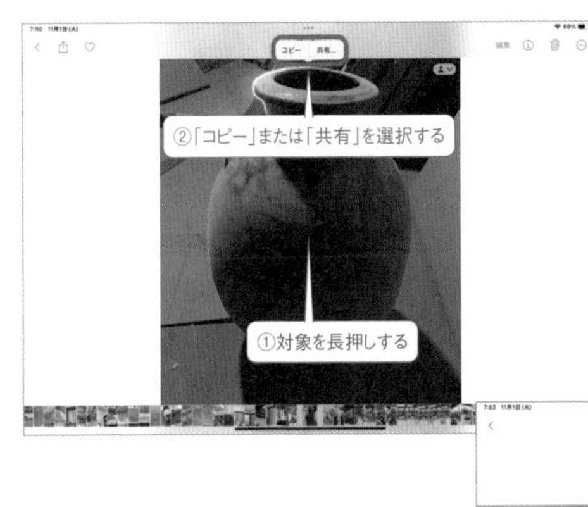

1 対象を長押しして「コピー」から「共有」を選択

写真から切り抜きしたい部分を長押しする。周囲が白く浮かびあがったらメニューの「コピー」または「共有」からほかのアプリに保存しよう。

2 Split Viewでドラッグ&ドロップ

Split Viewを使えば、切り抜いた写真を効率的にほかのアプリにコピーすることができる。

112 カメラ カメラアプリの基本的な使い方

シンプルな操作だが驚くほど便利な機能が備わっている

iPadで写真やビデオを撮影するには、高機能な標準の「カメラ」アプリを使おう。アプリを開くと、自動的にピントや露出が調整され、シャッターボタンを押すだけで撮影できる。カメラに不慣れなユーザーでも、シンプルな操作で明るくクリアな写真を撮影できるのが最大の特徴だ。撮影のクオリティをさらに向上させたい場合は、画面内をタップしよう。タップした位置にピントと露出を合わせてくれる。

また、右側のメニューにある撮影モードを切り替えると、ビデオやスクエア写真、パノラマ写真などさまざまな形式で撮影できる。一定間隔ごとに撮影した写真を組み合わせてコマ送りビデオを作成する「タイムプラス」や、動画の途中をスローモーション再生にできる「スローモーション」など、変わった撮影もできる。

カメラアプリの基本操作

①タップするとオートフォーカス機能が働き自動で焦点を合わせてくれる
②Live Photosのオンとオフを切り替える
③セルフタイマーで撮影する
④フラッシュのオンとオフを切り替える
⑤「あなたと共有」のオンとオフを切り替える
⑥フロントカメラに切り替える
⑦タップしてシャッターを切る
⑧タップすると写真アプリが起動して、撮影した写真ライブラリが表示される
⑨ほかの撮影モードに切り替える
⑩バーをドラッグしてズームイン・アウトできる。iPad Proでは、広角（1×）と超広角（0.5×）のレンズを切り替えることができる

QRコードの読み取りや書類をスキャンする機能も

カメラアプリは、風景や人物を撮影するだけでなく、QRコードの読み取り機能も搭載されており、日常のさまざまなシーンで活用できる。また、文字が記載された書類や街中の看板にカメラをかざすと、スキャンメニューが表示される。タップすると文字の部分だけを読みとりテキスト化して、コピーや選択したり文字を調べることができる。翻訳機能もついているので海外旅行や外国語文書の翻訳にも役立つだろう。

カメラに映った文字を読み取ろう

1 スキャンボタンをタップ

文字が記載された書類や街中の看板にカメラをかざすと、メニューにスキャンボタンが表示されるのでタップ。

2 テキストを選択してコピーする

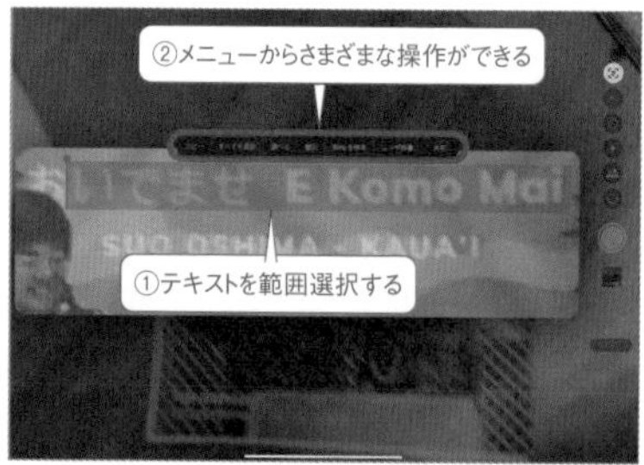

文字の部分だけを切り抜ける。範囲選択してタップするとメニューが表示され、コピーや翻訳などさまざまな操作ができる。

113 写真 「写真」アプリの基本的な使い方をチェック!

撮影した写真やビデオの管理能力が抜群!

iPadで撮影した写真やビデオは、すべて「写真」アプリに保存される。撮影した写真はすべての写真をサムネイル形式で管理できるほか、「年別」「月別」「撮影地」「人物写真(ピープル)」、ビデオやパノラマ、スクリーンショットなどの「メディアタイプ」で分類、管理できるので、目的の写真を素早く探すことができる。アルバムを使って、オリジナルのカテゴリを作成して、手動で写真を分類整理することも可能だ。

キーワード入力での検索もできる。「写真」アプリの検索機能は非常に優れており、ビーチ、夕暮れ、美術館、コンサートといったあいまいなキーワードでも、きちんと目的の写真を検出してくれる。複数のキーワードを使って絞りこむこともできる。

iCloud写真を有効にして同期やバックアップしよう

アップルのクラウドサービス「iCloud写真」を有効にしておけば、保存している写真や作成したアルバムはiCloudへ自動アップロードしてくれる。iPadが故障したときでもiCloudから復元できるので思い出の写真が消える心配もない。同じApple IDでiPhoneやMacにログインすれば同期することも可能だ。

ただし、iCloudの無料プラン(5GB)を使っているとiCloud写真の空き容量がすぐにいっぱいになってしまう。空き容量を増やすために写真を削除するとiCloudにバックアップした写真も同時に削除されるため、大量に写真を貯め込むには、プランを変更して空き容量を増やす必要がある点に注意しよう。

写真アプリで撮影した写真を管理しよう

1 サイドバーを開く

画面の左端から右にスワイプするか、左上のサイドバーボタンをタップするとサイドバーが開く。また、上部メニューから「年別」「月別」「日別」「すべての写真」で表示形式を変更できる。

2 サイドバーの項目を選択

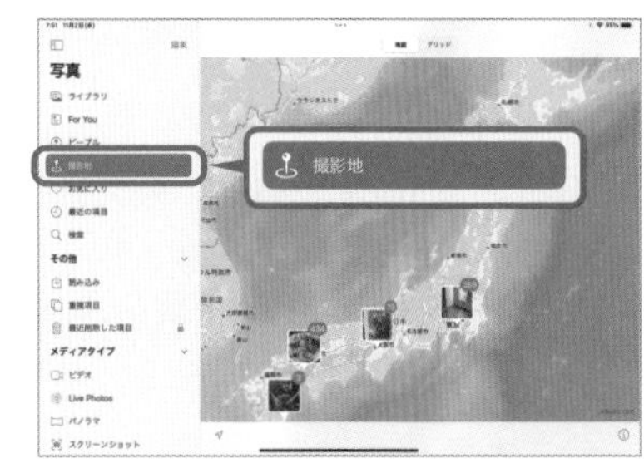

サイドバーにあらかじめさまざまな項目が用意されている。撮影地をタップすると、地図画面に切り替わり、撮影地ごとに写真を分類してくれる。

3 キーワードで写真を検索する

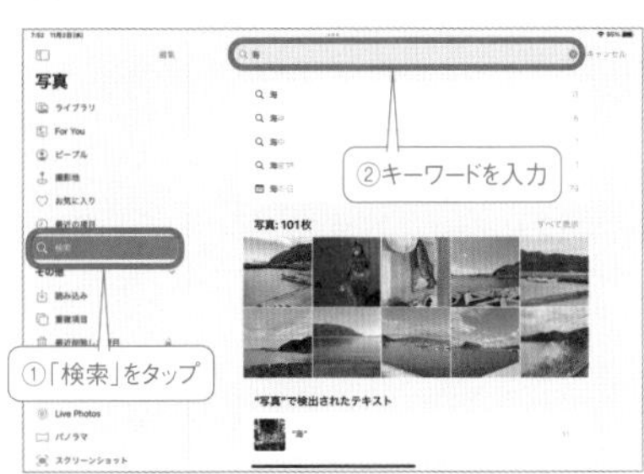

サイドバーから「検索」をタップすると検索フォームが表示されるので、キーワードを入力するとそれと関連のありそうな写真を検索結果に表示してくれる。

4 複数の写真を効率的に選択する

複数の写真を効率的に選択して処理したい場合は、右上の「選択」ボタンをタップしてドラッグすると選択マークをまとめて付けることができる。下部メニューから削除や共有などの処理ができる。

5 アルバムを作成する

アルバムを作成するには、サイドバーから「すべてのアルバム」をタップ。追加ボタンをタップして「新規アルバム」をタップしてアルバム名を設定、写真を追加しよう。

6 iCloud写真を有効にしてバックアップする

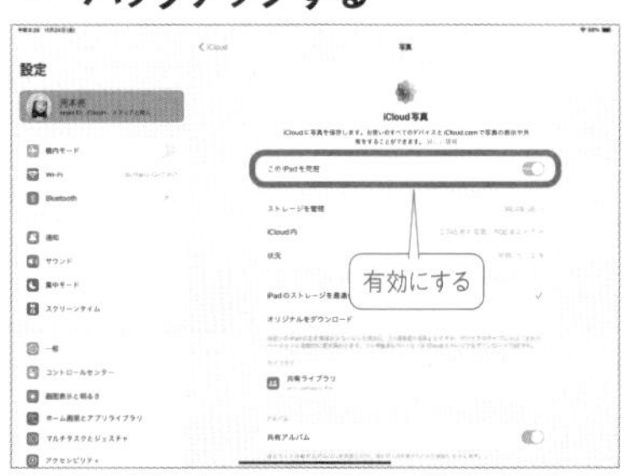

「設定」アプリのApple IDから「iCloud」→「写真」と進み、「このiPadを同期」を有効にすると写真がiCloudにバックアップされる。

114 写真 撮った写真は細かく編集可能だ

明るさ、彩度、コントラストトリミングなどができる

写真アプリは編集機能も豊富だ。トリミングや回転、フィルタ、色調補正機能などが用意されており、撮影した写真をその場でさらに美しく仕上げることができる。編集するには、写真をタップして画面右上にある「編集」ボタンをタップしよう。さまざまなレタッチボタンが表示されるので、項目を選択して各種レタッチをしていこう。作業が面倒な場合やレタッチ初心者の場合は、編集画面下部にある「自動」ボタンをタップすれば、最適な色合いに自動補正することもできる。写真アプリでレタッチした操作はいつでも取り消すことができるのも便利。

1 「編集」ボタンをタップする

写真アプリで写真を編集するには、上部メニューにある「編集」ボタンをタップする。

2 レタッチ画面に変化する

レタッチ画面に切り替わる。画面左から編集項目を選択すると画面右側にメニューが表示される。編集後、右上の完了ボタンをタップすれば編集完了。

115 iCloud写真共有 サクッと写真を共有！「iCloud共有写真ライブラリ」が便利！

撮影と同時に共有ライブラリに保存できる

「写真」アプリに保存している写真や動画を友だちや家族と共有する「iCloud共有写真ライブラリ」が使いやすくなった。カメラ画面に追加された共有アイコンを有効にすると、撮影と同時に共有フォルダに保存できる。撮影した写真を選択して、共有フォルダに追加する手間を省くことができ便利だ。なお、共有ライブラリに保存している写真は、アルバムのサムネイル右上に共有アイコンが付く。

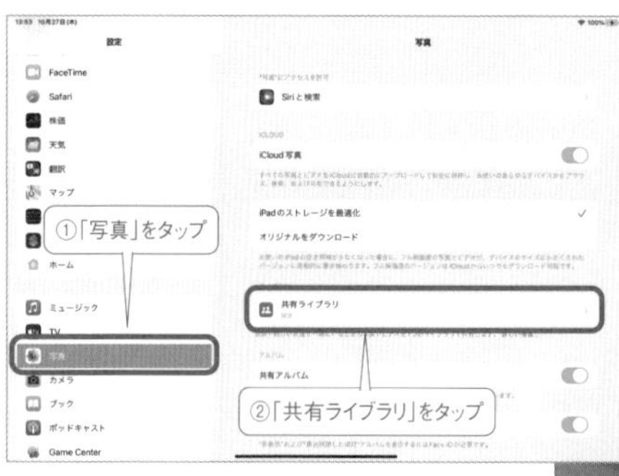

1 iCloud共有写真ライブラリを有効にする

利用するには、設定アプリの「写真」から「共有ライブラリ」を有効にしよう。iCloud写真もオンにしておく必要がある。

2 カメラ撮影時に有効にする

カメラを起動するとメニューに共有ライブラリのアイコンが増えているので、これを有効にして写真を撮影すると、撮影後に自動で共有ライブラリに保存してくれる。

116 写真 写真や動画からテキストを抜き出そう!

写真や一時停止した動画からテキストをコピーする

iPadOS 16から写真に映っている文字をテキストとして認識し、コピーできる機能が追加された。コピーしたテキストはほかのアプリにペーストできる。外出先で撮影した看板や広告の文字、スクリーンショット撮影した写真などから文字をコピーしたいときに便利だ。写真アプリだけでなくSafariにも対応しており、Safariで表示しているページにある写真の文字もコピーできる。また、動画でも一時停止したビデオフレームであればテキストをコピーすることができる。

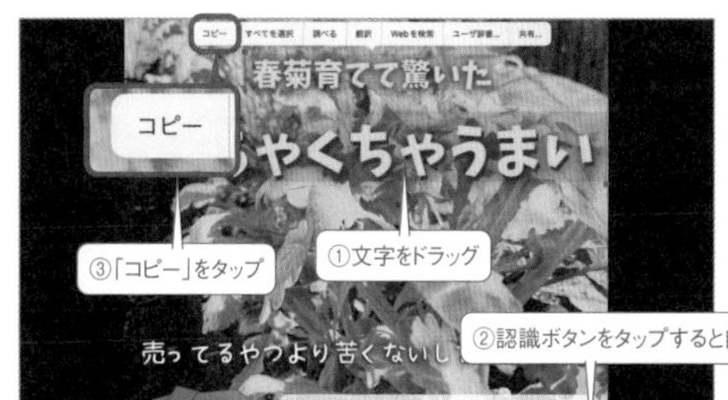

1 文字の部分をドラッグして「コピー」を選択

写真を開いて文字の部分をドラッグするか、左下の認識ボタンをタップ。メニューが表示されたら「コピー」をタップしよう。

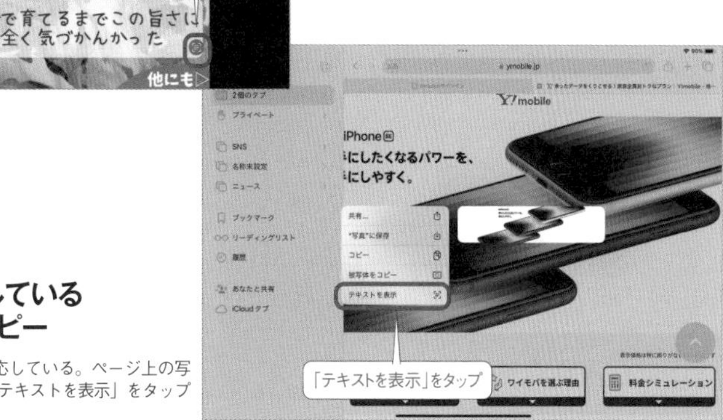

2 Safariで表示している写真の文字をコピー

テキスト認識はSafariにも対応している。ページ上の写真を長押しして、メニューから「テキストを表示」をタップしよう。

117 写真 重複写真を自動で探してくれる機能が便利!

上級技

写真アプリでは、ライブラリ内で重複している写真やビデオを探すことができる。重複している写真はサイドバーにある「重複項目」に表示される。重複写真を削除、または結合することでストレージの空き容量を増やすことができる。

ただ、重複している写真でもサイズや画質などが異なる場合があるが、その場合は最も高品質と思われるファイルを優先して結合してくれる。結合後、違うデータが欲しくなった場合は「最近削除した項目」から元のファイルを探そう。

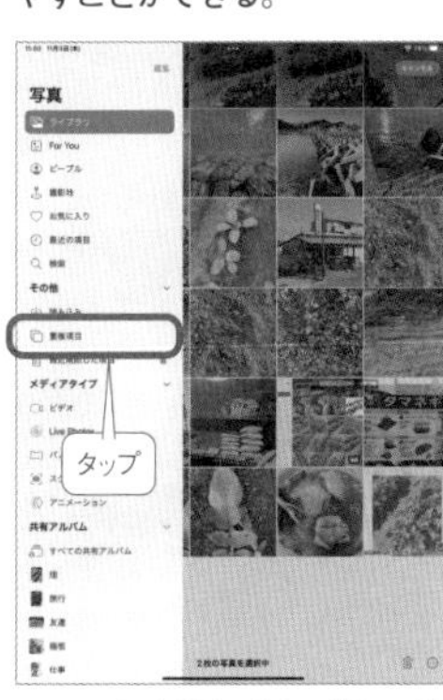

サイドバーを開き、「その他」の「重複項目」を選択する。

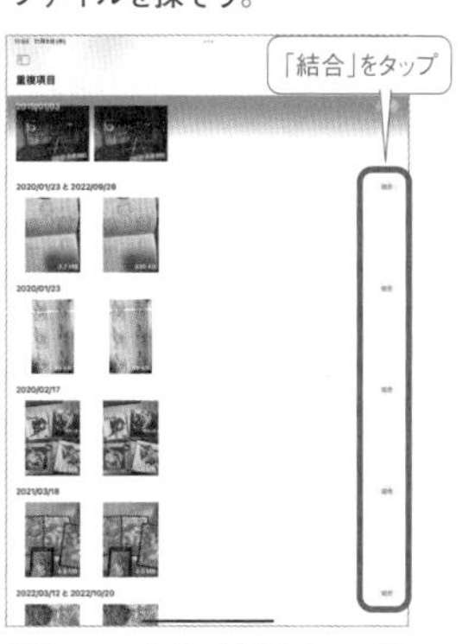

重複している写真が表示される。「結合」をタップすると高画質の方のデータを残して、ほかのファイルはゴミ箱に移動する。

118 写真 非表示や削除済み写真にロックをかけよう

上級技

写真アプリに保存している写真は非表示にすることができる。ほかの人に見られたくない写真は非表示に設定しよう。方法は、非表示にしたい写真を開いて右上にある「…」を開き、メニューから「非表示」を選択すればよい。

写真だけでなくアルバム単位で非表示にすることもできる。非表示にした写真はサイドバーの「非表示」アルバムから閲覧できる。なお、非表示アルバムを閲覧するにはパスコードやFace IDでロックを解除する必要がある。

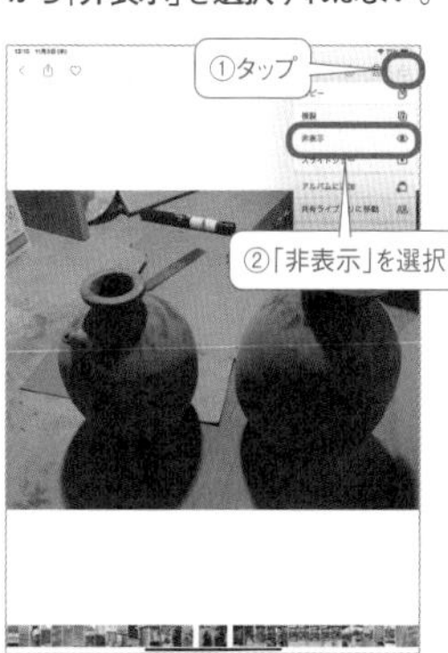

写真を開き右上の「…」をタップして「非表示」を選択する。

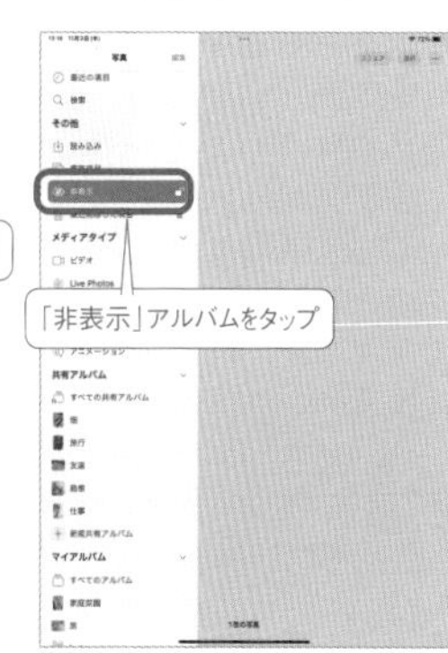

サイドバーの「非表示」アルバムに移動する。非表示アルバムを開くには、パスコードの入力やFace IDでの認証が必要だ。

119 写真 容量無制限の写真ストレージサービス Amazon Photosを使おう

Googleフォト有料化後の代替サービスとして注目の存在!

無料で容量無制限に写真を保存できることで評判の高かった「Googleフォト」のプランが変更されたことで、代替サービスを探していたユーザーは多いだろう。もし、Amazonプライムに入会、もしくは検討しているなら「Amazon Photos」がおすすめだ。

Amazon Photosは、Amazonプライム会員向けの容量無制限の写真ストレージサービス。プライム会員であれば、画像を圧縮することなくフル解像度の写真を無制限でアップロードすることができる。スマートフォン、タブレット、パソコンからアクセス可能で専用アプリをインストールすることでデバイス上に保存している写真を手動、もしくは自動でバックアップすることができる。ファイル形式はJPEGをはじめPNGやRAWなど幅広い形式に対応している。

共有機能も備えており、バックアップした写真を他人と共有することができる。家族や友達との旅行で撮影した写真をアルバムでまとめて共有したいときに便利だ。また、共有リンクを作成して、不特定多数の人に写真を公開することもできる。

なお、動画もアップロードできるが保存可能容量は5GBまでと制限があり、それ以上保存する場合は追加料金を支払う必要がある。ただし、Fireデバイスの登録などほかのAmazonサービスを利用すると、無料で使える保存容量を増やすこともできる。

App

Amazon Photos
作者／AMZN Mobile LLC
価格／無料

iPadの写真をAmazon Photosにバックアップする

1 Amazonアカウントを入力

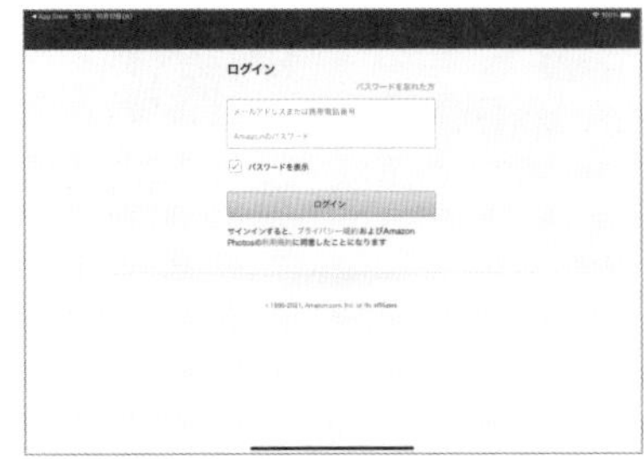

Amazonプライム会員であれば、Amazon Photos起動後に表示される画面で利用しているアカウント情報を入力しよう。

2 自動でバックアップする

iPadに保存している写真をまとめてバックアップするなら設定画面の「アップロードの設定」から「自動保存」を有効にしよう。

3 バックアップが始まる

標準ではWi-Fiに接続しているときに自動的にバックアップされる。メイン画面左上に残りのファイル数が表示され、バックアップ状況を確認できる。

4 右上のメニューボタンから操作する

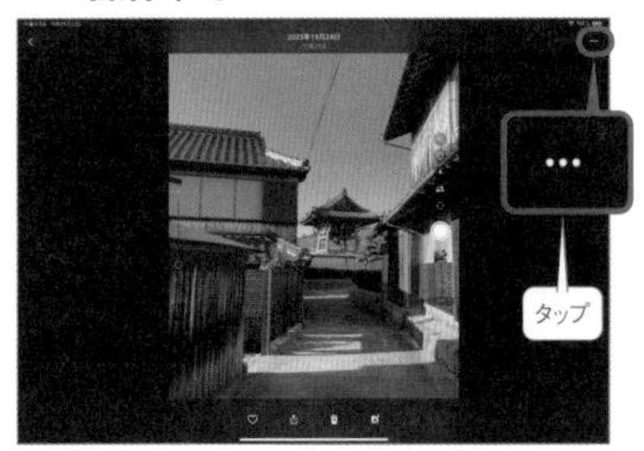

写真を開いて右上にある「…」ボタンをタップするとメニューが表示される。写真をダウンロードしたり、編集したりできる。

5 写真を外部に公開する

作成したアルバムは外部に公開することもできる。アルバムを開きメニューボタンをタップして「アルバムのシェア」をタップしよう。あとは、そのリンクを知らせればOKだ。

6 自動で写真を分類してくれる

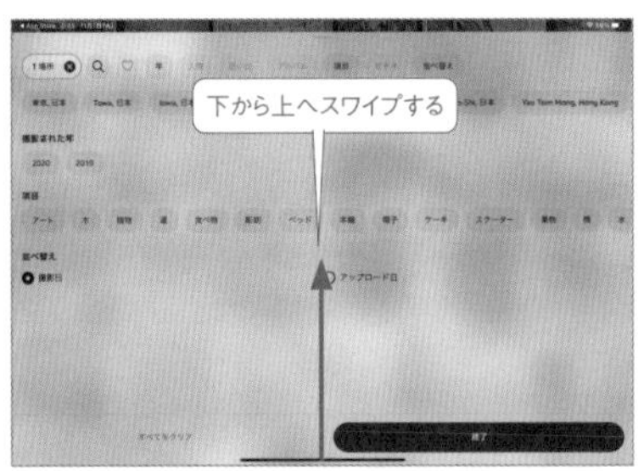

Amazon Photosは写真内容から自動で検索タグを付けたり分類してくれる。画面下から上へスワイプすると分類項目が表示される。

120 Amazon Photos Amazon Photosでアルバムを作成して共有する

好きなアルバム名を付けてアルバムを作成する

Amazon Photoでアルバムを作成したい場合は「アルバム」タブを開こう。追加ボタンをタップしてアルバム名を入力し、写真を選択すれば完了となる。作成したアルバムは共有リンクを作成して、ほかのユーザーと簡単に共有することができる。アルバムをまるごと共有したり、アルバム内から指定したファイルのみだけ共有するなど方法は多彩。「ファミリーフォルダ」機能を使えば友人や家族を無料で5人まで招待でき、招待された人はプライム会員と同じく容量無制限でバックアップ可能だ。

1 「アルバム」タブを開きアルバムを作成する

下部メニューから「アルバム」を選択する。「アルバムを作成」をタップして、アルバム名を入力したあと、追加する写真を選択しよう。

2 アルバムを共有する

アルバムを共有する場合はアルバムを開き、メニューボタンをタップし、「アルバムのシェア」を選択しよう。共有リンクを作成することができる。

121 写真 再生できないGIFアニメをiPadで再生するには

「写真」アプリはGIFアニメをサポートしており、GIFアニメを直接再生することができるが、環境によってはうまく再生できないことがある。そのようなGIFアニメを再生したい場合は、共有メニューから「メール」に添付してみよう。うまく再生できることが多い。また、SafariからGIFアニメを保存する際に「写真」アプリではなく「メモ」アプリや「メール」アプリなどに保存する方がきちんと再生できる確率が高い。

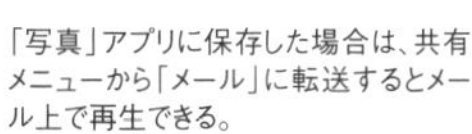

「写真」アプリに保存した場合は、共有メニューから「メール」に転送するとメール上で再生できる。

Safariから長押しして保存する際のメニューで「共有」を選び、「メモ」などほかのアプリに保存しよう。

122 写真 必要な写真のみをiPadに残す便利な方法

Google フォトや Amazon Photos に、カメラロールに貯まった写真をバックアップするのもよいがパソコンにバックアップするユーザーも多いだろう。いつも iPad に必要な写真のみ残しておくなら「iフォトアルバム」を使おう。カメラロールから必要な写真のみ抽出して端末内に残すことができるアプリだ。

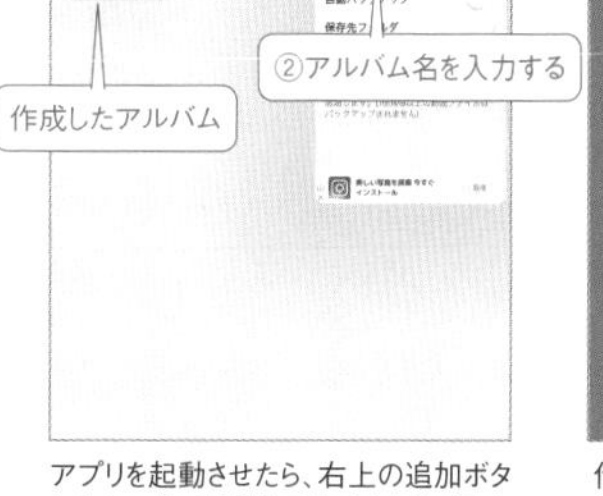

アプリを起動させたら、右上の追加ボタンをタップして新規アルバムを作成しよう。

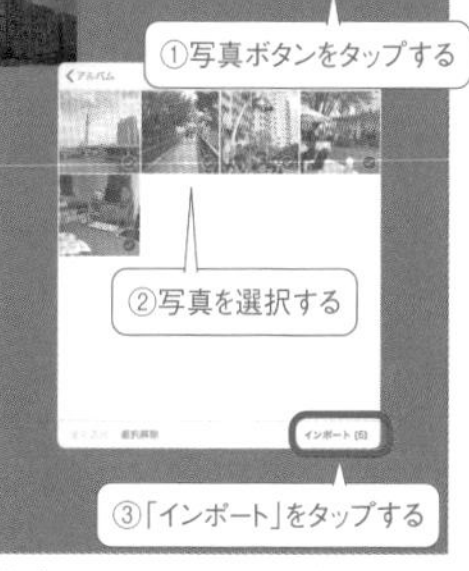

作成したアルバムを開き、右上の写真ボタンをタップして追加する写真を選択して「インポート」をタップしよう。

123 グラフィック編集 テンプレートを使って簡単にSNS用の画像を作る!

膨大な無料素材から好きな物を選んでカスタマイズするだけ

「Canva」は初心者でも使いやすいグラフィック編集アプリ。あらかじめ用意されている膨大なテンプレートから好きなものを選択して、そのテンプレート上の文字や画像を置き換えるだけで、デザイン性の高いグラフィックを作成することができる。プロに外注しなくても誰でも簡単にプロレベルのグラフィックを作成できるのが最大の特徴だ。作成できるデザインのテンプレートは、名刺、チラシ、ロゴ、ポスター、メッセージカード、インスタグラムに掲載する広告など非常に多彩。

また、テンプレート上のグラフィックを編集する際8,000点以上の素材、ストック写真、イラストから選ぶことができるので自分で素材を用意する必要はない。もちろん手持ちの素材も利用することが可能だ。

基本はグラフィックアプリだが、動画エディターとしても使え、動画のクロップ、分割、トリミングなどの編集が行える。また、複数のオーディオトラックに音楽やサウンドエフェクトを追加することもできる。YouTube動画やTikTok動画などを作るのに便利な機能が満載で、無料で音楽素材も利用できる。また、Canvaは無料プランのほかに有料プランが用意されおり、利用できるテンプレートのレタッチメニューの数などで差異がある。無料版で物足りなくなった場合は、有料プランに切り替えるといいだろう。

App
Canva
作者/Canva
価格/無料

Canvaでグラフィックを作成しよう

1 テンプレートのカテゴリ選択する

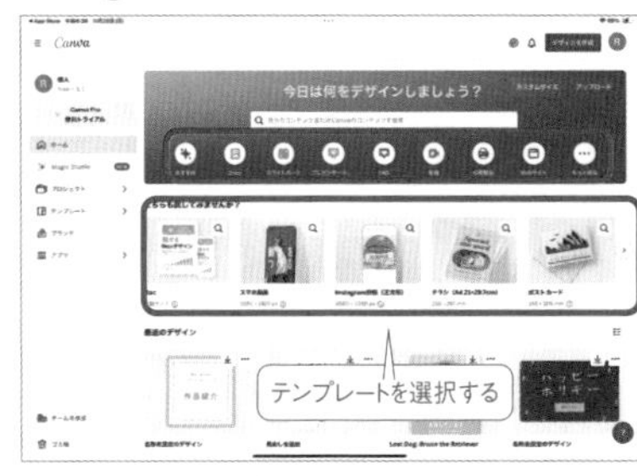

Canvaを起動したらまずはテンプレートを選択する。Instagram投稿用の写真、チラシ、広告などさまざまなテンプレートが用意されている。

2 テンプレートを選択する

このような画面に切り替わる。左上の「テンプレート」をタップして実際に利用するテンプレートを選択しよう。右側にテンプレートが表示される。テンプレートの編集したい部分をタップ。

3 テキストを編集する

編集したいテキストをタップするとキーボードが表示されるので、テキストを入力する。上部のツールバーからテキストのフォント、サイズ、カラーの変更などができる。

4 各パーツの大きさやカラーを編集する

各パーツをタップすると周囲に丸いつまみが表示される。これをドラッグするとサイズを変更できる。カラーを変更する場合は、対象部分をタップして好きなカラーを選択する。

5 動画エディターで動画を作成する

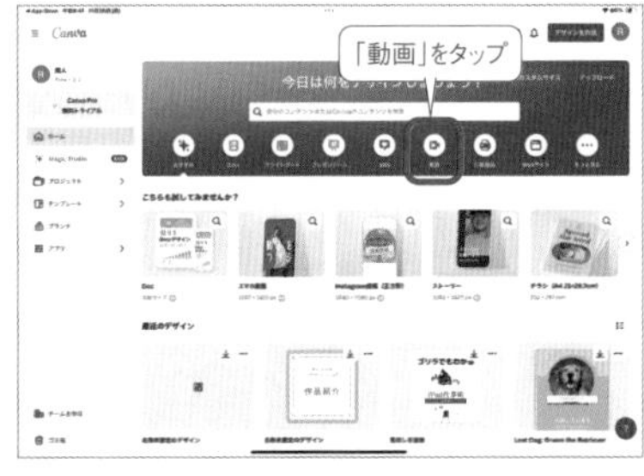

動画を作成、編集する場合は最初のメニュー画面の「動画」をタップして、作成する動画の種類を選択しよう。

6 テンプレートを選択して動画を編集する

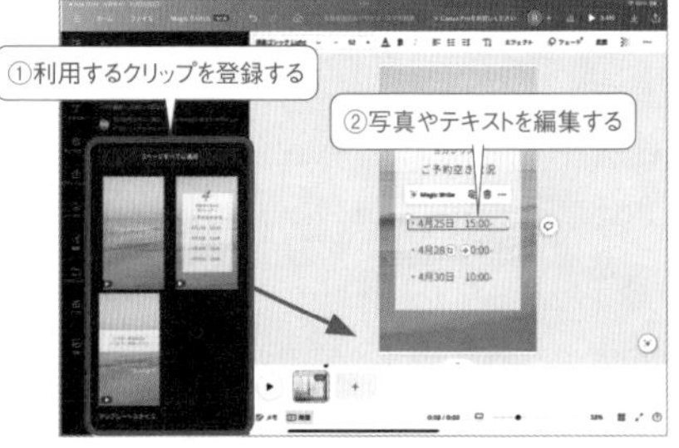

テンプレートから利用するテンプレートを選択し、利用するクリップを登録しよう。クリップが表示されたらテキストや写真をカスタマイズしよう。

124 動画 iPadで簡単に動画編集するのに便利なアプリとは?

「写真」アプリ内蔵の編集ツールは使いやすく非常に多機能だ

iPadに標準搭載されている「写真」アプリは写真や動画を閲覧するだけでなく動画編集機能も備えている。以前は、指定したシーンをトリミングする程度しかできなかったが、現在はメニューが多彩になっており、写真編集時に利用可能なレタッチのほぼすべてが動画編集時にも利用できる。具体的にはスライダーを使って露出、ハイライト、シャドウ、コントラストなどの色彩調節が行える。普段、写真アプリのレタッチ機能を使っているのであれば、初めてでも迷うことなく動画編集ができるだろう。

また、トリミングや傾きの編集、左右の反転もできる。これによって間違えて縦で撮影してしまったときでもあとで簡単に横向きに変更できる。「16:9」や「4:3」など比率を指定して自動でトリミングもできるので、YouTubeなど動画サイトにアップしたいときにも役立つだろう。

本格的な動画編集を無料で行える「CapCut」もおすすめ

さらに本格的な動画編集をするなら無料の動画編集アプリ「CapCut」も併用してみよう。シンプルなインターフェースながら非常に多機能なのが特徴で、複数の動画を結合したり、動画内にテキストを挿入したり、バックグラウンドに好きな音声を追加することができる。ほかに、逆再生、速度変更、エフェクト、スタンプなども動画に追加できる。PCの動画編集ソフトよりも使い勝手がいいぐらいだ。

また、あらかじめ著作権問題をクリアした音楽などの素材も豊富に搭載されているので、YouTubeを通して一般公開したい動画を制作している人におすすめだ。

App

CapCut
作者:Bytedance Pte. Ltd
価格:無料　カテゴリ:写真/ビデオ

「写真」アプリで動画を編集する

1 動画から範囲選択して切り取る

「写真」アプリで動画を選択したら編集画面を開く。編集メニューが表示される。画面下部のオレンジ枠で動画から指定したシーンを切り取ることができる。

2 「調整」で色調を調節する

左メニューの調整ボタンをタップすると右側にさまざまなボタンが表示される。ここでは、露出、ハイライト、シャドウ、コントラストなど明るさや色調の調節ができる。

3 フィルタで色調を調節する

左メニューからフィルタボタンを選択すると右側にフィルタが表示される。フィルタを選択すると動画全体を簡単に雰囲気のある映像に変更できる。

4 グリッドツールを使う

動画の形を変更したい場合は、左メニューの一番下のグリッドツールボタンをタップ。四隅をドラッグしてトリミング範囲を設定しよう。

CapCutで動画を編集する

1 複数の動画を結合する

CapCutで編集する動画を登録するとこのような画面が表示される。ほかの動画を結合させる場合は右にある追加ボタンから追加しよう。下部メニューでさまざまな編集ができる。

2 テロップを動画に追加する

テロップ追加画面。追加したいテキストを入力したらドラッグ操作でテロップの表示位置を調整しよう。また下部メニューでテロップの表示時間も調整できる。

125 動画収録 iPadの画面を録画する2つの方法

「画面収録」やMacのQuickTime Playerを利用して録画する

iPadの画面をムービー形式で録画したい場合は、「画面収録」機能を使おう。画面収録機能はコントロールセンターから利用するプログラムで、録画開始ボタンをタップするだけですぐにiPadの画面を録画することができる。録画したムービーは「写真」アプリ内の「アルバム」の「ビデオ」フォルダに自動で保存される。また録画開始ボタンを長押ししてマイクを有効にすることでマイクを使って自分の声を収録することもできる。iPadの画面を利用したプレゼンテーション用動画やゲームの実況動画を作成するときは、マイク音声も一緒に収録しよう。なお、コントロールセンターの標準設定では画面収録機能はオフになっており、利用するには「設定」画面の「コントロールセンター」で機能を有効にしておく必要がある。

画面収録機能を使えば、手軽に録画できるものの、画面上部に収録中であることを示す赤い点滅が表示されたり、ロック画面では収録停止操作ができないなどいろいろ問題点もある。このような問題を解決する方法としては、Macユーザーであるなら標準搭載アプリの「QuickTime Player」を利用する手がある。Quick Time Playerは動画を再生するだけでなく録画する機能もあり、Lightningなどのケーブルで接続されたiOSデバイスの画面もムービーでキャプチャすることが可能だ。キャプチャ時は音声の録音も可能。iPadデバイス内の音声か内蔵マイクで拾う音声か選択しよう。

画面収録を使ってiPadを録画する

1 コントロールセンターをカスタマイズする

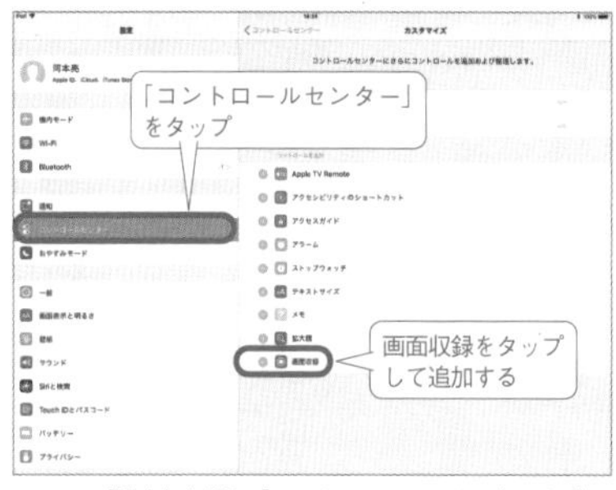

iPadの「設定」を開き、「コントロールセンター」から「コントロールをカスタマイズ」を開く。「画面収録」の追加ボタンをタップしてコントロールセンターに表示できるようにする。

2 コントロールセンターから画面収録を起動する

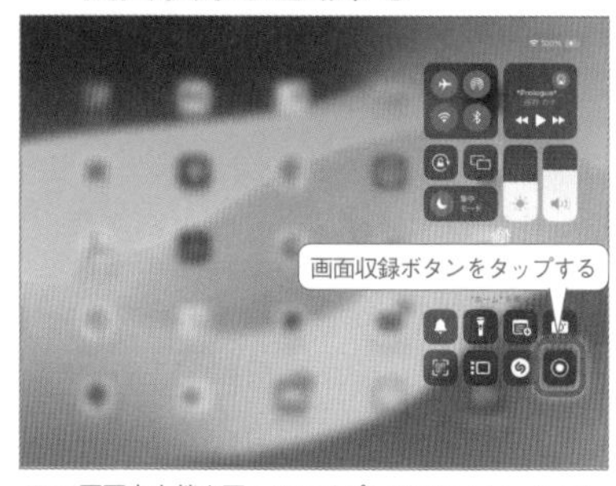

iPad画面右上端を下へスワイプしてコントロールセンターを表示する。iPadの画面を録画するには画面収録ボタンをタップする。

3 録画中は赤い線が表示される

3秒のカウントダウン後に録画が自動的に始まる。録画中はiPadの上端部分が赤く光る。録画を終了したいときは赤い部分をタップしよう。

4 画面収録確認ボタンで「停止」をタップ

録画を終了するかどうかの確認ダイアログが表示される。「停止」をタップすると終了し、「写真」アプリの「アルバム」の「ビデオ」フォルダに動画が保存される。

MacのQuickTime Playerで録画する

1 「新規ムービー収録」を選択する

iPadとMacをケーブルで接続したら、Quick Time Playerを起動。メニューの「ファイル」から「新規ムービー収録」を選択する。

2 iPadを録画設定にして録画ボタンをクリック

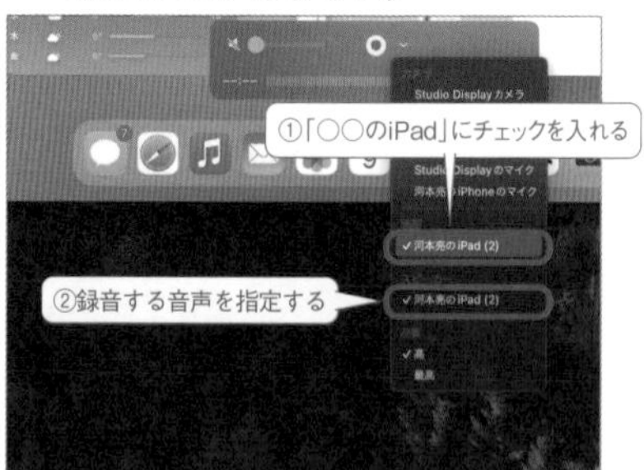

録画ボタン横のメニューから「○○のiPad」にチェックを入れる。また録音する音声の設定をiPadの音声かマイクか指定する。最後に録画ボタンをクリックしよう。

126 YouTube YouTubeの動画をiPadに保存するには?

再生中のYoTube動画を高速でiPadにダウンロードする

電波の届かない圏外でお気に入りのYouTube動画を再生するには、事前にiPadに対象の動画を保存しておく必要がある。しかし、YouTube公式アプリやSafariには動画を保存する機能は用意されていない。端末に保存するにはダウンロードサイトの「Freemake Video Downloader」を使おう。

Freemake Video Downloaderは、ダウンロードしたいYouTube動画のURLを貼り付けるだけでiPadにダウンロードできるようにしてくれるウェブサイト。アプリではなくSafariなどブラウザでアクセスして利用するウェブサービスだ。ダウンロードする際は、解像度を選択できるほか、動画から音声のみを抜き出して保存することもできる。ダウンロード後にすぐにiPad上で再生することが可能だ。ただ現在のところ、音声形式はダウンロードボタンが表示されないので、ほかのブラウザやPCにURLを転送してダウンロードしよう。

Safariで動画をダウンロードする場合は、右上のメニューに表示されるダウンロードボタンをタップすれば、ダウンロード状況を確認できる。ダウンロードした動画は「ファイル」アプリの「ダウンロード」フォルダに保存されている。ファイルアプリからでも再生できるが、写真アプリに保存したい場合は、ファイルの再生画面の共有メニューからコピーすればよい。

Freemake Video Downloader
https://www.freemake.com/jp/free_video_downloader/

Freemake Video Downloaderを使ってYouTubeをダウンロードする

1 YouTubeのURLをコピー

まずはダウンロードしたいYouTubeを開き、共有ボタンからURLをコピーしよう。

2 Freemake Video Downloaderを開く

SafariでFreemake Video Downloaderを開き、中央の入力フォームにURLをペーストし、ファイル形式を選択しよう。

3 ダウンロードボタンをタップ

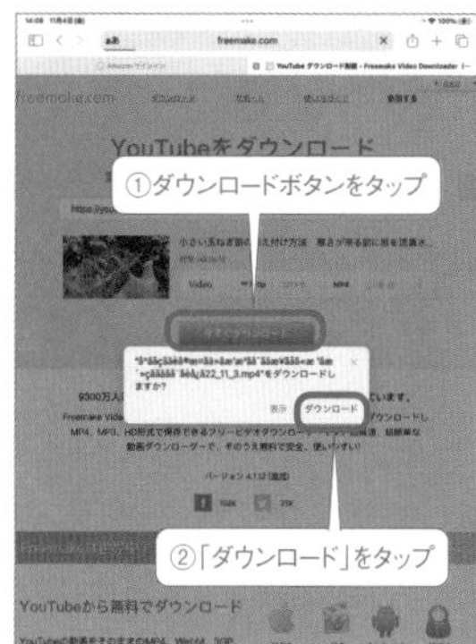

ダウンロードボタンをタップ。確認画面が表示されるので「ダウンロード」をタップしよう。

4 ダウンロード開始

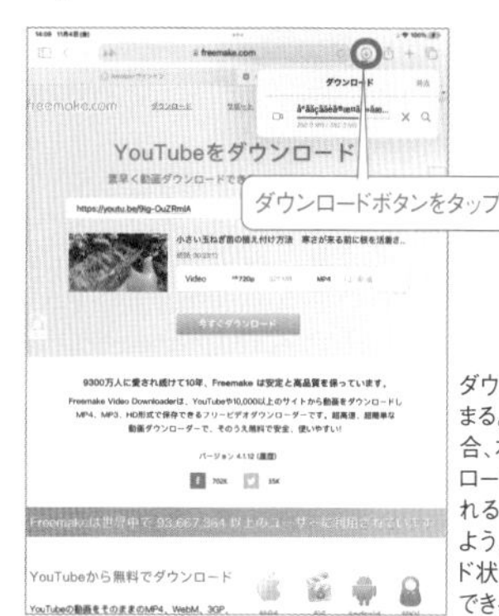

ダウンロードが始まる。Safariの場合、右上にダウンロードボタンが現れるのでタップしよう。ダウンロード状況をチェックできる。

5 ファイルアプリに保存される

ダウンロードした動画はファイルアプリの「ダウンロード」フォルダに保存される。タップするとファイルを再生できる。

6 ファイルアプリからコピーする

「写真」アプリに保存する場合は、再生画面上部にある共有アイコンをタップして「ビデオを保存」をタップしよう。

127 プレイヤー あらゆる動画や音楽ファイルを再生できる万能プレイヤー

多くのクラウドサービスに接続してファイルを読み込める

「VLC for Mobile」はPCで人気の多機能プレイヤー「VLC」のiPad版。あらゆる動画ファイルや音楽ファイルを再生できるのが最大のメリット。再生できないファイルに遭遇したらとりあえずこのプレイヤーで再生してみよう。また、Dropboxをはじめ多くのクラウドサービスからファイルを直接読み込むことが可能だ。

App

VLC for Mobile
作者／VideoLAN
価格／無料

②「クラウドサービス」をタップ

①「ネットワーク」をタップ

1 メニュー画面を開いてファイルを選択

左上にあるアイコンをタップ。メニューが表示される。iTunes と iPad を接続して転送したファイルを再生するなら「すべてのファイル」からファイルを選択しよう。クラウドサービス上のファイルを読み込むなら「クラウドサービス」から。

ローカルサーバを選択して接続

2 ローカルサーバのファイルを再生

VLC は Wi-Fi ネットワークに接続しているローカルサーバにアクセスしてファイルを再生することも可能。メニューの「ファイルサーバー」から接続しよう。

128 テレビ鑑賞 好みの無料ネットテレビを探し出そう

質の高いコンテンツの無料テレビもおすすめ

ネットで閲覧できる無料動画はYouTube など一般ユーザーが投稿したものだけでなく、テレビ視聴アプリをダウンロードすることで、大手民放が配信している番組を無料で閲覧することが可能だ。

NHK を閲覧したいなら「NHK＋」、映画やドラマ、アニメ、ニュースなどケーブルテレビのようなジャンルに特化した放送を見たいなら「ABEMA」、在京民放キー局5局で配信されているテレビ番組を無料で閲覧するなら「Tver」や各局が提供している無料アプリがおすすめだ。

App

NHKプラス
作者:NHK
価格:無料

App

TVer
作者:TVer INC.
価格:無料

App

TBS FREE
作者:Tokyo Broadcasting System Television, Inc.
価格:無料

民放の在京キー局ごとに無料で閲覧できるアプリが配信されているのでチェックしよう。

App

ABEMA
作者:株式会社AbemaTV
価格:無料

129 音楽サービス 世界最大の音楽サービス「Spotify」で無料の音楽を楽しむ

無料プランでも楽しめるのがSpotifyの良さ!

世界で1億人のユーザーを誇るといわれる話題の音楽ストリーミングサービス「Spotify」。Apple Musicは無料期間が終了すると課金の必要があるが、Spotifyならば無料でも時折広告が表示されるものの、充分に音楽を楽しむことができる。また、スマホの場合はシャッフルプレイ専用となるが、iPadならば好きな曲のみを聴くことができるのも嬉しいポイントだ。これまで無料ユーザーは視聴時間に制限があったが、現在は制限が撤廃され無制限で視聴することができる。

今回は無料プランに絞って解説しよう。好きなアーティストや曲名、ジャンルなどを選んでタップしていくとすぐに音楽が再生されるが、しばらく音楽を聴いていると15～30秒ほどの広告が入る。耐えられないほどの広告ではないが、違和感があるのは確かだ。また、動画の広告も存在していて、タップして動画を見るとその後30分間は広告なしで音楽を楽しめる。

それ以外は、音質もまずまず(標準音質＝96kbps/秒)であり、自然に音楽を楽しめる構造になっている。好きなアーティストをお気に入りに入れたり、好きなプレイリストをフォローしたりしていけば快適な音楽再生環境となるだろう。

App

Spotify
作者／Spotify Ltd.
価格／無料　言語／日本語

無料プランで好きなアーティストの曲を楽しもう!

1 アカウントを登録する

アプリを立ち上げたら「新規登録(無料)」をタップしてアカウントを作成する。アプリ上で実名で登録することに問題がないなら「FACEBOOKでログイン」を選んでもOKだが、Eメールで登録の方が無難だ。メールアドレスの他、パスワード、ユーザー名(自分で設定する)などを入力しよう。あとは表示される条件に同意し、通知を受けるかどうかを選べば、すぐに音楽が聴ける状態になるだろう。

2 すぐに流行りの音楽を聴き始められる!

「ホーム」のトップから、おすすめのプレイリストやチャート、ニューリリースなど今、最も聴かれている音楽をすぐに聴くことができる。

3 無料プランは広告が表示される

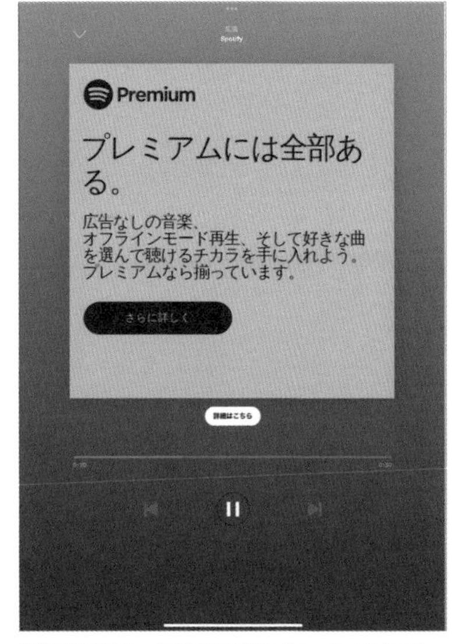

数曲再生すると、15秒の音声広告が1～2本挟まれる。たまに表示される動画広告を再生すれば30分間は広告が再生されない状態になる。

4 多くのカテゴリから曲を選ぶことができる

アーティスト名で検索すると、アーティスト、アルバム、そのアーティスト関連のプレイリストなどが表示される。好きなカテゴリから曲を選ぼう。プレイリストにはさまざまなものがあり、中には24時間以上ある人気プレイリスト(Starbucks Coffeehouse Pop)も存在する。

130 Apple Music 月額1,080円で聴き放題のApple Musicを楽しもう

ライブラリに保存すればオフラインでも好きな曲を視聴できる

「Apple Music」は月額1,080円で7000万曲以上が聴き放題のAppleが提供している音楽配信サービスだ。Apple MusicはiPadに標準搭載されている音楽ライブラリアプリ「ミュージック」アプリから利用することができるApple Musicのみの月額1,080円プランのほかに、50GBのストレージやゲームや映画なども楽しめる月額1,200円の「One」がある。

使い方は簡単だ。検索フォームや「今すぐ聴く」「見つける」などのメニューから、視聴したい曲を探して曲名、またはアルバム名をタップしよう。インターネットに繋がっている環境ならすぐに視聴することができる。標準設定ではストリーミング形式で視聴することになるが、楽曲をダウンロードしてオフラインで視聴することもできる。iPadがWi-Fiモデルの場合や、外出先でiPadの通信のデータ量を使いたくない場合は、Wi-Fi環境時によく聴く楽曲をダウンロードしておけば、オフラインでも視聴できるのが嬉しい。

「ライブラリ」に追加することで、すぐにアクセスすることができ、またライブラリに追加した楽曲からプレイリストを作成することができる。なお「ミュージック」アプリはiTunesの機能も備えており、PCからiTunesでiPadに転送した楽曲を管理・視聴することができる。つまり音楽CDから自分でインポートした楽曲とApple Music上で配信されている楽曲を1つのライブラリ上で管理して楽しむことが可能だ。

Apple Musicで音楽を視聴しよう

1 Apple Musicの無料体験を開始する

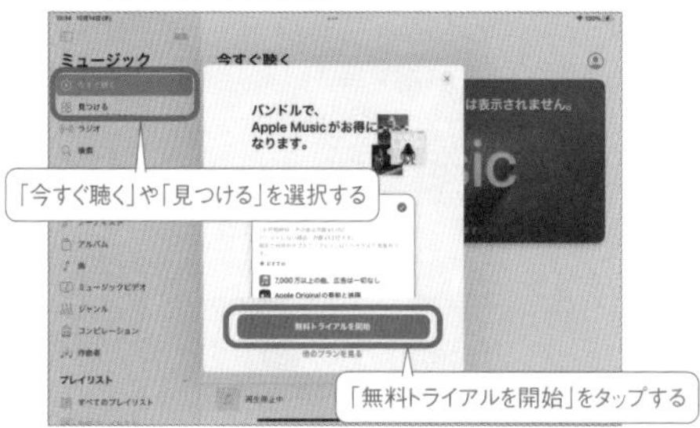

「ミュージック」アプリを起動する。Apple Musicを利用するには左メニューから「今すぐ聴く」や「見つける」を選択する。次に表示される「無料トライアルを開始」を選択する。

2 Apple Musicから音楽を探す

Apple Musicを開始したら聴きたい楽曲を探そう。「今すぐ聴く」ではユーザーに合った曲が表示される。「見つける」では新着ミュージックや注目トラックが表示される。

3 楽曲を再生したりライブラリに追加する

楽曲を再生するには「再生」をタップする。ストリーミングで再生が始まる。ライブラリに楽曲を追加したい場合は「追加」ボタンをタップしよう。

4 ライブラリから登録した楽曲を視聴する

メニューから「アルバム」をタップするとApple Music上でライブラリに追加した楽曲のカバーが一覧表示される。タップすると楽曲詳細画面に移動する。

5 iPadにダウンロードしてオフラインで再生する

Apple Musicの音楽をオフラインで視聴するにはライブラリ追加後、追加ボタンがダウンロードボタンに変化するのでタップする。するとiPad端末にダウンロードして視聴できる。

6 ダウンロードした楽曲を削除する

ライブラリから楽曲を削除する場合は、楽曲横の「…」をタップして「ライブラリから削除」を選択しよう。

131 Apple Music Apple Musicのプレイリストを友達と共有する

SNSや連絡先にある友だちのプレイリストを視聴することもできる

Apple Musicには「友だちのフォロー」という機能がある。設定を有効にすると自分のプレイリストや聴いている楽曲をほかのApple Musicユーザーと共有できるようになる。共有するユーザーの公開範囲はすべてのユーザーもしくはフォローしているユーザーのみなど調整することが可能だ。また逆に「連絡先」アプリやFacebookやInstagramなどのSNSでつながっている友だちが公開しているプレイリストを視聴することもできる。

1 共有設定を有効にする

共有設定を有効にするには「今すぐ聴く」画面を開き、右上のプロフィールアイコンをタップし、「プロフィールの設定」をタップする。

2 音楽ファイルを共有する

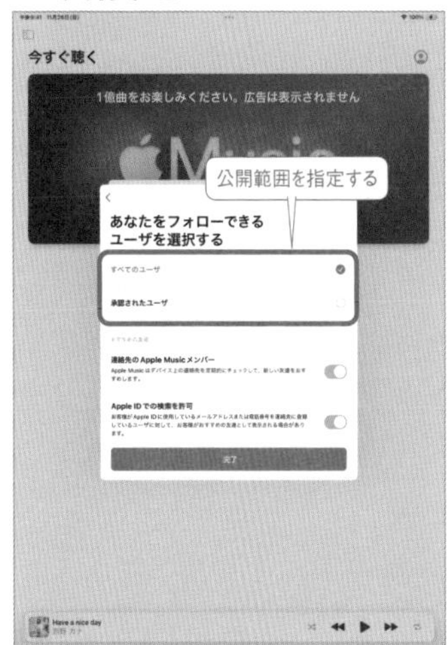

プレイリストの公開範囲を指定し、共有するプレイリストにチェックを入れよう。相手から自分の視聴している楽曲が見える状態になる。

132 Apple Music Apple Musicで歌詞から楽曲検索する

Apple Musicでは検索ボックスに歌詞の一部を入力して、その歌詞に該当する楽曲を検索できる。歌詞の一部を検索ボックスに入力すると、その歌詞を含む曲やアルバムのほか関連のあるプレイリストやアーティスト名が一覧表示される。検索結果画面では「曲名」と「歌詞」を分類して表示してくれる。

以前は、日本語の歌詞には対応していなかったが2019年春以降日本語歌詞にも対応している。もちろん英語やほかの言語でも歌詞で楽曲を検索することが可能だ。

「検索」タブを開き上部の検索ボックスに歌詞の一部を入力する。

入力した歌詞を含む楽曲が一覧表示される。目的の楽曲をタップするとすぐに再生することができる。

133 Apple Music Apple Musicで再生中の曲の歌詞を表示させる

Apple Musicで再生中の楽曲の歌詞を表示させたい場合は、画面右下の再生バーをタップする。再生コントロール画面が拡大表示されるので、歌詞ボタンをタップしよう。歌詞を表示させることができる。

なお、この画面ではリピート再生、シャッフル再生、Apple Musicがおすすめする、プレイリストを自由に並び替えて再生する機能など、楽曲に関するさまざまな操作が行える。画面右上の「…」をタップすると操作メニューが表示される。

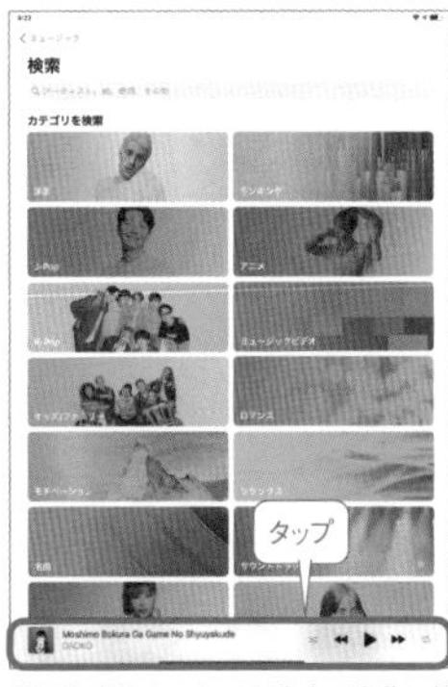

歌詞を表示させたり再生中の楽曲に対するさまざまな操作を行うには、画面右下の再生バーを一度タップする。

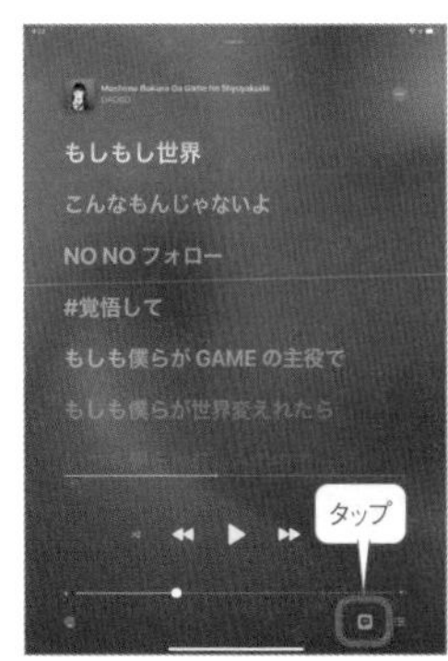

再生バーが拡大される。「歌詞」ボタンをタップしよう。歌詞を表示させることができる。

ミュージック

134 Apple Musicを表示させないようにする

現状のiPadの「ミュージック」アプリは、Apple Musicを使うことが優先された作りになっており、ときおり加入をうながされることがある。Apple Musicに加入するつもりがない人は、Apple Musicの項目をメニューから外すことができる。「設定」→「ミュージック」→「Apple Musicの表示」をオフにしておけばOKだ。ミュージックアプリのサイドバーから「今すぐ聴く」の表示もなくなるので、落ち着いてアプリを利用できる。

「設定」→「ミュージック」→「Apple Musicの表示」をオフにしておこう。

サイドバーから「今すぐ聴く」の表示も消えるので、落ち着いて利用できる。

音楽再生

135 曲の再生箇所を追って歌詞を表示するプレーヤー

流行っているJ-POPや邦楽はもちろん、洋楽にも対応した、リアルタイムで歌詞を表示してくれるプレーヤー。現在再生している箇所の色を変えてくれるのでカラオケの練習には最適だ。一部の洋楽など、再生箇所のデータがない場合は、テキストのみが表示される(これだけでも便利)。歌詞が見つからない場合は手動で検索する画面に切り替わる。歌詞のリクエストを送ることも可能だ。

App

プチリリ
作者/SyncPower Corporation
価格/無料
言語/日本語

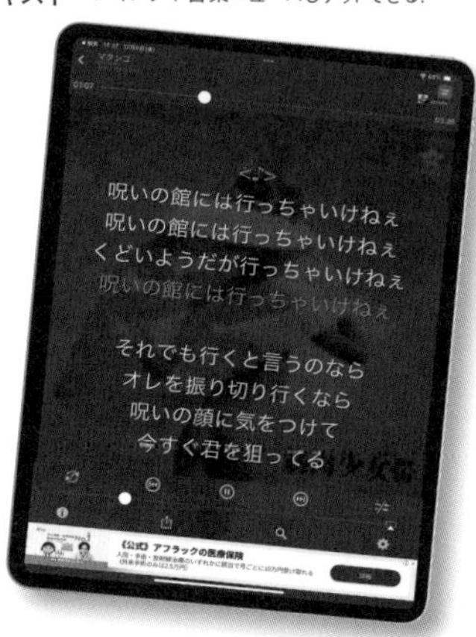

歌詞の表示の行数や、ハイライトの色など細かく設定することができる。歌詞だけでなく、ランキングや音楽ニュースもゲットできる!

音楽情報

136 好きなアーティストの新作情報を完璧にゲットできる!

Apple Musicから新作情報を見やすく教えてくれる!

サブスクリプションの発達で音楽を聴くのは簡単になったが、いわゆる昔ながらの「新譜情報」的なものは入手が難しくなった。MusicHarborを使えば、自分のライブラリにあるアーティストの最新リリース情報をApple Musicから引き出して教えてくれる。もちろん試聴もできるので、音楽好きなら試してみよう。

App

MMusicHarbor
作者/Marucos Antonio Tanaka
価格/無料　言語/英語

1 ライブラリにあるアーティストをアプリに登録する

アプリをインストールしたら、「Settings」→「Import artists」でライブラリにあるアーティストをフォローしよう。

Spotifyなどからライブラリをインポートする場合は有料プランが必須となるので注意!

2 フォローしたアーティストの情報をゲット!

サイドバーの「Latest Releases」から、フォローしたアーティストの情報、最新楽曲の試聴が可能になる。

137 音楽再生 YouTubeの音楽をプレイリスト化してバックグラウンド再生!

好きな曲をYouTubeから選んでバックグラウンド再生できる

YouTubeの公式PVなどの音楽動画を利用して、好きな音楽をiPadで楽しめるアプリ。検索してその楽曲を聴く通常の方法はもちろん、再生リストを作ってバックグラウンドで連続再生する使い方が非常に快適。会員登録すれば、他人のプレイリストを聴くこともできるがその辺りは慎重に判断しよう。

App

PartyTU
作者／TEC DIGITAL TECHNOLOGY INC.
価格／無料　言語／日本語

1 検索して聴きたい曲を聴く

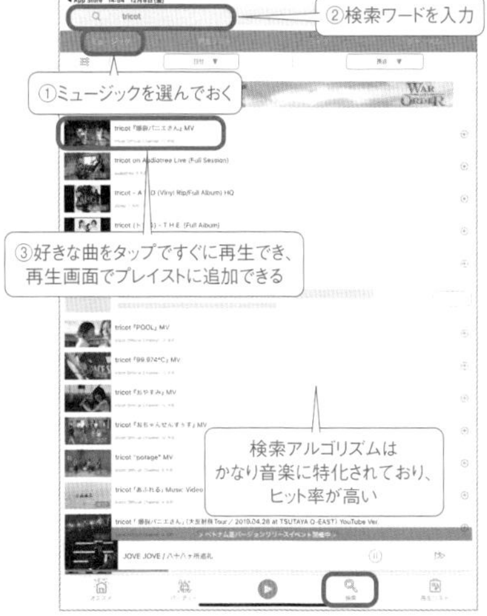

画面下の「検索」タブで、検索キーワードを入力し、聴きたい曲をタップすればすぐに聴く(動画を再生)ことができる。再生画面の右上の「…」から再生リストへの追加ができる。

2 作成したプレイリストの曲を聴く

画面下の「再生リスト」で作成したプレイリストの曲を聴ける。アプリを閉じても、スリープ状態でもバックグラウンド再生が可能だ。

上級技

138 録音 録音レベルを調整できる録音アプリ「HandyRecorder」

オートの録音レベルの音が苦手な人でもこれならOK!

ボイスメモをはじめとした録音アプリは、録音レベルがオートのものがほとんどだが、この「HandyRecorder」ならば、会議、音楽Live録音、自然の音を録るなど、自分の好きな録音レベルに細かく設定できる。小さ過ぎず、ピークでも割れないレベルに微調整して聴きやすいレベルで録音しよう。

App

HandyRecorder
作者／ZOOM Corporation
価格／無料
言語／英語

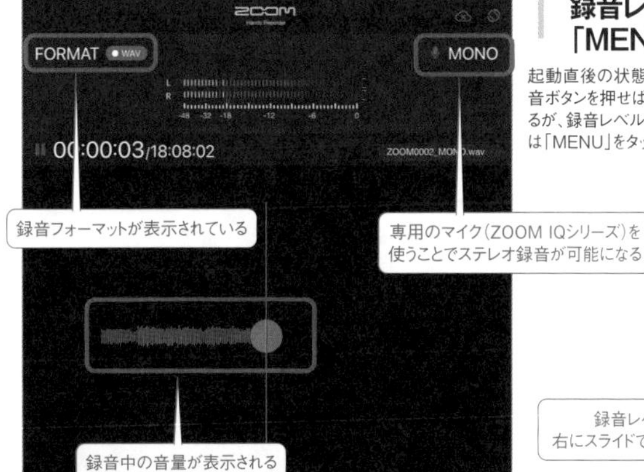

1 録音レベルを変更するには「MENU」を開く

起動直後の状態でも、赤の録音ボタンを押せばすぐ録音できるが、録音レベルを設定するには「MENU」をタップしよう。

2 「DIGITAL MIC GAIN」で録音レベルを設定

「MENU」→「DIGITAL MIC GAIN」で、バーをスライドさせて録音レベルを設定できる。なお基本的にiPadのマイクは本体上部の中央と背面の本体上部にあるので、そちらを対象に向けよう。

139 譜面 無料でTab譜を見られる凄いサイト「Songsterr」

楽器演奏者なら絶対に知らないと損な超便利サイト!

何十万曲以上ものTAB譜を無料で閲覧できるサイトが「SongSterr」だ。ギターはもちろん、ベースやドラム譜もある。洋楽が中心だが、邦楽もわずかながら存在している。凄いのはTAB譜を見られるだけでなく、再生できる点だ。自分の練習したい曲を検索して、パートを選べば快適に楽器練習ができる!

App

SongSterr(サイト)
作者/Guitar Tabs LLC
URL/https://www.songsterr.com/

再生

ここをタップして検索

1 アーティスト名/曲名で検索しよう

TAB譜を見たいアーティスト名や曲名を「Songs」をタップして選択しよう。メジャーな洋楽ならほぼ間違いなくヒットする。再生ボタンですぐに再生できる。

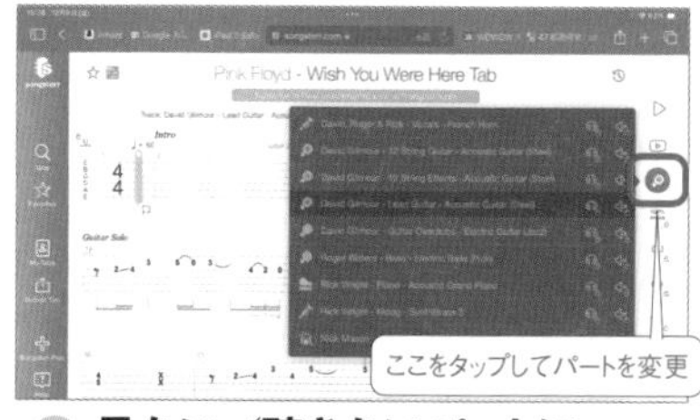

2 見たい/聴きたいパートに変更する際は

右側の再生ボタンの2つ下の楽器のボタンをタップして表示/再生するパートを変更できる。なお、同名のアプリもあるが、基本月額課金がマストなので最初はWeb版で試すのがおすすめだ。ただ課金すればテンポのコントロールなども自由に行えるので本気でやりこみたい人は課金しよう。

140 楽器練習 好きな曲のコード進行を表示し、ギターやピアノで弾く

テンポやキーも変えられるので練習しやすい!

iPad内にある音楽ファイルを再生すると、コード進行を表示してくれるギター&鍵盤練習用アプリ。曲のテンポやキーの変更ができ、特定部分のリピート、メロディの消去、カポの設定までできて無料なのだから凄い。楽曲のインポート方法が少ない点だけが残念だ。

App

Chord Tracker
作者/Yamaha Corporation
価格/無料
言語/日本語

曲を選んでタップすればコード解析を開始

設定に移る。Dropboxへの接続もこちらから

1 iPad内の音楽ファイルが表示される

起動するとiPad内の音楽ファイルが読み込まれる。8曲のデモソングも収録されている。Dropboxから楽曲を読み込むこともできる。

コード進行画面

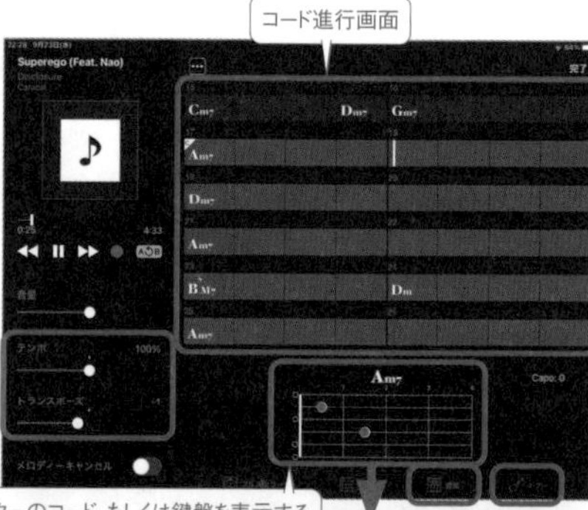

テンポやキーを設定する

ギターのコード、もしくは鍵盤を表示する

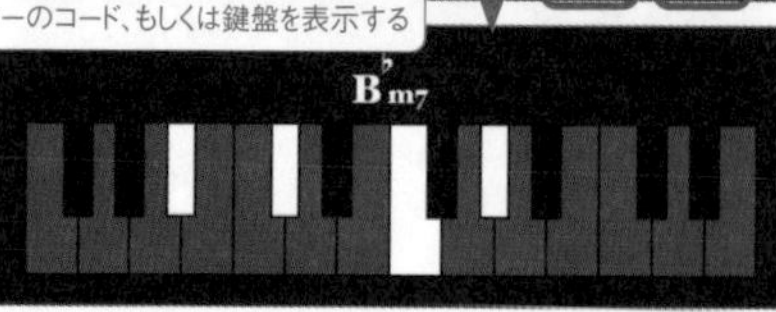

2 コード進行が表示される

コード解析が進み、すぐにコード進行が表示される。もちろん楽曲の再生も可能。テンポやトランスポーズで練習しやすい設定にしよう。

141 エンターテイメント タイムフリーが超便利! Radikoでラジオを楽しみまくる!

過去一週間以内の放送はいつでも視聴できる!

地上波のラジオ放送をクリーンに視聴できる人気アプリ「Radiko」は、iPhoneアプリであるがiPadでも問題なく利用できる。リアルタイムでのラジオ放送の聴取は簡単で、画面の上部の「ライブ」タブを選ぶと現在放送中の番組が表示されるので、好きなものを選べば再生される。なお、現在このアプリは、背景色は黒一色となっていて、明るい背景を選ぶことはできない。

そして、過去1週間以内に放送された番組であれば、いつでも視聴できる「タイムフリー」機能が非常に便利だ。再生を開始してから24時間以内であれば、合計で3時間まで聴くことができる。一時停止や巻き戻し、早送りも可能なのでリアルタイムより効率よく聴くことができる。好きなタレントがゲスト出演すると知りながら仕事中で聴くことができなかったり、録音アプリなどを使うのが面倒な人はぜひ使ってみよう。

注意すべき点として、このアプリは配信エリアを判定するために、起動時には位置情報が必要になる。また、便利機能としては、指定時間の経過後に音声をオフにしてくれるオフタイマーや、番組のレコメンド機能などもとても役立つ。なお、スポーツ中継など一部聴取できない番組もあるので注意。

App

Radiko
作者/radiko Co.,Ltd.
価格/無料

Radikoの便利な機能を使ってみよう!

1 リアルタイムで放送を聴く

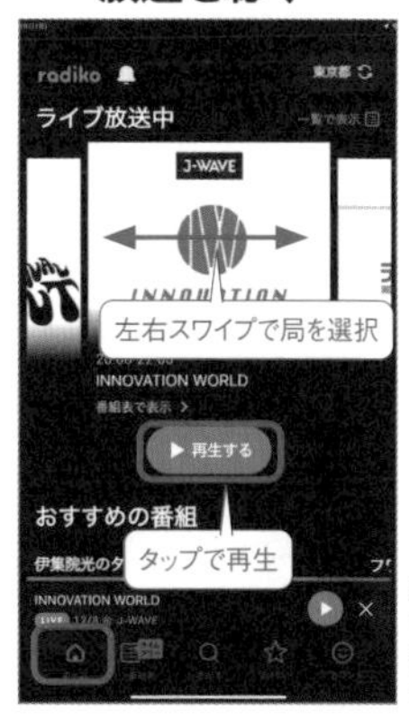

起動して、位置情報をOKするとすぐにリアルタイム視聴が可能になる。聴きたい局をタップしよう。

2 すぐに番組が再生される

すぐにバッファが完了し、ラジオ再生が始まる。番組表の形で表示させることもできる。

3 タイムフリーを聴くには?

下部のタブの「タイムフリー」をタップしよう。次に上部のタブで聴きたい放送局を選び、日付の部分をタップする。

4 聴きたい番組のあった日付を選ぶ

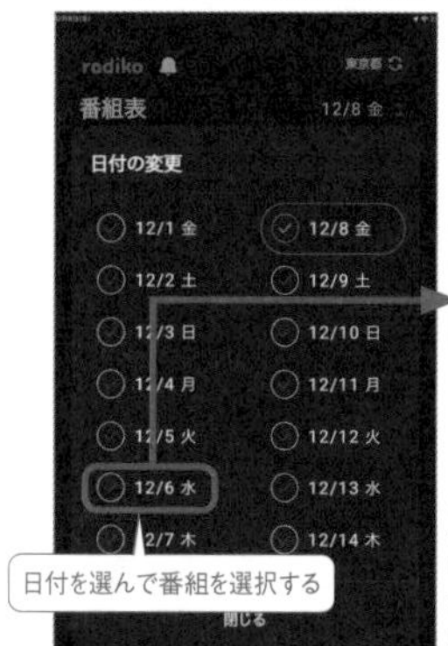

過去一週間の日付が表示されるので、聴きたい番組のあった日付を選び、スクロールさせて番組をタップすれば視聴できる。

5 OFFタイマーは「アカウント」から

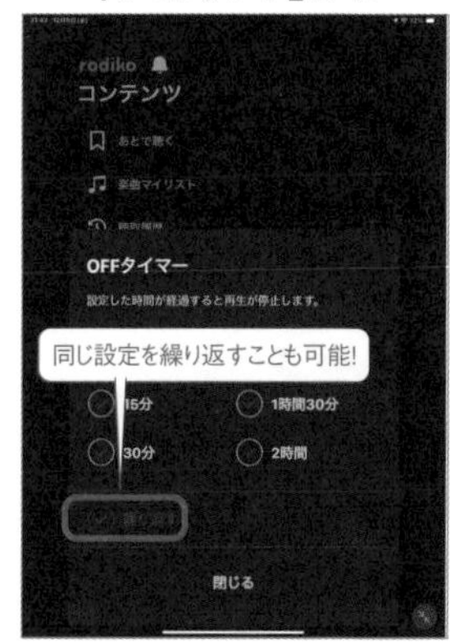

下部のタブから「アカウント」→「OFFタイマー」を選ぶと、再生停止時間が設定できる。15分～2時間の間で設定できる。

6 検索機能も便利だ!

「さがす」のタブからアーティストや出演者などで検索するのも便利だ。すぐに聴ける放送回を探す以外に、サイトでの記事も検索できる。

時計

142 アラームに好きな曲を使おう

毎日のように寝る前にベッドサイドでiPadを使う人は多いはず。それならば、目覚ましにもiPadを使えば快適なはずだ。iPadではアラームに音楽を使えるので、どうせなら好きな曲を設定して使いたいところ。標準の「時計」アプリの「アラーム」タブで、アラームを鳴らす時間や曜日、曲やスヌーズ設定をセットして使ってみよう。アラームは複数登録できるので、土日のパターンや変則的なパターンも登録できて便利だ。

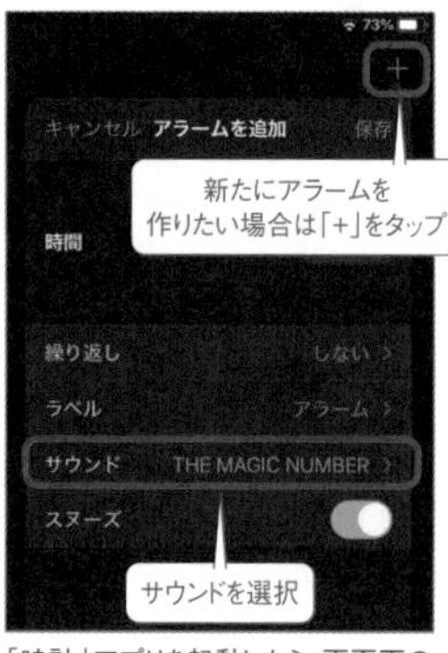

「時計」アプリを起動したら、画面下の「アラーム」を選択。左上の「編集」をタップしてサウンドを設定したいアラームの「サウンド」をタップ。

サウンド選択画面が現れる。「ミュージック」内にある音楽ファイルを指定することもできる。

音感養成

143 シンプルなゲームで絶対音感を養成しよう

絶対音感を養成するゲーム的アプリはいくつか存在するが、シンプルな見た目とほどよい難度で人気なのがこの「Pitch」。落ちてくるボールがバーに当たったときの音を下のキーボードで選ぶ形だ。最初はゆっくり落ちてくるボールが、次第にペースが上がり、音色も変わっていく。

App

Pitch 絶対音感プレイグラウンド
作者/Horosco
価格/無料　言語/日本語

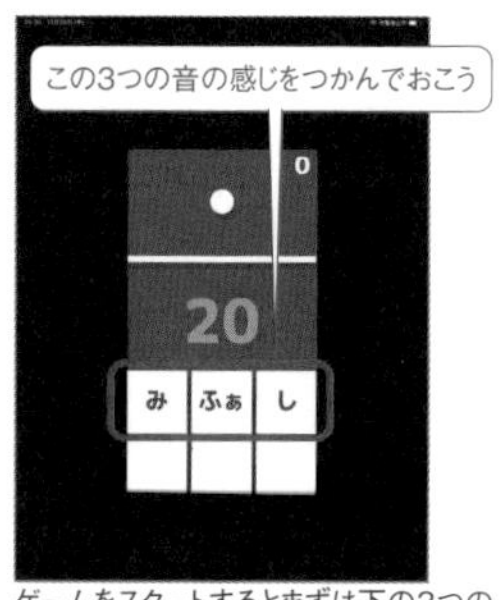

ゲームをスタートするとまずは下の3つのキーの音が何度か鳴らされる。音の感じを覚えておこう。あとはボールが音を出したらそのキーを押すだけだ。

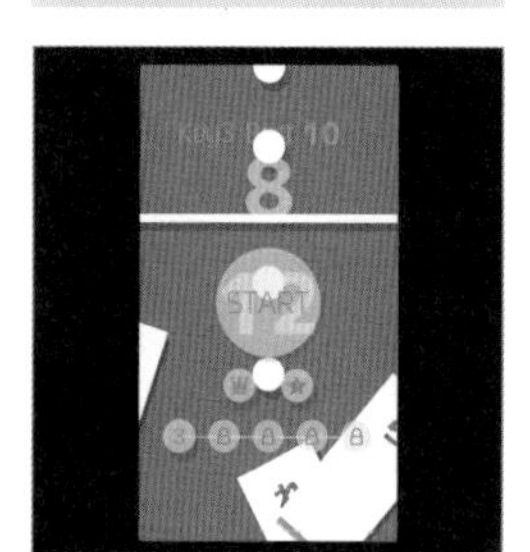

間違うとゲームオーバーで画像のような画面になる。音色の変わり目が難しいが、音感は確かに鍛えられるはずだ。最初は3音だけだが、ゲームを進めると音の数も増えていく。

音楽再生

144 SoundCloudで快適に最新の音楽を聴きまくる!

古くから続いている音楽共有サイトだが、今でも盛んに世界中の最新の音楽がアップされている。ここの音源のポイントは、1時間ぐらいのDJ-MiXが多いことと、バックグラウンド再生も可能なので、作業用の音楽としても重宝する。

App

SoundCloud
作者/SoundCloud Ltd.
価格/無料　言語/英語

アプリを起動したら「Feed」で、自分のフォローしたアーティストの更新をチェックできる。洋楽も邦楽も本当に充実している。

Homeタブでは最近聴いた楽曲、もう一度聴こう、おすすめのアーティストなどがまとめて表示される。

Podcast

145 iPadでPodcastを購読して楽しもう

Podcastとは、iPadやiPhoneなどで、ラジオを聴くようにさまざまな放送が楽しめるアプリだ。人気ラジオ番組のPodcast版が楽しめるのはもちろん、語学やニュース、思想、哲学などまで、多彩な番組が楽しめる。

App

Podcast
作者/Apple
価格/無料　言語/日本語

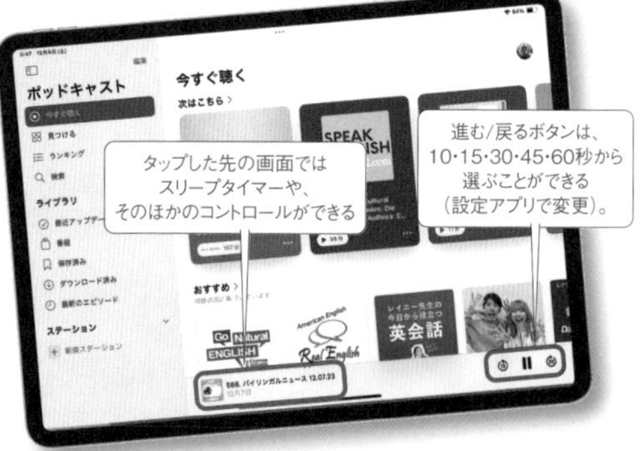

Podcastは可変速再生にも対応(0.5〜2倍)。忙しい時のニュースチェックや語学番組にも便利な機能。「見つける」や「検索」から新しい番組を追加購読しよう。

SECTION 05

仕事効率化

**豊富なOffice系のツールやPDF関連ツール、
進歩の凄まじい各種クラウドツール、
そしてiPadとApple Pencilの素晴らしさを
最も発揮できる手書きツールの使い方を徹底的に解説!**

146 フリーボード フリーボードの付箋紙を徹底活用! 思考整理に最適!

書き留めたアイデアを分類整理するのに便利

フリーボードアプリの付箋と手書きメモを使い分けるコツは、入力したメモの配置を頻繁に変えるかどうかだ。付箋は指やドラッグするだけで簡単に移動することができるので、手書きメモのように毎回、範囲選択をして移動させる必要がない。具体的な使用例では、書き留めたアイデアを後で整理するのに役立つ。また、付箋はサイズが統一されるので、同じサイズの付箋を並べるとガイドラインが表示され付箋の高さをきれいにそろえることができる。ボード上にバラバラにメモが散らばってしまうことがない。

1 付箋をグループ分けする

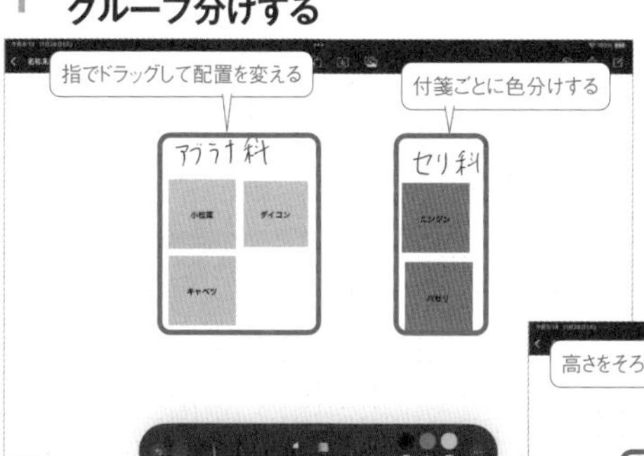

付箋の具体的な使い方は、書き留めたメモをグループ分けしたいときだ。ドラッグ操作で自由に場所を変更でき（手書きメモの場合はグループ化が必要になる）、付箋ごとにカラーを設定できる。ランダムに書き出したアイデアを、共通点ごとにまとめたり、順番を調整したり、といった作業に非常に便利に使えるだろう。

2 ガイドラインで付箋を整理する

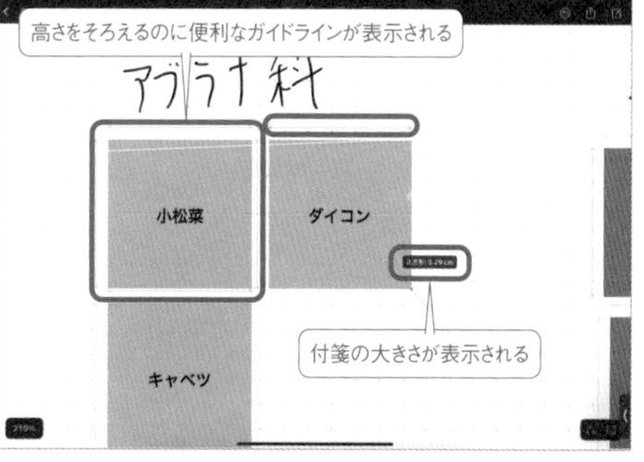

付箋をほかの付箋に近づけると黄色いガイドラインが表示されたり、付箋の大きさが表示される。付箋のサイズや高さを統一したいときに役立つ。

マスト!

147 フリーボード フリーボードにはこんな使い方もある

仕事やチームでの作業にフリーボードを活用する

フリーボードアプリは、単純に思いついたアイデアをまとめるだけでなく、さまざまな用途に合わせて柔軟に利用できる。フリーボードの多様性を最大限に引き出すために、次のような活用方法を試してみよう。

1つは、タイムスケジュールやタスクの管理だ。付箋ごとに「今日やるべきこと」を入力してリストを作成し、それらを時系列で並び替えるといいだろう。もし、タスクの時間に変更があったときでも、指で付箋の長さを調節すればよい。タスクごとに付箋のカラーを統一すれば、より管理しやすくなるだろう。

フリーボードはリアルタイムで共有できるため、チームメンバーとのコラボレーションにも適している。プロジェクトの進捗状況やアイデアをボード上に投稿し、コメントを共有することで、スムーズな情報共有とチームワークが実現できるだろう。

個人的な用途としてフリーボードを活用する

個人的な用途として、フリーボードはデジタルスクラップブックとしても活用できる。旅行の思い出やプロジェクトの進捗、気になる記事や画像をボードにピン留めすることで、手軽に自分だけのスクラップブックを作成しよう。

また、フリーボードは外部コンテンツの埋め込みが可能なので、YouTubeのお気に入り動画やプレイリストを整理するのにも便利だ。興味深い動画へのリンクやメモをボード上に配置し、それに対するコメントや感想をつけ加えることで、視聴履歴だけではなく、動画に対する自分のアプローチや反応を可視化できる。

フリーボードをさまざまなシーンで活用しよう

1 タイムスケジュールを作成する

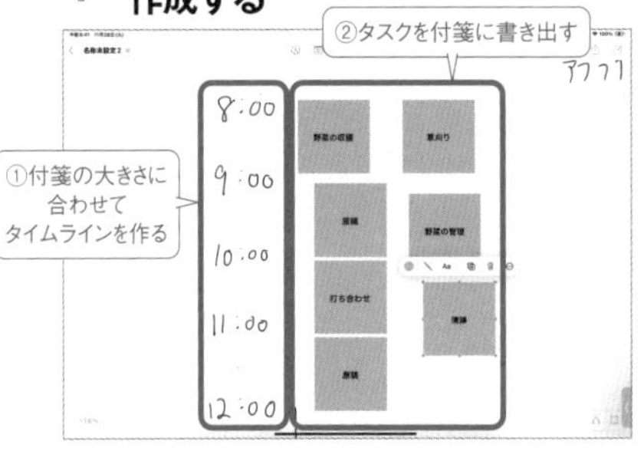

タイムスケジュールを作成するには、タスクを付箋に書き出したあと、おおよそ付箋の大きさにあわせてタイムラインを手書きで作成しよう。

2 付箋をタイムラインに合わせて調節する

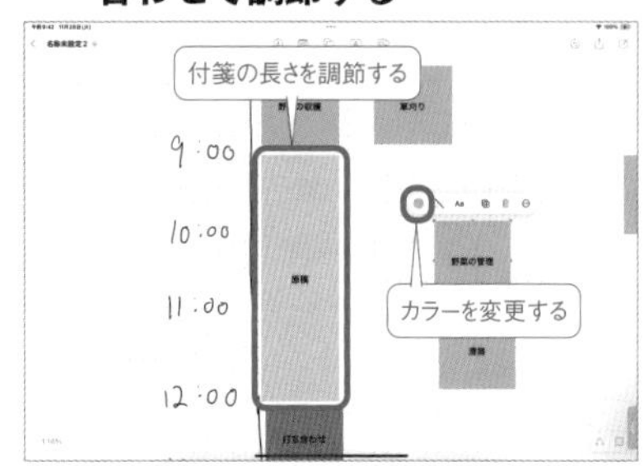

タイムラインにあわせて、付箋の長さを調節して配置しよう。内容ごとにカラーを変更すれば管理しやすくなる。

3 フリーボードで共同作業をする

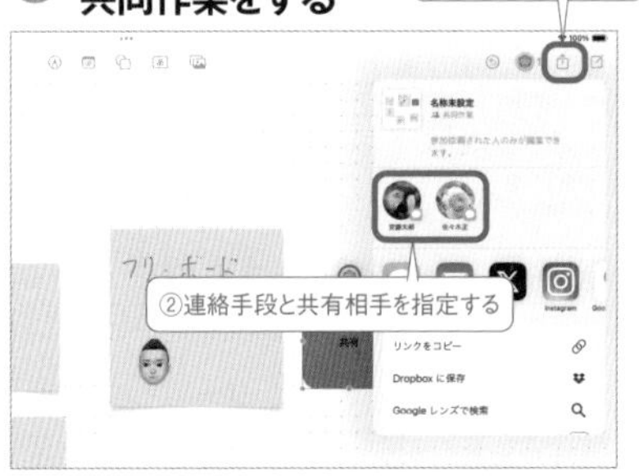

ほかのユーザーと共同作業するには、右上の共有ボタンをタップして、連絡手段と共有相手を選択しよう。

4 共有している相手を確認する

共有状態で作業をしている場合、画面右上に共有メンバーの数や共有者名が表示され、リアルタイムで共有者が編集している部分にアイコンが表示される。

5 デジタルスクラップを作成する

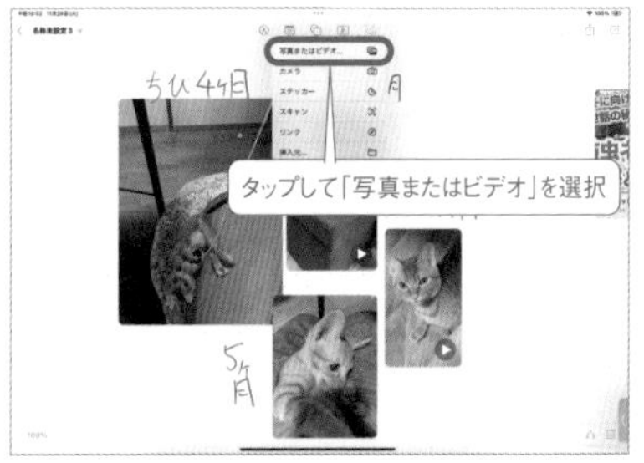

上部メニューの挿入ボタンから「写真またはビデオ」をタップするとiPad内の写真やビデオを貼りつけることができる。思い出の写真をスクラップしよう。

6 YouTube動画のお気に入りメモを作成する

フリーボードにYouTubeのURLを貼りつけると動画内容をサムネイル表示してくれる。Split ViewでYouTubeを開き、動画をドラッグして登録できるので、お気に入りのメモに最適だ。

マスト!

148 メモ 新しいペンも登場!「メモ」で手書きを活用しよう

傾き補正や新しい3種類のペン

Apple Pencilにさまざまな新しい機能が増えている。1つは傾き補正機能だ。無地のメモ用紙で手書きしていると、文字全体が斜めに崩れてしまいがちになる。これをタップ1つできれいな直線に補正できるようになった。

また、利用できるペンの種類が3種類増えている。細い線が描けるモノライン、筆圧により線が大きく変化する万年筆、水のようにラフに描くことができる水彩ペンが使えるようになり、より表現力豊かな手書き作業ができるようになった。

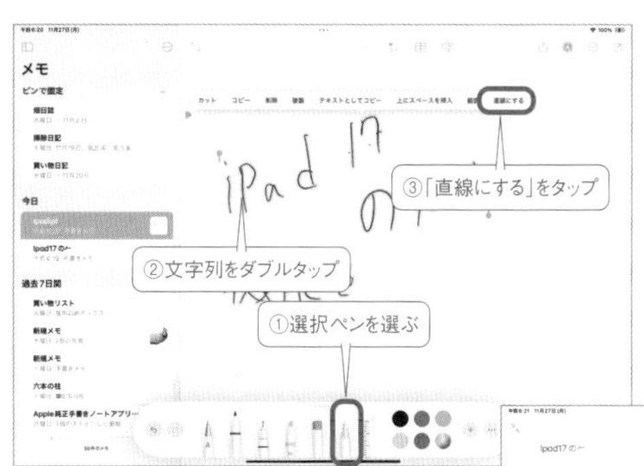

1 傾きを補正する

手書きした文字を選択ペンでダブルタップしよう。文字全体が範囲選択されるので、もう一度タップ。メニューが表示されるので「直線にする」をタップしよう。

2 3種類の新しいペン

ツールパレットを左にスワイプするとモノライン、万年筆、水彩の3種類の新しいペンが表示され、利用できる。

149 メモ 「メモ」の整理はフォルダとタグの両方を使おう!

メモアプリで作成したメモを整理するにはフォルダを使って分類するのが一般的だが、複数のフォルダのテーマにあてはまるメモは分類しづらい。しかし、ハッシュタグ機能を使えば、分類しづらいメモでも簡単に整理できる。ハッシュタグは分類に利用するキーワードをいくつでも設定できるのが最大のメリット。ハッシュタグでメモを探す際は、メモアプリ全体から横断検索できるので、これまでのようにフォルダを1つ1つ開いて必要なメモを探す手間が省ける。

ハッシュタグは、「#」を先頭につけた状態でキーワードを入力し、改行することで作ることができる。

作成されたハッシュタグはフォルダー一覧画面最下部の「タグ」に追加される。タグをタップするとそのタグのついたメモを一覧表示してくれる。

マスト!

150 メモ クイックメモで気になるページをどんどん追加する

ウェブ上のニュース記事をメモアプリに保存する場合は共有メニューよりも、クイックメモを使った方が便利。Safari起動中にクイックメモを起動すると、メモ上部に「リンクを追加」というメニューが表示され、タップすると表示しているページをクイックメモに瞬時に保存することができる。また、保存したページをタップするとSafariで開くことが可能だ。

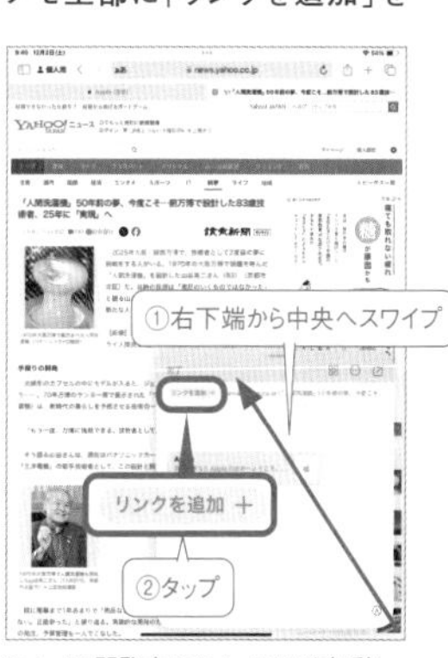

Safariで閲覧中にクイックメモを起動し、「リンクを追加」をタップする。

クイックメモに保存される。リンクをタップするとSafariでそのページを開くことができる。

151 ChatGPT ChatGPTをビジネスシーンで活用するテクニック

文章の校正ツールとして使うのがベスト

デスクワークを主とする人にとって、文章作成は不可欠な作業だが、非常に手間がかかり、かなりの負担となる。そこで、「ChatGPT」という生成AIを利用しよう。ChatGPTを使用した原稿作成の方法はさまざまだが、最適な活用法は、まず自ら原稿を作成した後、文法ミスや誤字脱字をチェックするなど、校正補助ツールとして利用する方法だ。

例えば、「次の文章を、誤字・脱字、語尾の不統一のみを修正して出力してください。」という文の後に、校正したい文章をペーストして送信すると、文章の内容や表現を変えずに、誤字脱字のみを修正してくれる。また、語彙力に自信がないが、美しい表現に仕上げたい場合にもChatGPTは利用できる。さらに、元の文章や文脈を大幅に推敲したいときでもChatGPTは活躍できる。

なお、元の文章のどの場所が校正されたか把握したい場合は、校正後にどの箇所を修正したか質問すると、修正前と修正後を教えてくれる。その際、「表形式で表示して」と入力するとエクセルのように表形式で出力もしてくれる。ほかにも、入力した文章を元にタイトル、リード、小見出し、要点を作る際にもChatGPTは役立つ。

ChatGPTは、ブラウザで利用できるが現在、iPadアプリ版もリリースされており、ブラウザ版よりタッチ操作に優れている。また、一部の機能を今後オフラインで利用できる可能性もあるので、頻繁に利用する場合はアプリをダウンロードしてインストールしておくといいだろう。

App

ChatGPT
作者:OpenAI
価格:無料

ChatGPTで文章を校正しよう

1 校正する際の基本的な入力手順

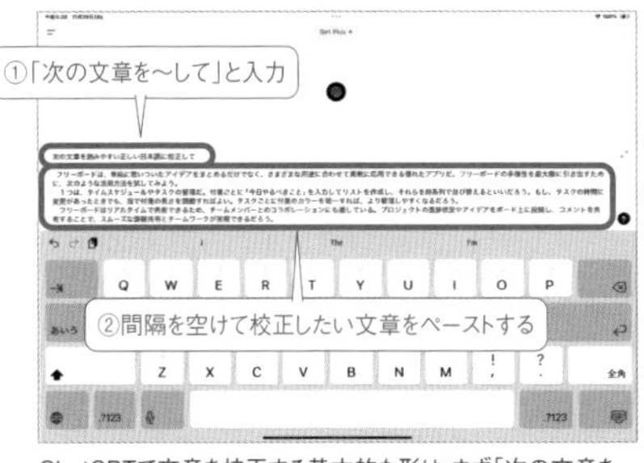

ChatGPTで文章を校正する基本的な形は、まず「次の文章を〜して」と入力し、スペースまたは改行して校正したい文章をペーストしよう。校正した文章を出力してくれる。

2 校正された箇所を調べる

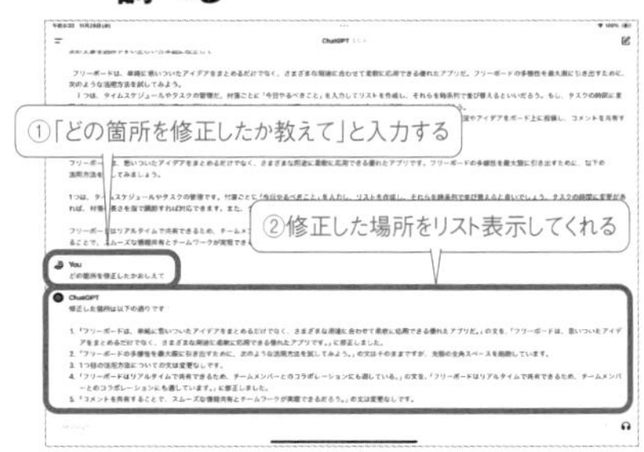

校正された場所を調べたい場合は、続けて「どの箇所を修正したか教えて」を入力すると、具体的に修正した箇所をリスト表示してくれる。

3 表形式でわかりやすくまとめる

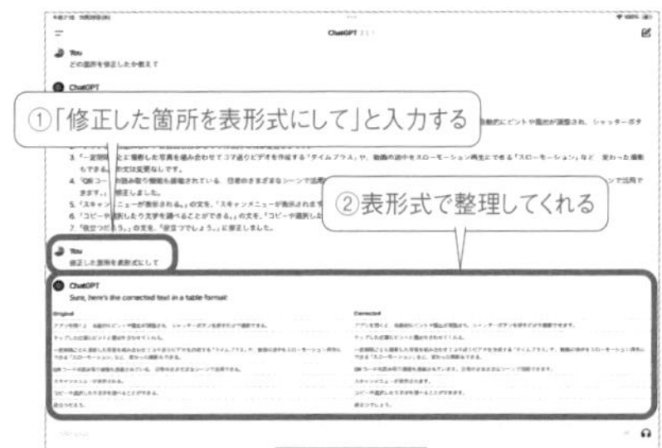

続けて「修正した箇所を表形式にして」と入力すると、修正前と修正後を表形式に整理し直してくれる。箇条書きよりもこちらのほうがわかりやすい。

4 内容を変えずに誤字脱字だけを修正する

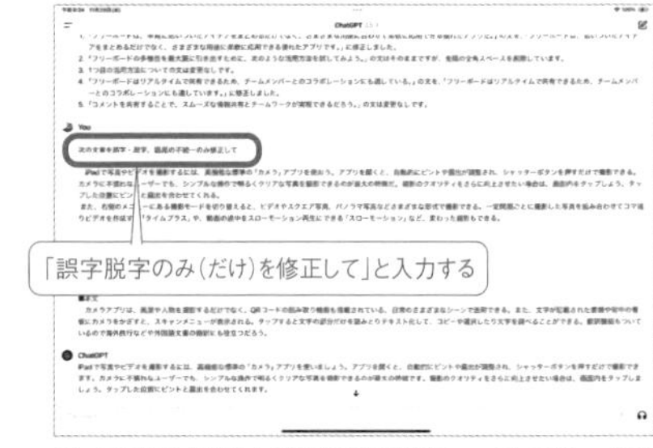

ChatGPTで文章内から誤字脱字だけをチェックしてほしい場合は「誤字脱字のみ(だけ)を修正して」と入力しよう。すると表現や文法が修正されず誤字脱字だけを修正してくれる。

5 iPadアプリ版なら音声入力ができる

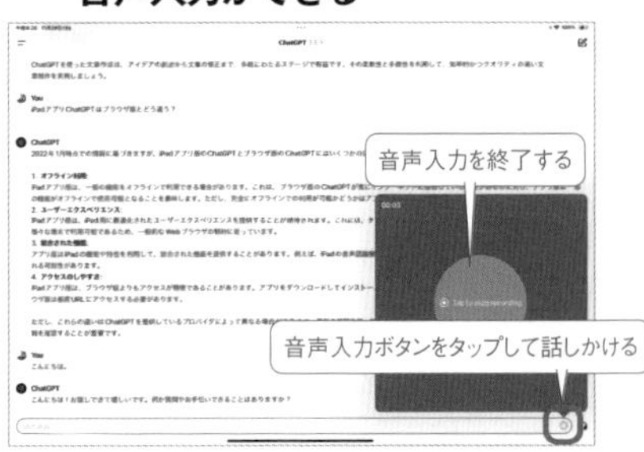

ChatGPTのiPadアプリ版では音声入力ができる。入力欄右にある音声入力ボタンをタップして、話しかけよう。

6 日本語版に変更する

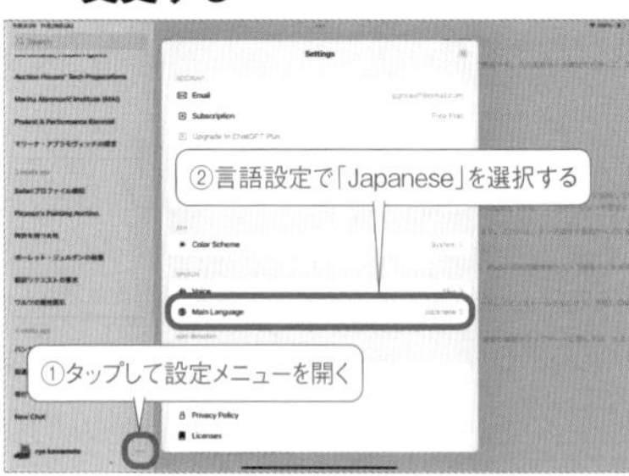

ChatGPTのアプリ版は標準では英語になっていることがある。設定画面の言語設定で「Japanese」に変更すれば、音声入力も日本語でできるようになる。

152 ChatGPT ChatGPTでエクセルの表を編集する

「表にしてください」と指示した後にデータを入力する

ChatGPTを使用して、エクセルから表をコピー&ペーストしてデータを加工することができる。最初に「以下を表にしてください」と指示した後、加工したい表のデータをコピーしてChatGPTの入力欄に貼り付けて送信しよう。すると、ChatGPTが入力したデータを元に新しい表を生成してくれる。その後、「行を追加して」や「上の表を○○して」といった具体的な加工の指示を出すたびに、ChatGPTが表を再出力してくれる。さらに、出力された表はコピー&ペーストで簡単にエクセルに貼り付けることが可能だ。

1 表データをコピーする

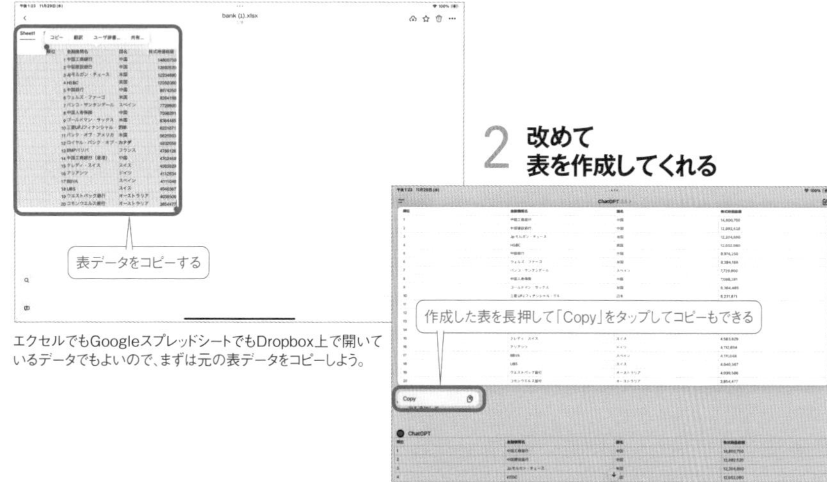

エクセルでもGoogleスプレッドシートでもDropbox上で開いているデータでもよいので、まずは元の表データをコピーしよう。

2 改めて表を作成してくれる

「以下を表にしてください」と指示したあと、表データを貼りつけて送信すると、表を改めて作成してくれる。その後、編集したい箇所の指示を出そう。

上級技

153 ChatGPT ChatGPTで外国語を翻訳する

ただ翻訳するだけでなく要約、箇条書きなどスタイルが多様

ChatGPTは文章を翻訳することもできる。「次の文章を日本語に翻訳してください」と命令し、訳したい英文を入力すれば、すぐさま日本語に翻訳してくれる。逆に日本語からほかの言語に翻訳することもできる。その場合は、「次の文章を○○語に翻訳してください」と命令し、元の日本語文章を入力すればよい。ChatGPTが特に優れているのは、訳した文章をさらに要約したり、日本語で箇条書きしたテキストから英文メールを作ってもらったりできるので、海外とメールやチャットなどのコミュニケーションをする際に非常に役立つだろう。

1 外国語を日本語に翻訳する

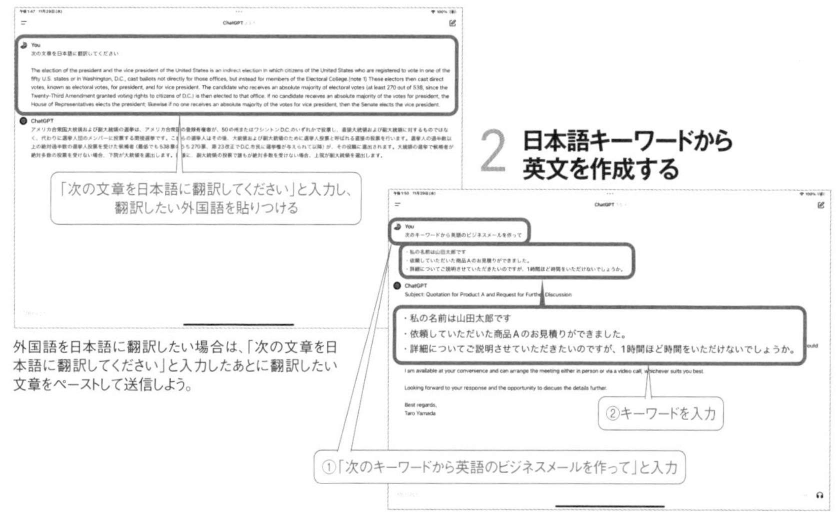

外国語を日本語に翻訳したい場合は、「次の文章を日本語に翻訳してください」と入力したあとに翻訳したい文章をペーストして送信しよう。

2 日本語キーワードから英文を作成する

英語でビジネスメールを作成したい場合、「次のキーワードから英語のビジネスメールを作って」と入力したあと、日本語でメールに使うキーワードを羅列して送信すると作成してくれる。

154 Office 10.1インチ以下のiPadユーザーなら必携! 無料で使えるMicrosoft純正Office

無料ユーザーでも基本的な編集や新規作成が可能!

ビジネスでマイクロソフトOfficeを利用しているなら、iPadにもぜひ純正のOfficeアプリを用意しておきたい。PC・Mac版と比べると機能こそ限定されるものの、高い互換性を保ったままOfficeドキュメントを気軽に展開・編集することができる。以前はWord、Excel、PowerPointとアプリが別れていたが、現在は「Microsoft 365」に機能が統一化されたので、このアプリだけインストールしておけばOKだ。画面右下の「作成」ボタンをタップすることで、新規ドキュメントの作成も可能で、この際は「メモ」やカメラを使って文書を読み込む「スキャン」といった機能も利用できる。ファイルの保存先は、標準では「OneDrive」がストレージとして設定されているが、設定から「Dropbox」や「Box」など、リンクするストレージを追加して選べるのも現代的だ。

なお、ドキュメントの閲覧だけならMicrosoftアカウントを登録するだけで利用できるが、10.1インチ以上のiPadで編集を行いたい場合は、Office 365のサブスクリプションが必要となる点に注意。現在利用しているOfficeのライセンスをチェックしてみよう。

App

Microsoft 365(Office)
作者/Microsoft Corporation
価格/無料(App内課金月額260から)

オフィス文書を正確に表示できる純正アプリ!

1 1アプリでWord、Excel、PowerPointを使える

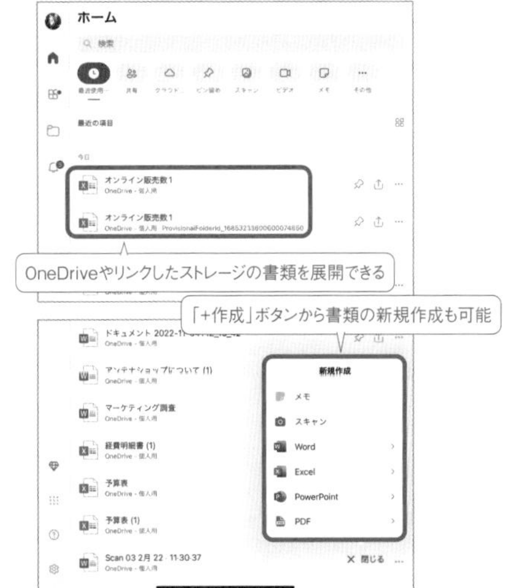

Officeの定番3アプリが統合されている「Microsoft Office」アプリ。OneDriveと同期し、「+作成」ボタンからOfficeドキュメントの他、メモや書類のスキャンを素早く作成できる。

2 10.1インチ以下のiPadなら無料で編集作業まで行える

iPad mini など、10.1 インチ以下のタブレットなら表示に加えて編集も可能。10.2 インチを超えるタブレットの場合は Microsoft 365 のサブスクリプションが必要だ。

3 マウス対応でさらに使いやすく

iPad ではマウスでの操作にも対応している。マウスで範囲を指定してコピー&ペーストなど、PC ライクに使えるので、Bluetooth マウスやトラックパッドを用意しておくと、さらに使い勝手が良くなる。

4 Split Viewでデータのドラッグもできる

Split View 対応で、アプリをまたいでデータやグラフオブジェクトのドラッグが可能。メモに表データを貼り付けたり、グラフを直接貼れるのは便利だ。

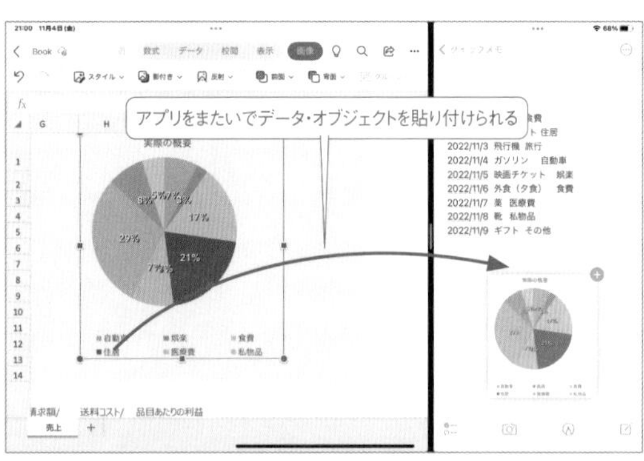

155 Office Officeアプリでは手書きも使える

フリーハンドでドキュメント内に手書きを挿入可能

Microsoft 365（Office）アプリは「描画」タブからペンツールやラインマーカーツールを使って、手書きの文字やイラストを挿入することができる。ペン先の種類をはじめ、インクの種類も実に多彩で、TPOに合わせて利用していけば注釈を入れる際に役立ち、また書類の注目度も上げられる。

また、Apple Pencil対応モデルであれば、Apple Pencilを画面に当てるだけで描画モードへと素早く切り替わる。Apple Pencilユーザーはぜひ活用してみよう。

1 「描画」タブからペンを選択

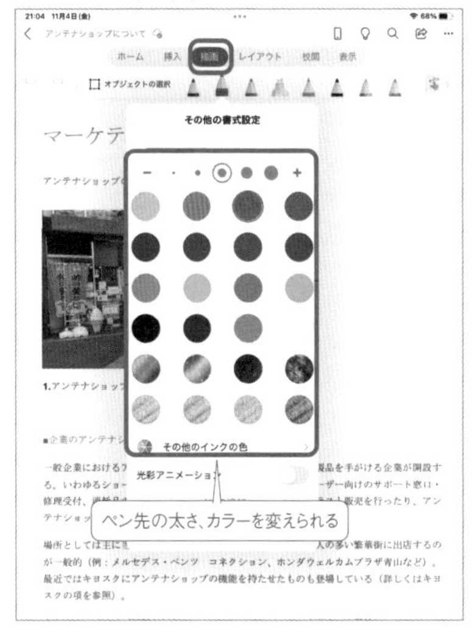

手書き入力を行なうには「描画」タブを開き、ペンを選択。「もう一度」をタップすると太さやカラーを変更できる。

2 タッチやApple Pencilで入力する

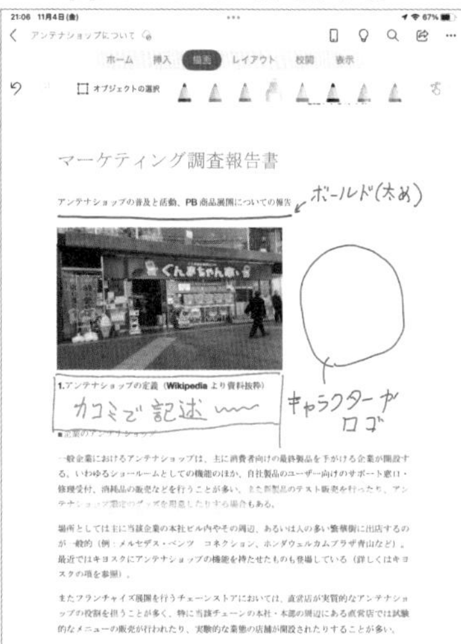

画面にタッチで自由にイラストや注釈を加えられる。書類の内容に合わせて利用してみよう。

156 共同編集 複数人で共同して書類を作成・編集するには

Googleドライブの共有機能を活用して文書を共同編集する

グループワークなどで、他人と共同で文書や表計算ドキュメントを編集したい場合は、「Googleドライブ」が便利。定番のGoogleアカウントでファイルを共有し、共同編集することができる。なお、Microsoftのサービスでも同様の共有機能が使えるので（86ページで解説）、使いやすい方を選ぼう。

App

Googleドライブ
作者／Google, Inc.
価格／無料　言語／日本語

1 他ユーザーへファイルを共有する

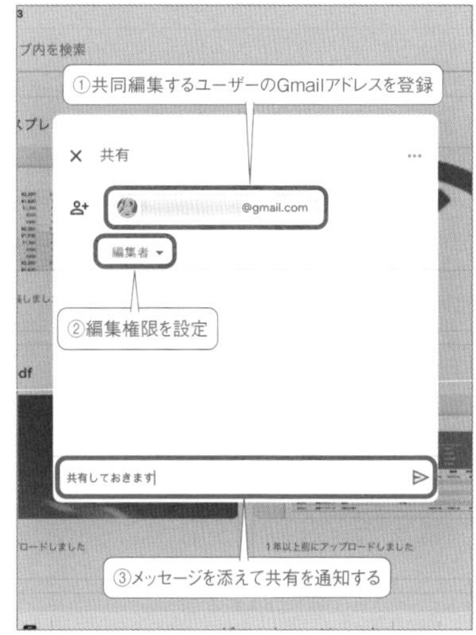

ファイルの右上にあるメニューボタンから「共有」をタップ。相手・権限を指定してメッセージを添えて共有に誘おう。

2 共有されたドキュメントを編集

共有したファイルは、「共有中」タブからアクセスできる。ファイルをタップして、複数ユーザーで同じドキュメントを編集することができる。

157 Office ビジネスで文書を共有・編集するならOneDriveがベスト!

安心してファイルを編集できるOfficeとの連携力!

OneDriveはMicrosoftが提供しているオンラインストレージサービス。利用するには無料の「Microsoftアカウント」を取得すればOK。5GBのストレージを利用することができる。また、「Microsoft 365」を利用しているユーザーであれば、契約しているプランに応じてオンラインストレージの容量も拡張される(1TB〜)のも魅力だ。

OneDriveの利点は多々あるが、やはりOffice系アプリとの連携力は強力だ。ワードやエクセルなどのOfficeアプリの保存場所として指定でき、特定のユーザーを招待しての共同編集も可能。Webアプリを使って、OfficeやMicrosoftアカウントを導入していないユーザーともファイルを共同編集できるのも便利だ。こうしたWebを通じた編集機能はGoogleドライブやiWork(iCloud)でも利用できるが、OneDriveはMicrosoft純正というところがポイント。Webアプリを使うにしても、PC・Mac版のOfficeアプリとの互換性が高く、デザインのズレやエラーも起こりづらく、安心して利用できる。Googleサービスは利用しているユーザーも多くて人気だが、ビジネスでOffice文書を共有・やり取りするのであれば、OneDriveを選ぶほうが無難だ。

App

Microsoft OneDrive
作者/Microsoft Corporation
カテゴリ/仕事効率化　価格/無料

Officeとシームレスに連携するクラウドサービス

1 同期されたファイルにアクセスする

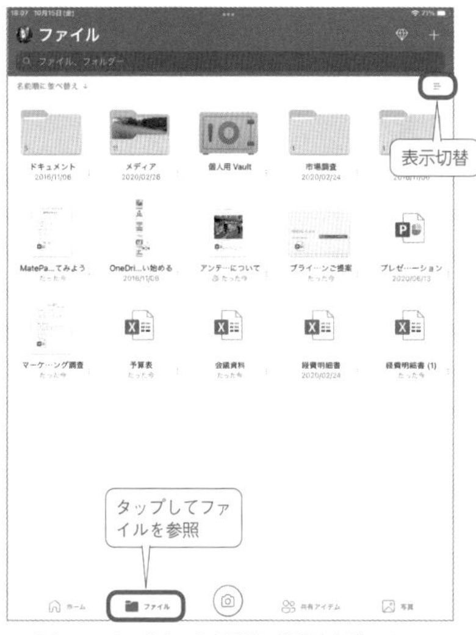

マイクロソフトアカウントを取得・登録すれば、パソコンから同期したファイルが表示され iPad で利用できる。右上のメニューボタンをタップして、ファイルの選択やフォルダ作成などが可能。

2 純正オフィスアプリとスムーズに連携

OneDrive に同期されたオフィスファイルをタップすると、ファイルのプレビューが表示される。画面下部の「開く」をタップすると、該当するアプリで編集が可能だ。

3 写真やファイルをアップロードする

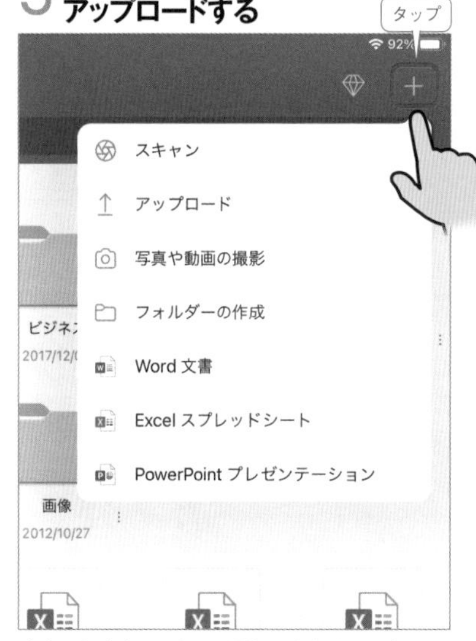

右上の「+」をタップして、写真やビデオをアップロードできる。また、他アプリの共有ボタンからファイルをOneDriveへ送信して、ファイルをアップロードできる。オフィス文書の新規作成も可能。

4 ファイルを選択して共有や様々な処理を行う

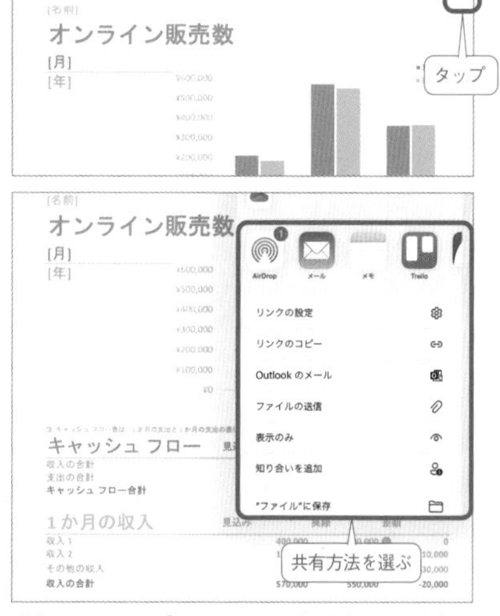

共有メニューから「リンクのコピー」で共有URL を作成できる。リンク共有の有効期限も設定可能(プレミアム契約が必要)。

158 Office Pages、Numbers、Keynoteなど便利なApple純正アプリを使おう

アップル純正のオフィスアプリでビジネス文書作成

iPadでオフィス文書をオフライン編集できる、スマートで信頼性の高い選択肢が、アップルの「iWork」アプリを使用する方法。iWorkはMS-Officeファイルの読み込みや、MS-Office／PDF形式での書き出しに対応している。また、「リーディング表示」にも対応。これは誤タップによる意図しない編集を防ぐための機能で、まずは「編集不可」状態で書類が展開される。編集するには画面右上の「編集」をタップすればいい。他にも、デザイン性の高い豊富なテンプレートが備わっていたり、FaceTime通話しながら共同編集できるなど、さまざまな新機能が加わってバージョンアップされているので、ぜひ活用してみよう。

App

Pages
作者／Apple
価格／無料
言語／日本語

App

Numbers
作者／Apple
価格／無料
言語／日本語

App

Keynote
作者／Apple
価格／無料
言語／日本語

3つのアップル純正オフィスアプリ「iWork」

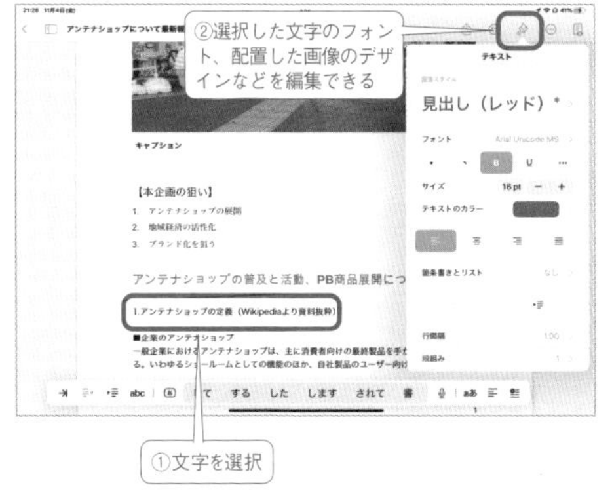

美しい書類が手軽に作成できる「Pages」

自由度の高いワードプロセッサアプリ。テキストを写真・グラフ・イラスト・手描きなどでデザインできる。また、Pagesでは Word より柔軟に、テキストやグラフィックを配置可能。デザインの自由度の高さでビギナーにもおすすめできる。

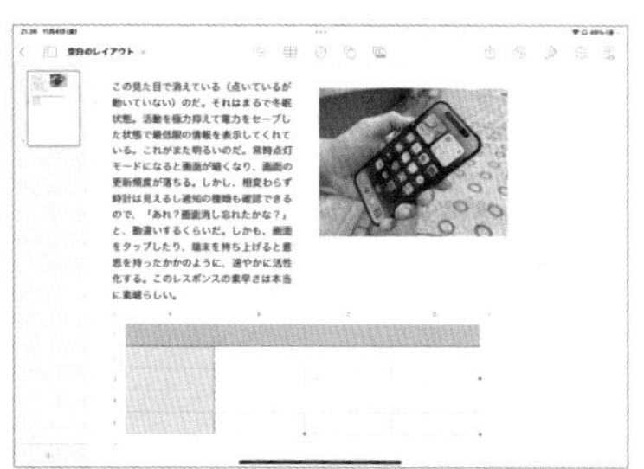

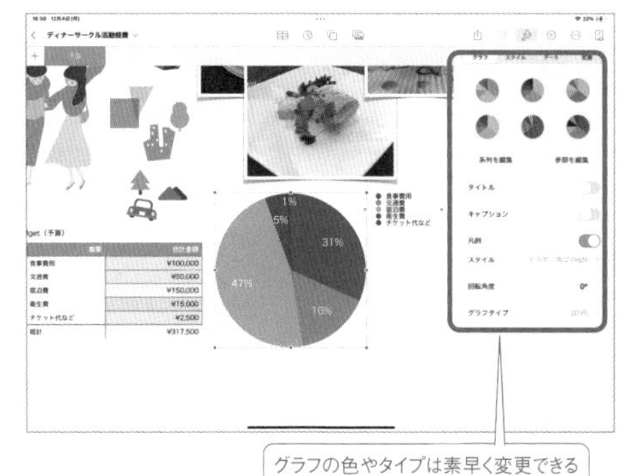

手軽で自由度の高い表計算「Numbers」

ひとつのシート内に表やグラフ、イラストなどを自由にレイアウトできる。また、FaceTime通話での共同編集はグループワークで活躍する。

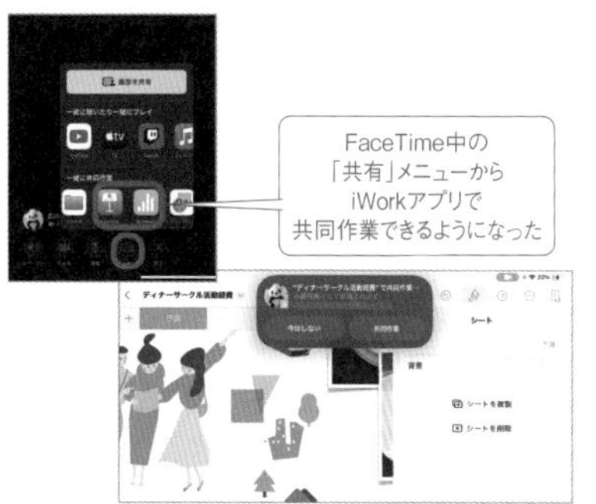

使いやすいプレゼンテーション「Keynote」

見やすく美しいスライドを作成できるKeynoteは、ビジネスパーソンからの評価も高い。最新版ではカメラを使ったライブビデオもスライドに埋め込めるようになった。

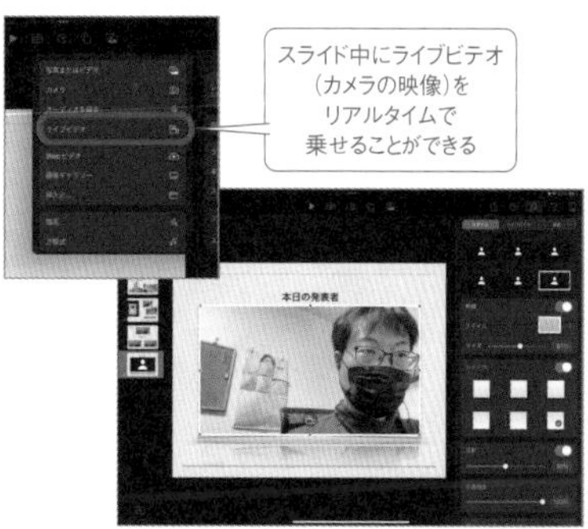

159 Goodnotes 6 ノートアプリで日々のメモを復習しよう

AI機能を搭載して生まれ変わった人気ノートアプリ

一時的に書き留めてすぐに捨てるメモではなく、あるテーマに沿って連続したメモを書留め、毎日のように見返して学習していきたい場合はノートアプリを使おう。メモアプリやTodoアプリと異なり、あるテーマ(ノート名)と、そのテーマに沿った複数のページで構成されているノート形式になっているので、復習に役立つ。

数あるノートアプリでも人気が高いのが「Goodnotes 6」だ。Apple Pencilを使って手書きでメモが取れるので、テキストベースのメモアプリと異なり自由なレイアウトと装飾ができる。写真や絵文字などのイメージファイルを挿入して、好きな位置に配置することも可能だ。また、インターフェースがシンプルで初心者でも使いやすい。書くスペースがなくなったらスワイプすればページを追加することができる。

管理機能も優れており、パソコンと同じようにフォルダを使って作成したノートを分類することができ、フォルダ内にフォルダを作るなど階層構造を作ることもできる。作成したノートはPDFや画像形式で出力することも可能だ。

Goodnotes 6には、有料版と無料版があり、無料版はAI機能が使えなかったり、作成できるノート数が3冊だけと使える機能が限定されている。なお、すでにGoodNotes 5を購入しているユーザーは、期間限定で割引料金にてアップグレードできる。割引額はGoodNotes 5の購入時期によって異なり、たとえば2023年以前に購入したユーザーは25%オフとなる。

App

Goodnotes 6
作者:Time Base Technology Limited
価格:4,080円(一括払い)、年額1,350円(サブスクリプション)、無料版もあり

Goodnotes 6を使ってみよう

1 書類フォルダからノートを作る

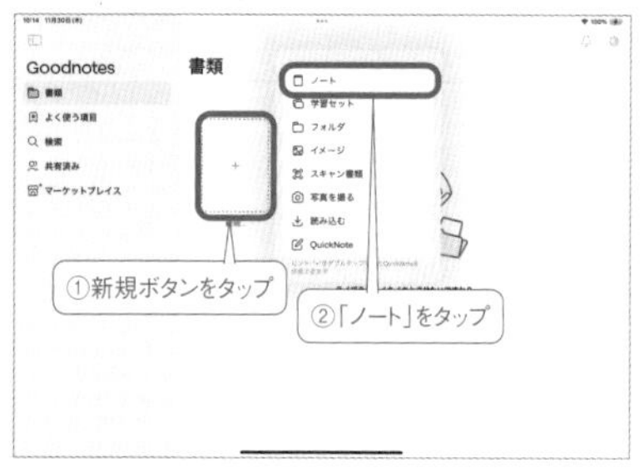

Goodnotes 6を利用するにはまずノートを作成する必要がある。起動したら「書類」画面を開き、新規ボタンをタップして「ノート」を選択しよう。

2 ペンとカラーを選択する

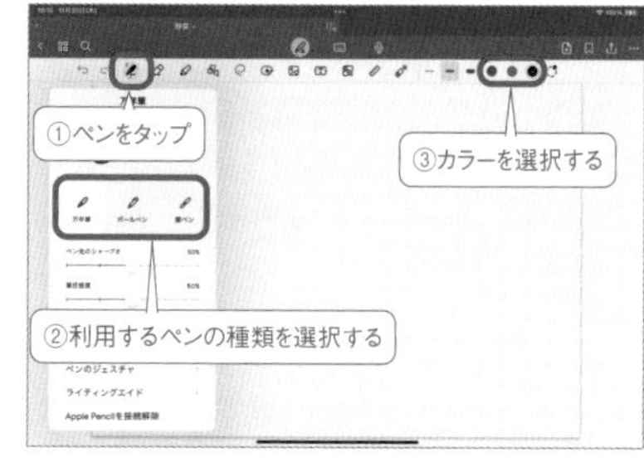

ノートを開いたらまずはペンとカラーの設定を行う。上部メニューから利用するペンを選択し、パレットからカラーを選択しよう。

3 ページを追加する

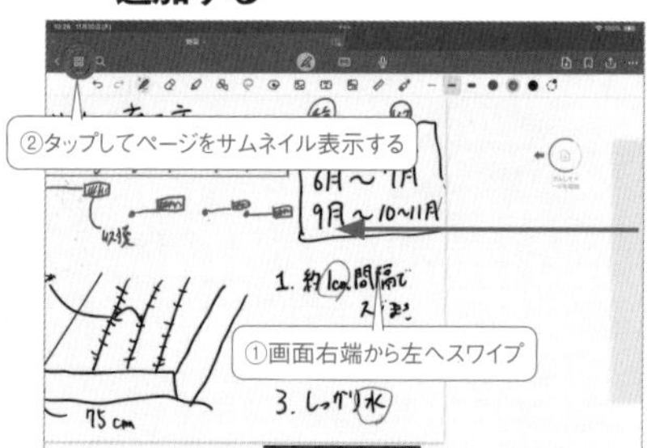

メモと違いノート内に複数のページを作ることができる。追加するには画面右端から左へスワイプしよう(下端の場合もある)。なお、左上のページアイコンをタップするとページをサムネイル表示できる。

4 投げ縄ツールで編集する

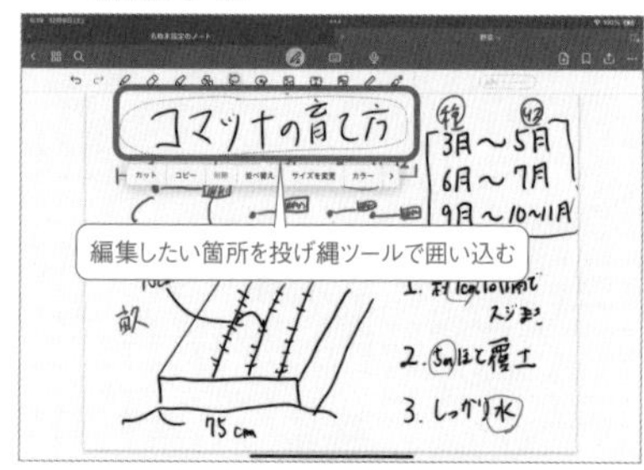

手書きした文字やイラストの配置やサイズを変更したい場合は、投げ縄ツールを使って対象を囲いこもう。ドラッグすると移動、タップすると編集メニューが表示される。

5 ノートをPDFや画像として書き出す

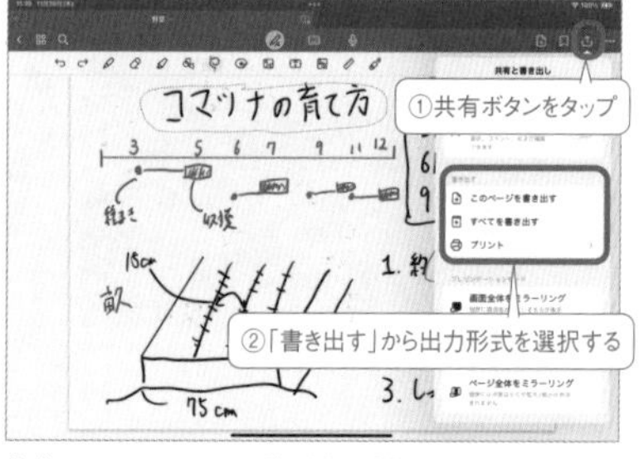

作成したノートはPDFや画像形式で外部に出力できる。表示しているページだけでなく、ノートをまるごとPDFにして出力することもできる

6 範囲選択した文字をテキストにする

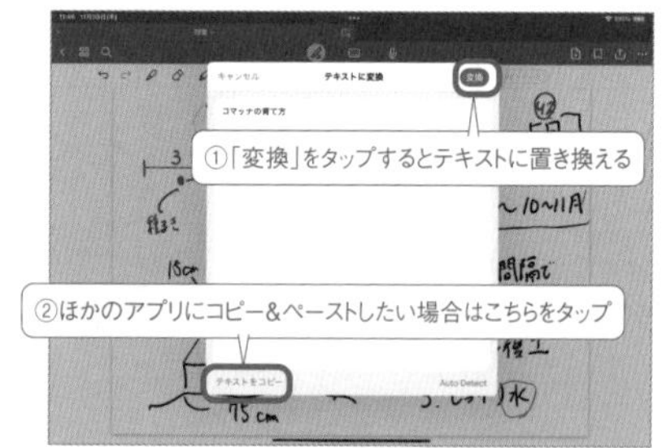

手書きした文字をテキスト化したい場合、投げ縄ツールで文字を囲い込み、メニューから「変換」→「テキスト」を選択しよう。テキスト化してくれる。

160 Goodnotes 6 GoodNotes 5ユーザーはアップデートすべきかどうか?

GoodNotes 5にダウングレードできる

GoodNotes 5を利用しているユーザーがGoodnotes 6にアップデートすると、GoodNotes 5が使用できなくなる。第6版は第5版よりも機能が向上しているが、実際に使用してみると、第5版の方が使いやすいユーザーもいる。過去にGoodNotes 5を有料で購入している限り、ダウングレードすることが可能だ。方法は書類画面の設定画面にある「ダウングレード」画面から行う。なお、ダウングレード後に再び第6版にアップデートでき、1度購入していれば、二重に請求されることはない。

1 設定画面からダウングレードする

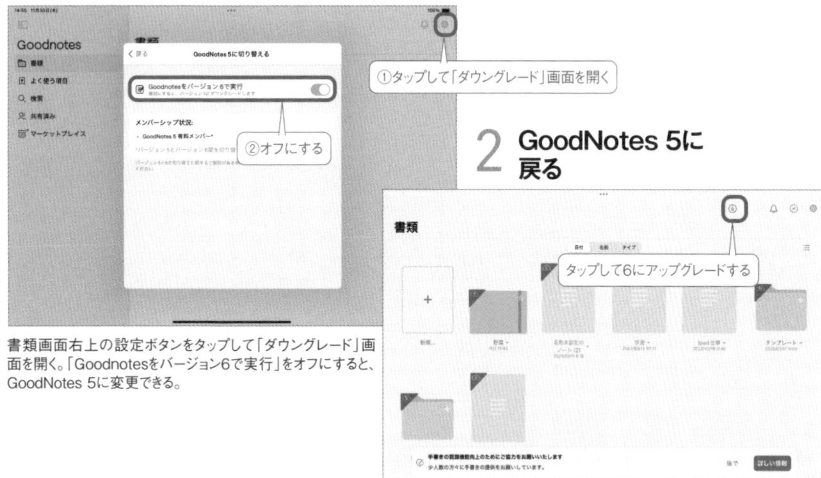

書類画面右上の設定ボタンをタップして「ダウングレード」画面を開く。「Goodnotesをバージョン6で実行」をオフにすると、GoodNotes 5に変更できる。

2 GoodNotes 5に戻る

アプリが自動的に再起動し、GoodNotes 5に戻る。再び6にアップグレードしたくなった場合は、書類画面右上の「6」をタップしてアップグレードしよう。

161 Goodnotes 6 タイピングモードで文章作成が楽になる

Goodnotes 6にはさまざまな新機能があるが、特に便利なのはAI機能だ。ナビゲーションメニューに追加されたキーボードアイコンをタップすると、タイピングモードに切り替わる。このモードはタイピングに最適化されており、入力したテキストをAIが文章の修正をしてくれる。具体的には、言い換えや要約、スペルの訂正、単語の選択に関する提案が表示され、タップするだけで簡単に文章を置き換えることが可能だ。

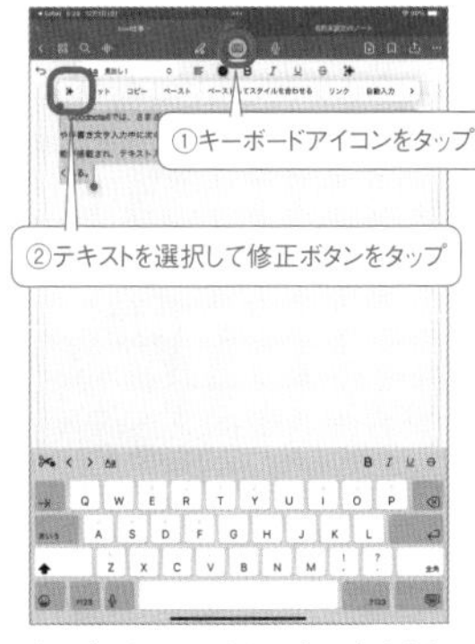

キーボードアイコンをタップして文章を入力後、範囲選択してメニューから修正ボタンをタップ。

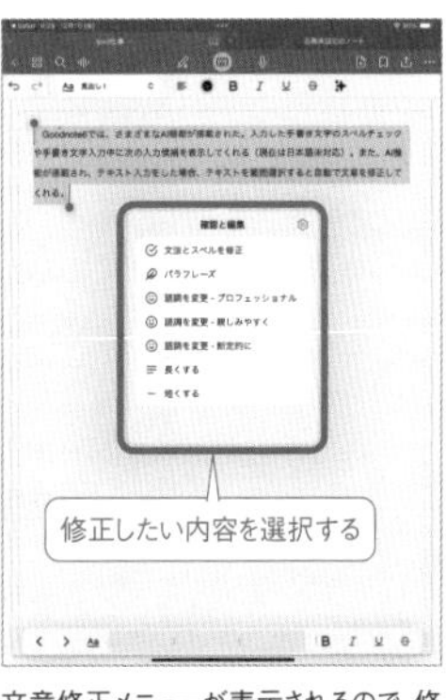

文章修正メニューが表示されるので、修正したい内容を選択しよう。修正文章が表示され、置換することができる。

162 Goodnotes 6 ペンジェスチャ機能で効率的にノートを作成する

Goodnotes 6では、ペンツールだけでこれまでのさまざまな「ペンジェスチャ」機能を利用できる。Apple Pencilのスクリブル機能とよく似たもので、編集したい部分をペンツールで囲い込んだ後タップすると、線が範囲選択に変化して編集が行え、投げ縄ツールに切り換える必要がない。また、消去したい部分をこすると消去することができ、消しゴムツールに切り換える必要がない。使いこなせばより効率的にノート作成ができるだろう。

ペンツールのメニューから「ペンのジェスチャ」画面を開き、利用するペンジェスチャを有効にしておこう。

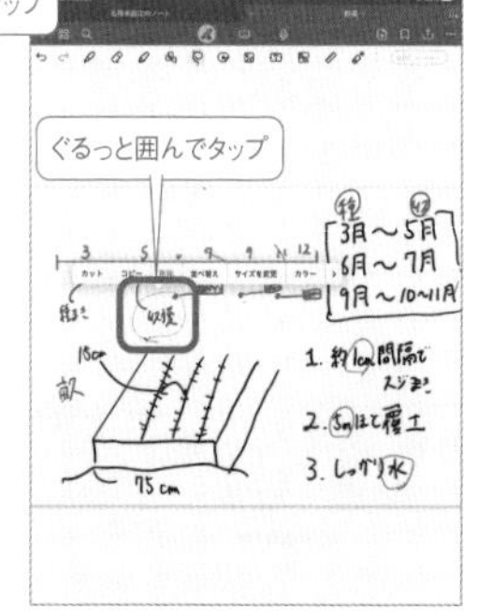

投げ縄ツールを使いたい場合、対象を囲んだ後、終点をタップすると点線に変化し、投げ縄ツールが利用できる。

上級技

163 クラウドノート 仕事の多くがこれひとつでOKな超多機能ノート「Notion」

原稿書き、表計算、タスク管理など、これ1つでかなり多くのことができる

多機能ノートアプリといえばEvernoteが有名だが、無料プランは端末制限や機能制限があり使いづらく感じている人は多いだろう。無料でEvernote並のノートアプリを使いたいなら「Notion」がおすすめだ。

Notionはクラウド形式のノートアプリ。作成したノートはクラウド上に保存され、無料ながら複数の端末に制限なしでノートを同期することができる。シンプルなインターフェースながら非常に多機能な点もNotionの特徴だ。ノート作成、写真挿入、タスクリスト、ノートのシェア、テキスト装飾、URLリンクの貼り付けなど標準的なノートアプリに搭載されている機能はほぼカバーしている。データベースという表機能を使えば、エクセルのように情報を分かりやすくデータベース化することも可能だ。

また、マークダウン記法に対応しており、Magic keyboardやFolioなどを利用している人であれば、キー操作で効率的に改行、見出し、箇条書き、ナンバリング作業が行える。

作成した各ページは画面左にあるページ一覧で階層化して整理することができるほか、各ページ内に小ページを作成、管理することができる。ほかのユーザーとノートを共有したい場合は共有機能を利用しよう。公開URLを作成すればだれでも閲覧することができるほか、共同でページを編集したり、コメントを付けてもらうこともできる。

App

Notion
作者:Notion Labs, Incorporated
価格:無料

Notionを使ってみよう

1 ページを作成する

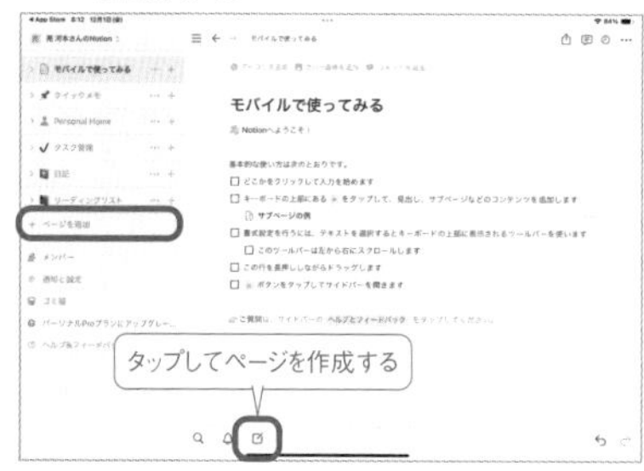

Notionでページを作成するには左メニューの「ページを追加する」または下部にあるページ作成ボタンをタップしよう。

2 見出しとカバーを設定する

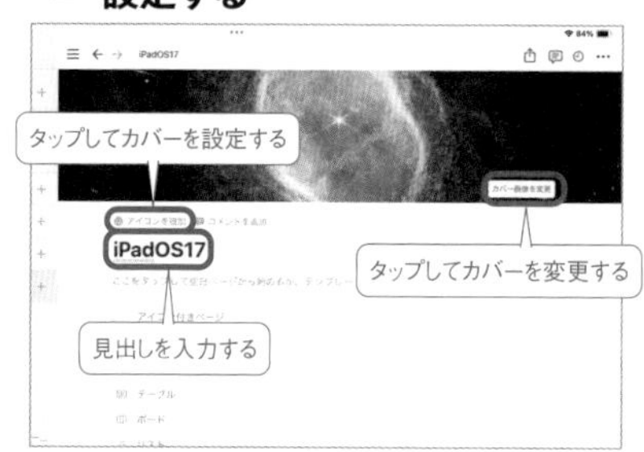

新規ページが作成される。まずは見出しを入力しよう。「カバー画像を追加」をタップすると自動的にカバーが設置される。カバーは「カバー画像を変更」から好きなものに変更できる。

3 ツールバーを利用する

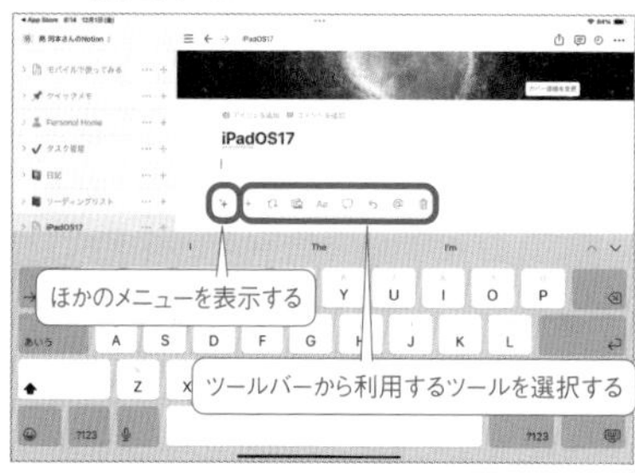

画面をタップしてノートを入力していこう。画面下部にあるツールバーから写真を入力したり、カラーを変更できる。さらに多くのツールを利用する場合は「+」をタップ。

4 さまざまなメニューが表示される

「+」をタップすると表作成やカレンダー、タスクリストなどさまざまなツールメニューが表示される。

5 ページを追加して階層化する

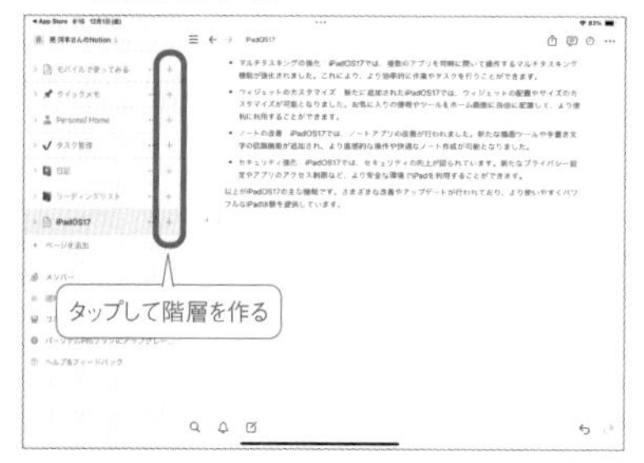

階層的なページ構成にしたい場合は、左メニューにあるページ右にある「+」ボタンをタップする。そのページの下の階層が作成される。

6 ページをシェアする

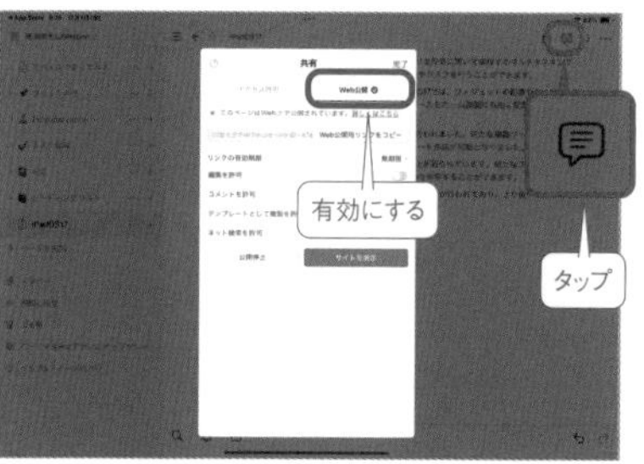

作成したページをシェアする場合は、右上のシェアボタンをタップする。「Webで公開」を有効にすれば公開URLを作成できる。

※基本、無料プランで充分に利用できるが、無料プランは1ファイルのサイズが5MBまで、同期データベースの行数が100行まで、などの制限があるので、用途によっては有料プランも考えよう。

164 Notion Notion AIに質問してNotionにどんどんメモする

質問して回答された内容をそのままメモ保存

Notionの最新バージョンでは、AI機能搭載の「Notion AI」が追加された。ツールバー左端にあるAIボタンをタップして、Notionに調べたいことを尋ねると回答してくれ、回答内容をそのままNotionにメモとして保存することができる。ウェブで調べた内容をコピー&ペーストする手間を省くことができる。入力したテキストに応じて、要約、添削、翻訳、営業メールの作成やブログ投稿の作成、表の作成など、その用途は非常に幅広く、ChatGPTとメモアプリが合体したような使い心地だ。

1 AIボタンをタップしてメニューを選択

2 入力欄に直接テキストで質問する

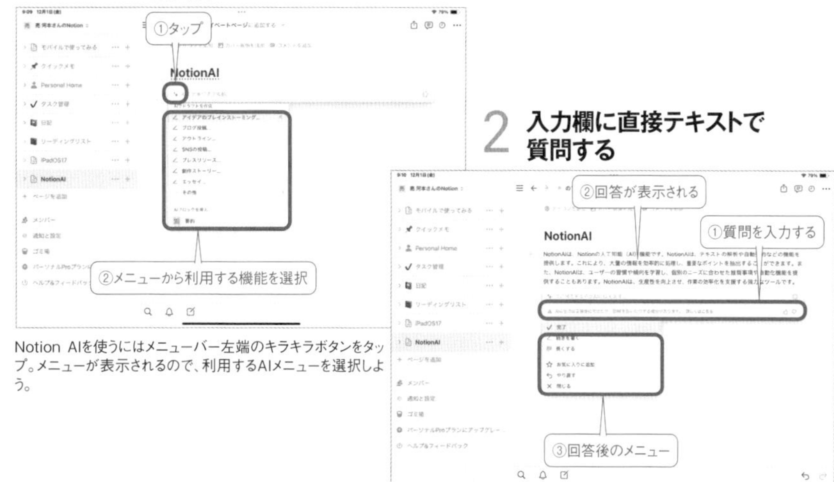

Notion AIを使うにはメニューバー左端のキラキラボタンをタップ。メニューが表示されるので、利用するAIメニューを選択しよう。

入力欄に直接テキストでAIに質問すると回答がノートに表示され、メモとして保存される。回答後に表示されるメニューから、追記したりやり直ししたりすることもできる。

165 ノート Notionより気軽に使えるノート作成ツール「Craft」

ドラッグ&ドロップやスワイプ操作でテキストを編集&修飾する

「Craft」はiPad上で美しいドキュメントやノートを作成できるアプリ。ほかのノートアプリよりも操作が非常にシンプルなのが特徴で、ドラッグ&ドロップやスワイプ操作で入力したテキストの編集を行う。「Notion」だと機能が多すぎる、と感じる人におすすめだ。

Craft
作者／Luki Labs Limited
価格／無料

1 文章をドラッグ&ドロップで移動する

Craftで入力した文章を移動するには、長押しして上下にドラッグ&ドロップすればよい。このような、iPadでのテキスト操作が非常に快適なのがCraftのポイントだ。

2 左にスワイプして文章を修飾する

選択した文章を修飾したりサイズを変更する場合は、左へスワイプ。メニューが表示されるので操作したいコマンドを選択しよう。

※無料で利用できるブロック数(行数)は、1,000までとなっている。それを超える場合は有料プランを考えよう。

166 クラウドノート あらゆる情報を記録するクラウドノートサービス

定番メモアプリで備忘録から日記まですべて記録する

Evernoteは、メモや写真、ボイスメモ、動画といった日々の記録をネット上に同期させて利用できるクラウド型ノートアプリ。iPadから記録したメモや写真を同期してパソコンやスマートフォンから見たり、パソコンで記録した情報をiPadから参照するなど、いつでもどこでも常に最新の情報を記録&取り出すことができる(無料ユーザーで同期できるのは2台まで)。登録されたデータはすべてクラウド上に保存されているので、同じアカウントでログインすれば複数のiOS端末やスマートフォンでノートを同期できる。

1 新規ノートを作成する

アプリを起動してアカウントを登録もしくは作成してサインインしたら、画面の下にある新規ノート作成ボタンをタップして新規ノートを作成しよう。

2 テンプレートを使ってノートを作成する

ノート作成画面でキーボードを表示するとキーボード上にテンプレート名が表示される。利用したいテンプレートを選択する。

App
Evernote
作者／Evernote
カテゴリ／仕事効率化
価格／無料

上級技

167 クラウドノート Evernoteの同期台数を無料で増やす裏技

Evernoteの無料ユーザーは、公式アプリを使用して同期できる端末数が「2台」に制限されており、さらに2023年12月からノートの上限数、1ノートのアップロードサイズの大幅の減少など無料版の使い勝手は日々悪くなってくる。有料版に変更するのが一番の解決だが、どうしても無料かつ公式アプリで同期させたいなら、サブアカウントを取得しよう。そして、メインのアカウントからノートブックをサブアカウントで共有すれば、ノートブックを共有できる端末の数は増えることになる。

アカウントの追加は、アカウント画面の「アカウントを追加」から行える。なお、アカウントの切り替えもアカウント画面から行える。

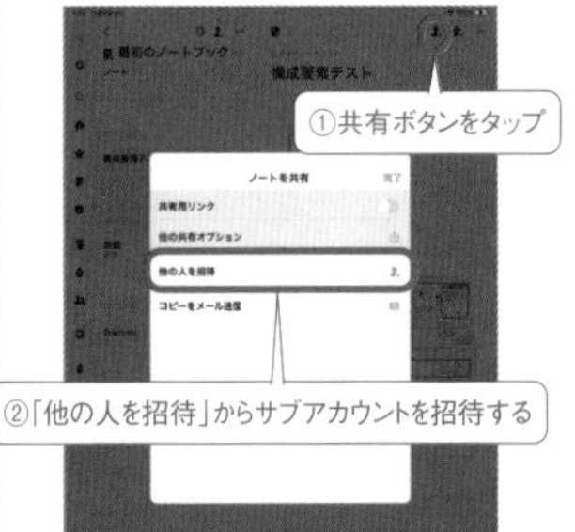

メインのアカウントでログインし、ノートブックを開いて共有ボタンをタップ。サブアカウントを招待してノートブックを共有しよう。

168 クラウドノート ノートアプリの録音機能を使おう

iPadには標準で録音アプリ「ボイスメモ」が搭載されているが、メモを取りながら録音するならノートアプリを使おう。ノートアプリの多くは録音機能を搭載しており、録音しながらメモを取ることができる。おすすめはEvernoteだ。ほかのアプリに比べるとファイルが小さく、10分間の録音ファイルで約4.5MBに圧縮できる。容量を気にすることなく長時間の録音が可能だ。

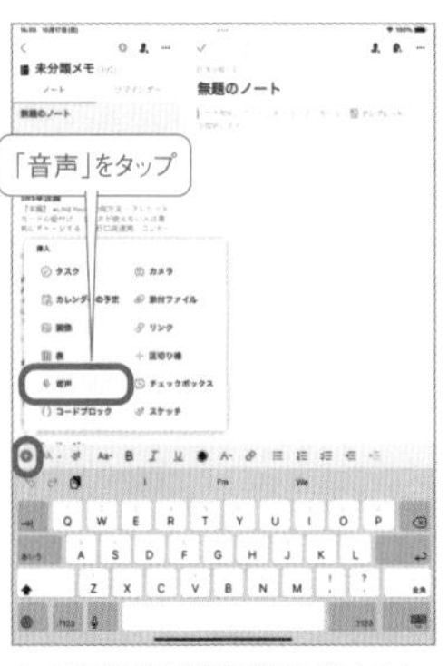

ノート作成画面左下の追加ボタンをタップして「音声」を選択しよう。するとノート上部に録音バーが表示され、すぐに録音が始まる。

録音中はさまざまな方法でメモを取ることができる。下部メニューから手書きのメモを追加したり、写真を添付することができる。

169 翻訳アプリ さまざまな用途に役立つ標準の翻訳アプリを使おう

通訳アプリとして使えるApple標準の「翻訳」アプリ

翻訳アプリはさまざまあるが、iPadでも標準で「翻訳」アプリがインストールされており、かなり高機能だ。翻訳アプリは、入力したテキストを英語、中国語、ロシア語、スペイン語など世界各国の言語に変換して表示してくれ、また翻訳した内容は音声で読み上げてくれる。

特に優れているのは「会話」モード。画面上に2つのマイクボタンが表示され、向き合っている相手と一緒に翻訳アプリを利用できる。「通訳」アプリといっても過言ではなく、海外旅行や海外の人とビジネスでやり取りするときに非常に便利だ。

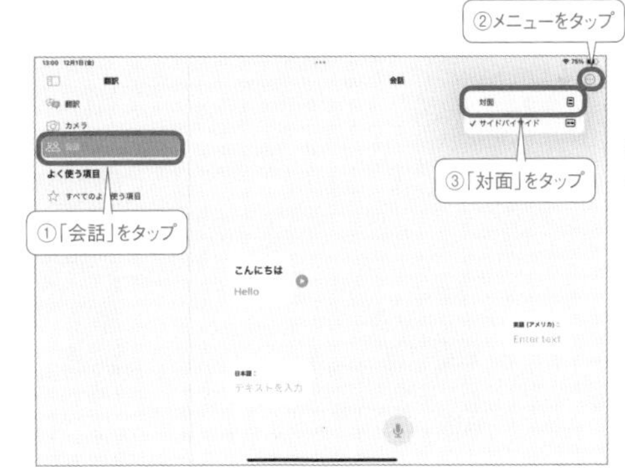

1 通訳のように使うには会話モードに切り替える

相手と向き合って翻訳アプリを共用する場合は、サイドバーから「会話」をタップし、画面下にあるメニューボタンをタップし「対面」をタップしよう。

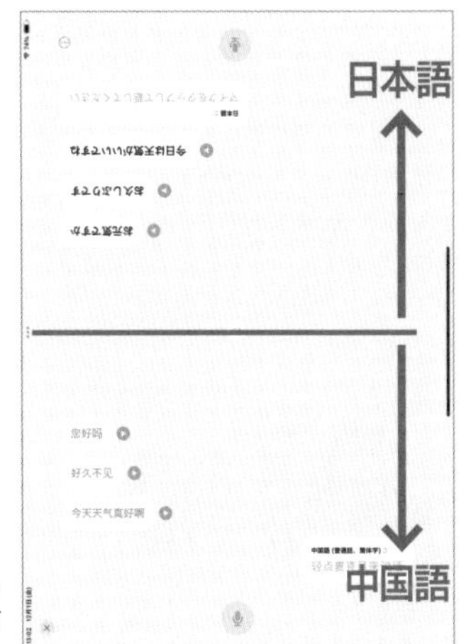

2 対話形式で翻訳アプリを使う

画面が分割され、互いの画面にマイクアイコンと言語メニューが表示される。自分が利用している言語を選択して話しかけると、相手の画面に翻訳表示してくれる。

上級技

170 翻訳アプリ オフラインで翻訳アプリを使用する

翻訳アプリは、翻訳したいテキストを変換する際インターネットに接続する必要がある。しかし、会話モードなど相手と向き合って翻訳アプリを使う際は、外出中であることが多くインターネットに接続できないこともある。そこで、インターネットに接続できない状況でも翻訳アプリをできるよう、利用する言語を事前にiPadにダウンロードしておこう。

また、ダウンロードした言語を常に利用したい場合は、「設定」アプリから「翻訳」を選択して「オンデバイスモード」を有効にしておこう。

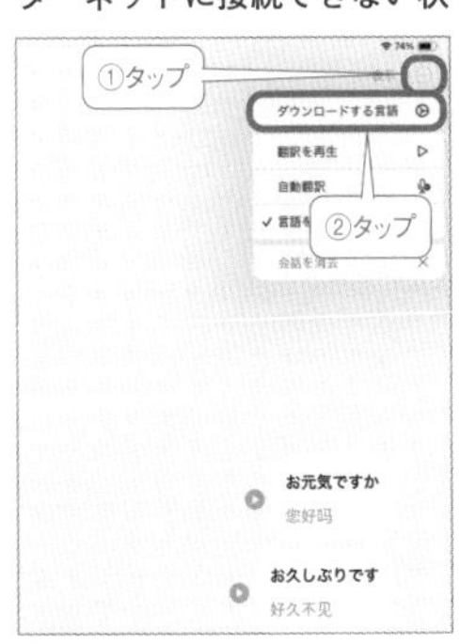

言語横のメニューボタンをタップして「ダウンロードする言語」をタップする。

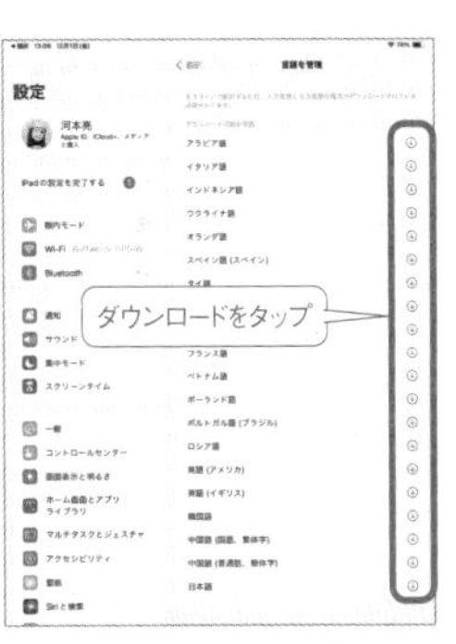

オフラインで使用したい言語横のダウンロードボタンをタップするとダウンロードされる。

171 翻訳 カメラ機能を使って看板やメニューを翻訳しよう

翻訳アプリはカメラ機能を搭載しており、カメラで映している画面から文字を読み取って翻訳することもできる。写真や文章を撮影すると、アプリが自動的にテキストを検知し、選択した言語に瞬時に翻訳して表示してくれる。看板やメニューなど、外国語のテキストを瞬時に理解できるので、旅行や日常生活での言語の壁を取り払ってくれるだろう。また、保存している写真を読み込んで翻訳することも可能だ。

①「カメラ」をタップ
②言語を指定する

メニューから「カメラ」を選択するとカメラが起動する。翻訳元と翻訳先の言語を指定しよう。

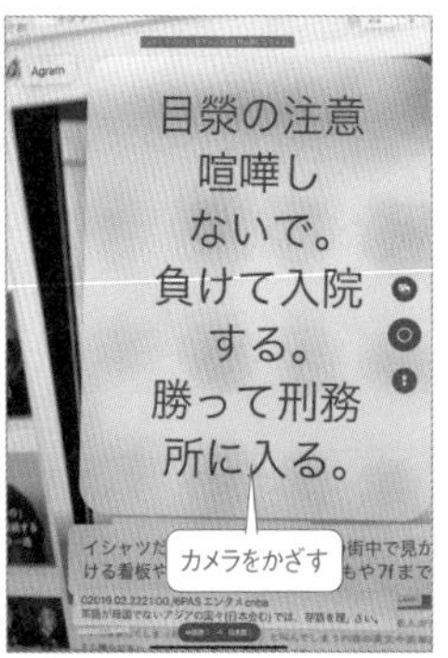

カメラに翻訳したい文字をかざすと翻訳して表示してくれる。

172 クラウド PCとのデータのやりとりに便利なクラウドストレージ

クラウドを意識せずにパソコンとデータ交換する

iPadとPCでデータをやり取りしたい場合、そのつどケーブルで接続するのは面倒だ。そこで便利なのがクラウドストレージ。「Dropbox」は定番のクラウドサービスで、個人向けのBasicプランなら2GBのストレージを無料で利用することができる。ドキュメントを撮影して、PDF形式でアップロードできるなど、ビジネス文書の管理にもマッチしている。

App

Dropbox
作者／Dropbox　言語／日本語
価格／無料（App内課金月額900円から）

1 DropboxからPDFなどを表示する

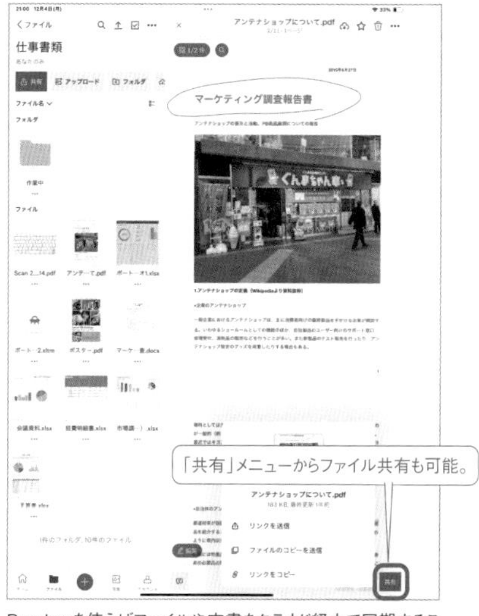

Dropboxを使えばファイルや文書をクラウド経由で同期することができる。「共有」メニューからファイルの共有も可能だ。

2 PCアプリやブラウザからデータ交換

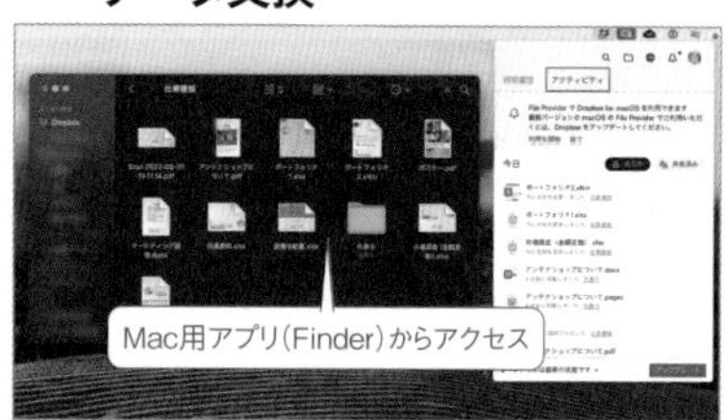

Mac/PC用アプリの他、ブラウザからもアクセスでき、OSを問わずファイルのやり取りが行なえる。

173 PDF Dropbox上のPDFへの注釈はAdobe Acrobat Readerを使おう

Dropbox上から直接起動して注釈を付けて保存できる

Adobe Readerをインストールしていれば、Dropbox上からすぐに注釈を付けて上書き保存できる。わざわざほかのPDFアプリから読み込んで書き出す必要はなく便利。ほかのPDF注釈ツールに比べると機能はそれほど多くはないが、App Storeから無料でダウンロードして使えるのは大きなメリットだ。

App

Adobe Acrobat Reader
作者／Adobe　価格／無料（アプリ内課金月額550円から）
カテゴリ／ビジネス

1 PDFをDropbox上で開いて編集ボタンをタップ

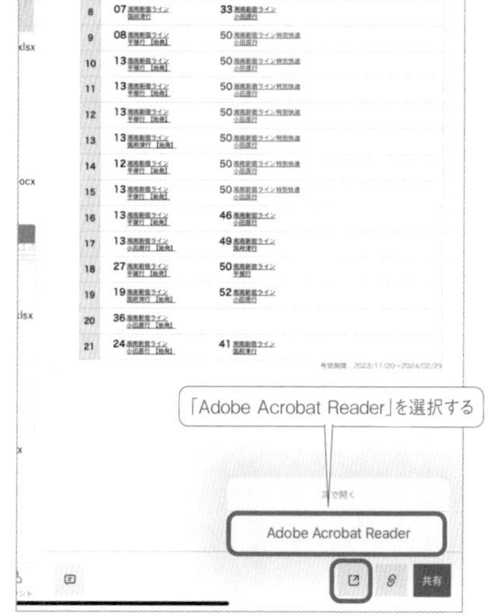

編集したいPDFを選択して、右下にある「開く」ボタンをタップする。Adobe Acrobat Readerで注釈を入れるなら「Adobe Acrobat Reader」を選択する。

2 注釈ツールを使ってPDFに注釈を付ける

注釈を入れる場合は画面の注釈ボタンをタップする。画面上部に表示される注釈ツールで注釈を入れていこう。

Dropbox

174 文書や名刺をスキャンしてDropboxに保存する

Dropboxはドキュメントスキャン機能を搭載しており、Dropbox保存している写真をモノクロや、グレースケール形式に変換できる。写真を白黒に変更することでデータサイズを圧縮したり、文字がくっきり読めるようになる。

またDropboxから直接カメラを起動して、ドキュメントスキャン機能で書類を取り込むことができる。撮影時にDropboxが自動で書類部分だけをトリミングしてくれる。手動でトリミングすることも可能だ。

1 ドキュメントスキャナを起動する

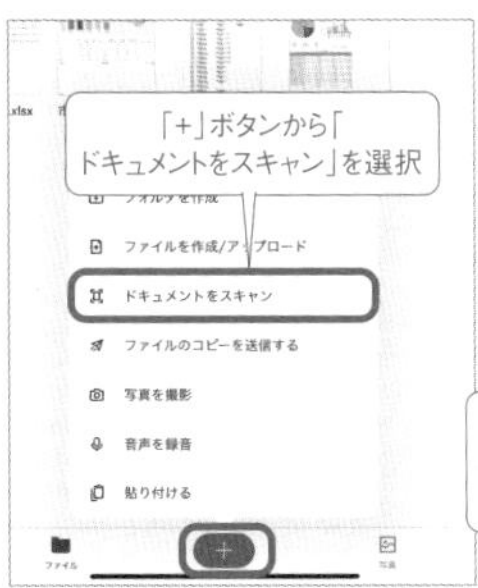

紙の書類を撮影してスキャンする場合は、Dropboxメニューの「+」をタップして「ドキュメントをスキャン」を選択しよう。

2 自動で範囲選択され撮影される

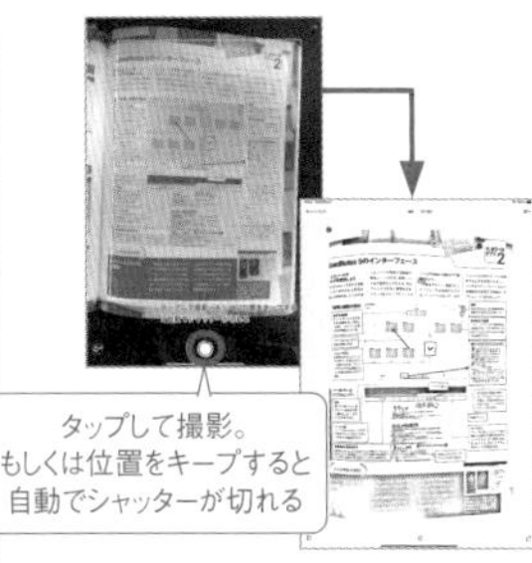

カメラ画面が起動するので書類にカメラを向ける。青い枠線で自動でスキャン範囲を選択してくれる。シャッターボタンをタップしよう。

Dropbox

175 Dropboxのフォルダを他のユーザーと共有する

ビジネスのメンバーと文書やデータ、資料をやり取りしたい場合にもDropboxは活躍する。「共有」機能を使えば、フォルダ単位での共有ができるので、チームの共有フォルダを作成してメンバーと共有しておけば、情報を一元化できて業務もスムーズになる。

また、共有リンクを作成しての共有も可能。「編集用リンク」、「閲覧用リンク」で使い分けられるので、業務や共有先に応じて使い分けよう。

1 フォルダの「共有」をタップ

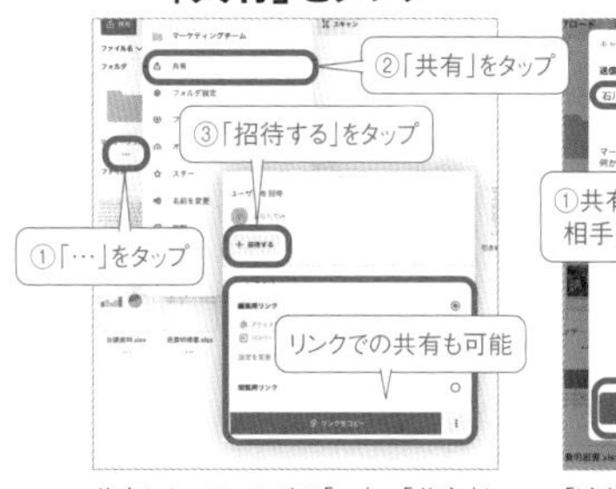

共有したいフォルダの「…」→「共有」とタップ。「招待する」をタップしよう。

2 ユーザーを追加して共有の開始

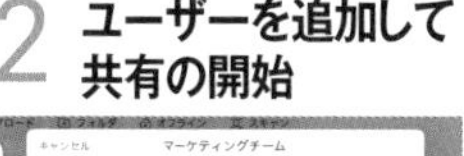
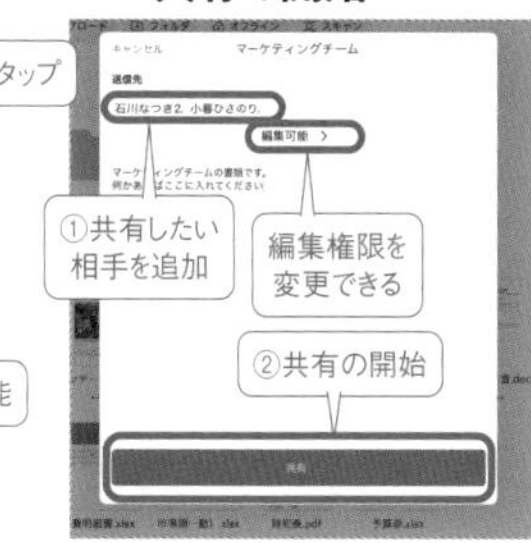

「連絡先」に相手のメールアドレスを入力して追加。コメントを添えて「共有」ボタンをタップすれば、相手に共有の招待が届く。

クラウド

176 複数のクラウドと同期できる万能サービスを使う

iPadとパソコン間の連携にクラウドを使うなら、複数のサービスを管理できる「Documents」もオススメ。クラウド上の指定したフォルダのみ同期する機能を活用すれば、容量節約とスムーズなデータ連携が可能になる。

App

Documents
作者/Readdle Technologies Limitedd
価格/無料(App内課金・年額1080円から)

1 Dropboxのフォルダを同期する

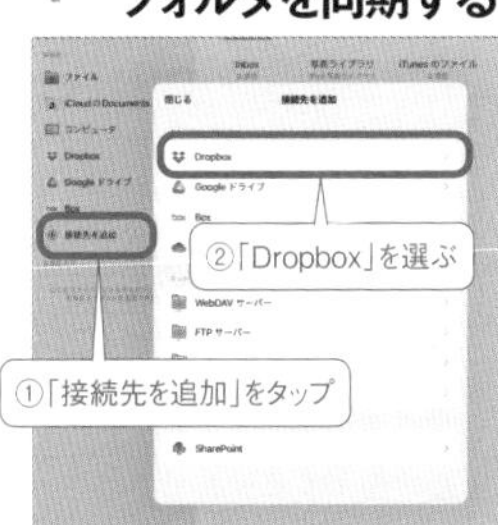

DocumentとDropboxを接続するには、サイドメニューから「接続先を追加」をタップして接続先一覧から「Dropbox」を選択しよう。

2 特定のフォルダのみ同期してDocumentsで管理

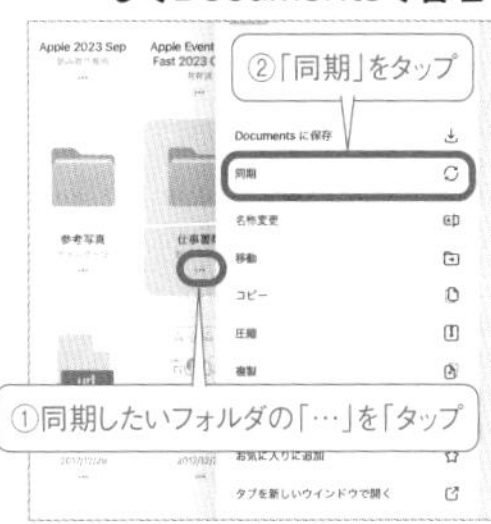

接続後、フォルダ下の「…」をタップ。「同期」を選択するとそのフォルダだけをDocumentsと同期できる

クラウド

177 パソコンのブラウザからiPadのデータにアクセスする

DocumentsではiPadとパソコン間でデータをやり取りできる。これにはサイドメニューの「コンピュータ」で表示されるURLをパソコンのブラウザで開けばOKだ。ブラウザ経由でiPadに保存されたデータへアクセスできる。

App

Documents
作者/Readdle Technologies Limitedd
価格/無料(App内課金・年額1080円から)

1 認証コードを確認する

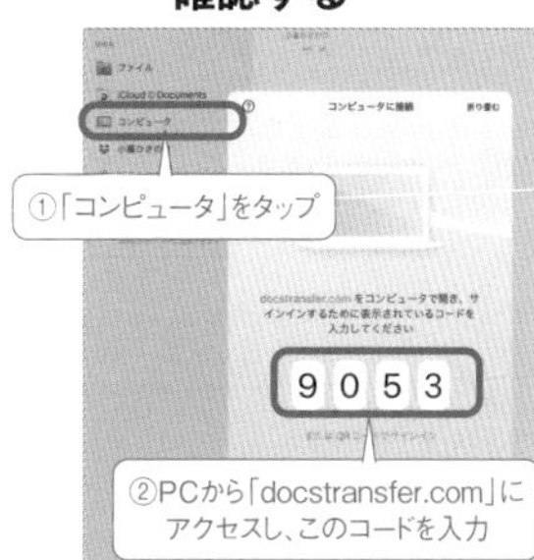

サイドメニューから「コンピュータ」をタップ。PCのブラウザで「docstransfer.com」にアクセスする。

2 ブラウザからファイルにアクセス

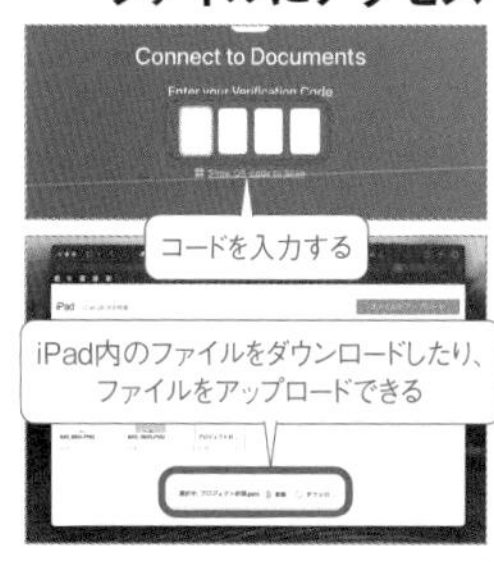

コードを入力すると、iPadに接続され、ブラウザ経由でDocumentsアプリにアクセスできる。これでiPadとデータをやり取り可能。

178 リマインダー より使いやすくなった「リマインダー」を使おう

マスト!

スマートリストで「やるべきこと」が一目瞭然!

標準の「リマインダー」アプリは、シンプルさと使いやすさのバランスが良く、無料ながらもタスク管理に活躍してくれる。特に便利なのが左上に表示される「スマートリスト」だ。ここは「今日」「日時設定あり」「フラグ付き」などジャンルごとに分類してくれる。たとえば、今日の予定をチェックしたい場合は「今日」をタップすればOK。日時が決まっている予定は「日時設定あり」を見ればいい。

また、リスト管理だけでなく、タグでの管理も可能で、さまざまな要件を効率よく仕分けられるのもポイントだ。

1 スマートリストをチェックする

リマインダーを効率よく確認・管理するには左上の「スマートリスト」から。分類されたリマインダーを素早く確認できる。

2 リスト内のタスク表示やメモ機能が充実

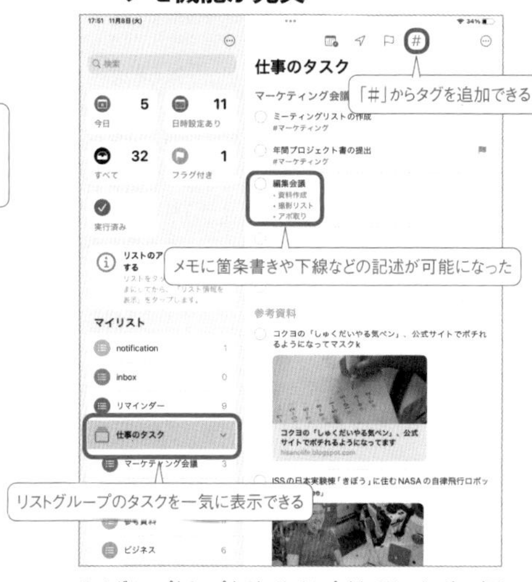

リストグループをタップすると、リストに含まれるリマインダーが同時に表示。メモに箇条書きや下線といったフォーマットの追加もできるようになった。

179 リマインダー リマインダーのテンプレートを活用する

定期的に行なう作業や要件のリマインダーを毎回作るのは面倒だ。そこで便利なのがリマインダーのテンプレート化。リマインダーを追加したリストを選び「テンプレートとして保存」を選択。これで、そのリストをテンプレートとして保存し、同じ内容のリマインダーリストを素早く追加することができる。ビジネスシーンでは、出張や会議の準備のためのリマインダーとして、プライベートではサークル活動のToDo管理などに活用してみよう。

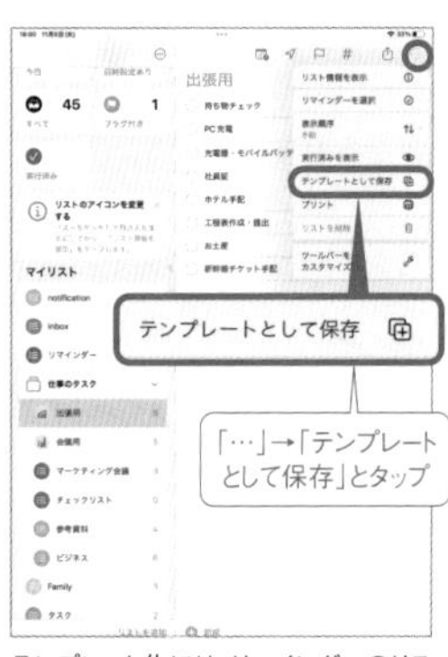

テンプレート化には、リマインダーのリストを選び「…」→「テンプレートとして保存」を選ぶ。

リストを追加する時に「テンプレート」タブから、保存したテンプレートを追加できる。

180 タスク管理 ボードでタスク管理できる「Trello」を使おう

タスクの進行管理におすすめなのが「Trello」。タスクのジャンルごとに「ボード」を分け、タスクを「カード」として追加。カードを動かし進行状態を振り分けていくことで、グラフィカルな進行管理が可能になる。

タスクはジャンルごとに「ボード」という単位で分けて管理する。「+」から追加しよう

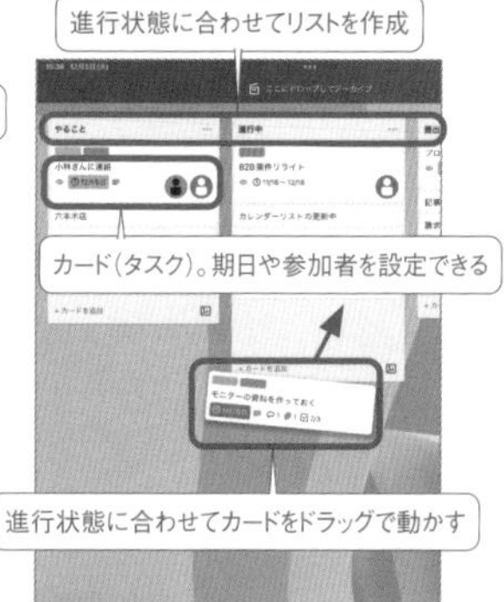

「やること」「進行中」「完了」など、進行度のリストを作成して、タスク(カード)を動かして進行管理する。

上級技

181 ショートカット 標準アプリ「ショートカット」とはどんなツール?

よく行うiPad操作をタップ1つで行う

「ショートカット」はさまざまなアプリ動作をひとつにまとめることができるアプリ。普段、いくつもタップしていた作業を省略できるのが特徴だ。たとえば、SNSのアプリを起動することなくショートカットからタップ1つで投稿作成画面を起動し、投稿することができる。なお、iPadユーザーがよく使うショートカットがあらかじめ用意されているが、自分でオリジナルを作成したり、iPadが自動的にショートカットを作成して提案してくれる。

1 あらかじめ用意されているものを使う

まずはあらかじめ用意されているものを使ってみよう。「最新の写真をメッセージで送信」をタップしてみると……。

2 最新の写真が添付されたメッセージ画面に!

すると、最新の画像がメッセージに添付された状態で表示される。省力化のレベルは微力であるが、積み重なれば大きな効率アップになる。

182 ショートカット ショートカットのおすすめメニューはこれ

ショートカットメニューはあらかじめiPad内にたくさん用意されているが、数が多くどれを選べばよいか悩むユーザーもいるだろう。ショートカットメニューから「ギャラリー」を開こう。「整理整頓」や「クイックショートカット」、「どこからでも仕事」などのさまざまなカテゴリからショートカットを提案してくれる。適当なものを選択して続いて表示される「ショートカットを追加」をタップすれば「マイショートカット」に設定を追加できる。

最初は、どういうショートカットが自分に役立つのか明確にはわからないので、深く考えずにいくつか試してみよう。

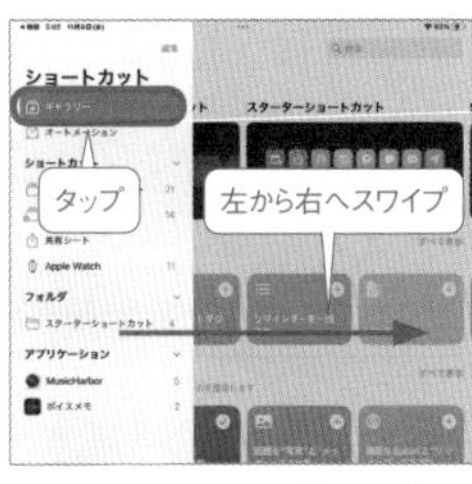

おすすめのショートカットを探すには左から右にスワイプして「ギャラリー」をタップする。人気ショートカットが一覧表示される。

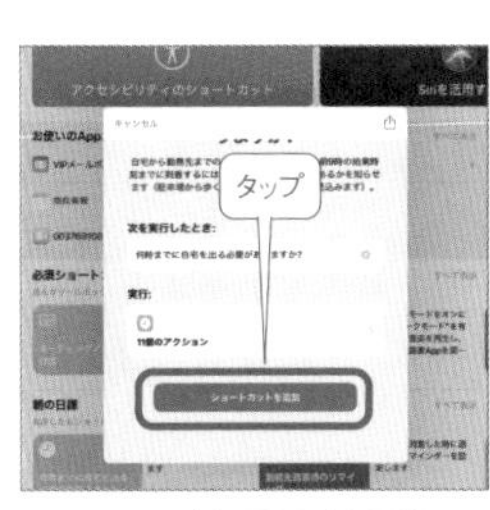

ショートカット追加画面が表示される。「ショートカットを追加」をタップすると「マイショートカット」に登録される。

183 ショートカット ショートカットをホーム画面から素早く起動

「ショートカット」は目的のアプリの操作をスムーズに行うためのものだが、毎回「ショートカット」アプリを起動しないとならず標準では意外と使いづらい。そこで、よく使うショートカットはホーム画面に設置しよう。「ショートカット」で作成した設定はホーム画面から起動させることができる。ほかのアプリと同じくDockにも追加することができるので、よく使うショートカットは画面下から引出して素早く目的のショートカットを起動できる。また、好きな名前に変更したり、ほかのアプリと1つのフォルダにまとめることも可能だ。

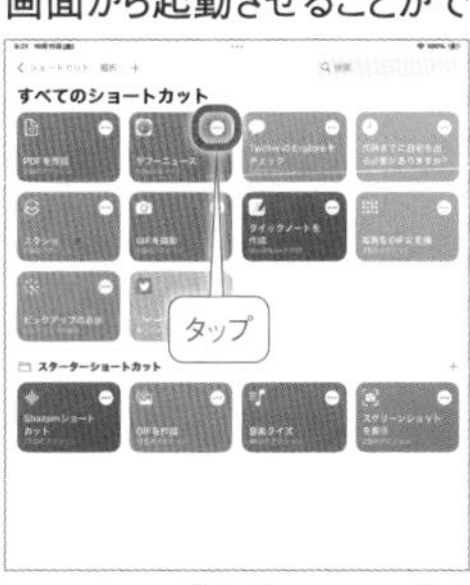

ショートカット一覧画面からホーム画面に追加したいショートカットの右上のメニューボタンをタップする。

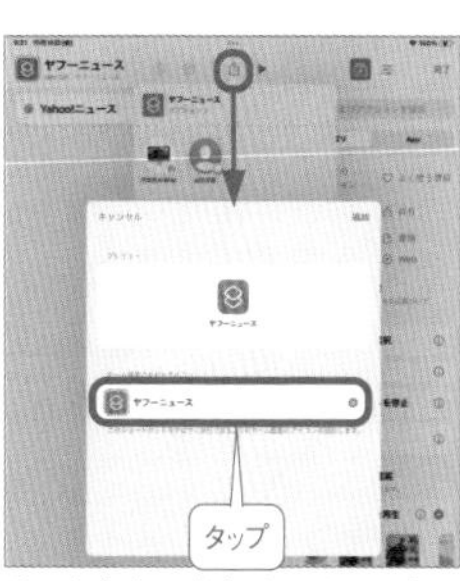

次に中央上の共有ボタンをタップして「ホーム画面に追加」をタップすればショートカットがホーム画面に追加される。

マスト!

184 文字入力 文字入力を快適にするテクニック

知っていると大きな差が付く文字入力Tips

iPadの操作の中でも、大きなウエイトを占めているのがキーボードを使った文字入力。アプリの文字入力エリアをタップすると画面上にキーボードが表示され、キーをタップして文字を入力していくが、通常の操作ではなかなか気が付かない、便利な機能が数多く用意されている。

特にキーボード種別のカスタマイズは、iPadをセットアップする際に同時に設定しておきたいポイント。標準では50音の日本語かなや絵文字キーボードが組み込まれているが、使用しない場合はこれを削除しておけば、キーボードを切り替える時の手間が軽減され、文字入力が効率的になる。もちろん、削除したキーボードは後で追加することもできるし、他言語のキーボードを利用する場合はそれを追加してもいい。

また、英語キーボードであれば、予測変換や自動修正（スペルチェック）といった入力支援機能が使えたり、文頭を自動的に大文字にしてくれる。これらの機能は、設定の「一般」→「キーボード」から、機能をオン／オフできる。iPadで文書作成や編集作業などを考えているなら、これらも事前に見直そう。

ここで紹介するものの他にも、次のページで紹介しているサードパーティー製のキーボードアプリも利用できる。標準キーボードの設定だけでなく、使いやすいキーボード選びも含めてカスタマイズしていこう。

知っているとお得な文字入力の便利機能

1 キーボードを素早く切替える

日本語や英数キーボードを素早く切替えるには、キーボード切り替えボタンを長押ししてみよう。キーボードの種類がポップアップする。

2 音声で文字を入力する

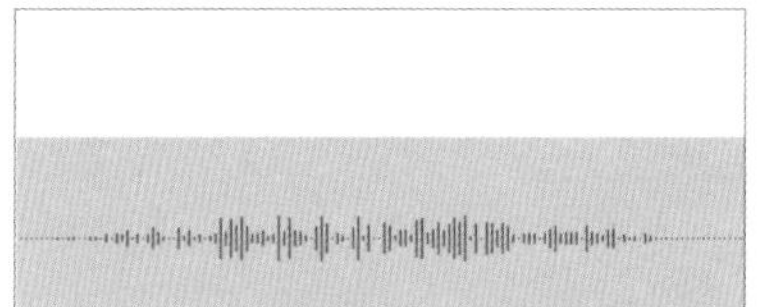

キーボード切り替えボタン横にあるマイクのアイコンのボタンをタップすると、音声入力で文字を入力できる。精度はかなり高いので、静かな場所であれば正確に文字を入力できる。

3 使わないキーボードを削除する

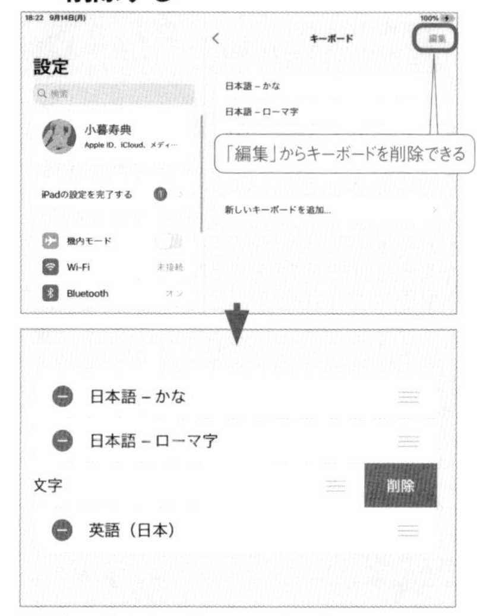

「設定」→「一般」→「キーボード」→「キーボード」を開き「編集」をタップ。削除したいキーボードの削除アイコンをタップして不要なキーボードを削除すれば、入力時にキーボードを切り換えるときもスムースになる。

4 キーボードに無い文字を入力

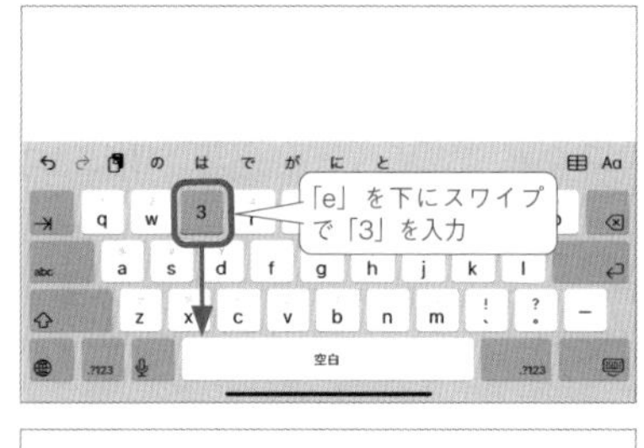

キーを長押しすることで、キートップには表示されていない記号や文字を入力することができる。たとえば、英数キーボードの「¥」を長押しすると、ユーロやポンドといった世界の主要通貨記号が入力できる。

5 スペルチェックと予測機能

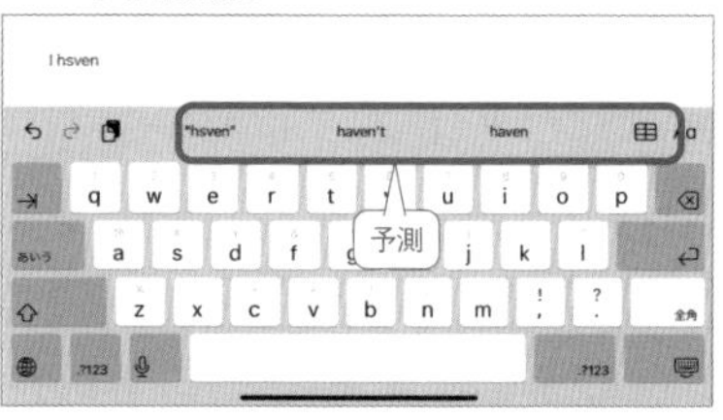

スペルチェック機能（「設定」→「一般」→「キーボード」→「スペルチェック」）オンにすると、英文入力時に自動的にスペルミスを修正する。また、「予測」をオンにすれば、英単語の予測変換機能が利用できる。

6 iPadでフリック入力する

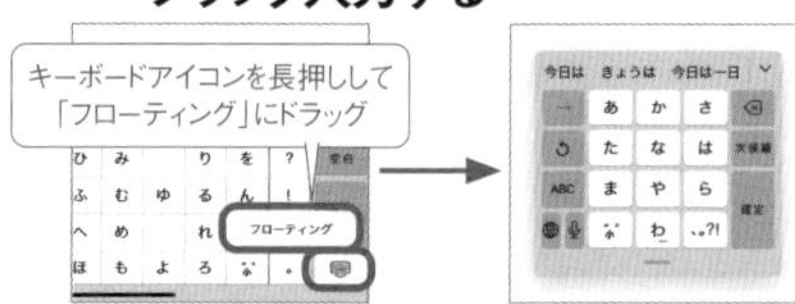

iPadでもフリック入力が利用できる。キーボードを「日本語かな」に切り替えたら、キーボードアイコンを長押しして「フローティング」へドラッグする。フルキーボードに戻すには、画面下部にキーボードをドラッグすればいい

クリップボード

185 MacやiOS間でテキストを簡単に共有する

iCloud経由でクリップボードを共有できる

MacやiPhoneとクリップボードを共有をするなら、「ユニバーサルクリップボード」機能を有効にしよう。同じApple IDでiCloudにログインしているだけで、MacやiPhoneのクリップボードに保存した内容をiPad上で即座にコピーして利用することができる。テキストだけでなく画像やムービーなどにも対応している。

なお、この機能を利用するにはHandoff、Bluetooth、Wi-Fiを有効にしておく必要がある。

各種設定条件を整えてMac上のテキストをコピー

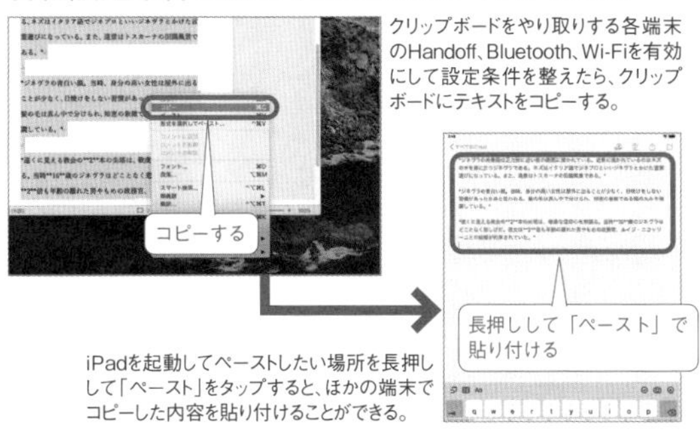

クリップボードをやり取りする各端末のHandoff、Bluetooth、Wi-Fiを有効にして設定条件を整えたら、クリップボードにテキストをコピーする。

iPadを起動してペーストしたい場所を長押しして「ペースト」をタップすると、ほかの端末でコピーした内容を貼り付けることができる。

キーボード

186 文字入力を極めたい人におすすめのキーボードはこれ!

フリック入力に慣れているため、iPadのキーボード入力に慣れない人は「片手キーボードPRO」を使おう。カスタマイズ性が非常に高い片手キーボードアプリで、片手でフリック入力ができるほかキーボード表示領域であれば、自由に配置できる。ほかにもキーボードを好きな配色に変更したり、サブキーボードに好きな記号を登録することが可能だ。

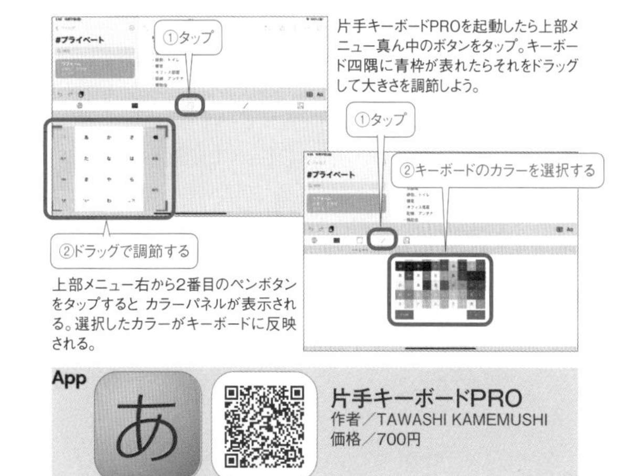

片手キーボードPROを起動したら上部メニュー真ん中のボタンをタップ。キーボード四隅に青枠が表れたらそれをドラッグして大きさを調節しよう。

上部メニュー右から2番目のペンボタンをタップすると カラーパネルが表示される。選択したカラーがキーボードに反映される。

App
片手キーボードPRO
作者／TAWASHI KAMEMUSHI
価格／700円

187 手書きしたメモをテキスト変換できるノートアプリ

手書き

講義ノートや手書きした内容をテキスト管理するのに便利

Neboは、手書きした内容を素早くテキスト形式に変換できるノートアプリ。書いた文字をダブルタップするだけでテキストに変換することができる。デジタル変換した文字は上部メニューにあるツールを使ってさまざまな編集ができる。手書きでメモしたあとに、PC上でテキストデータとして管理したいときに便利だ。

App
Nebo
作者／MyScript
価格／無料
カテゴリ／仕事効率化

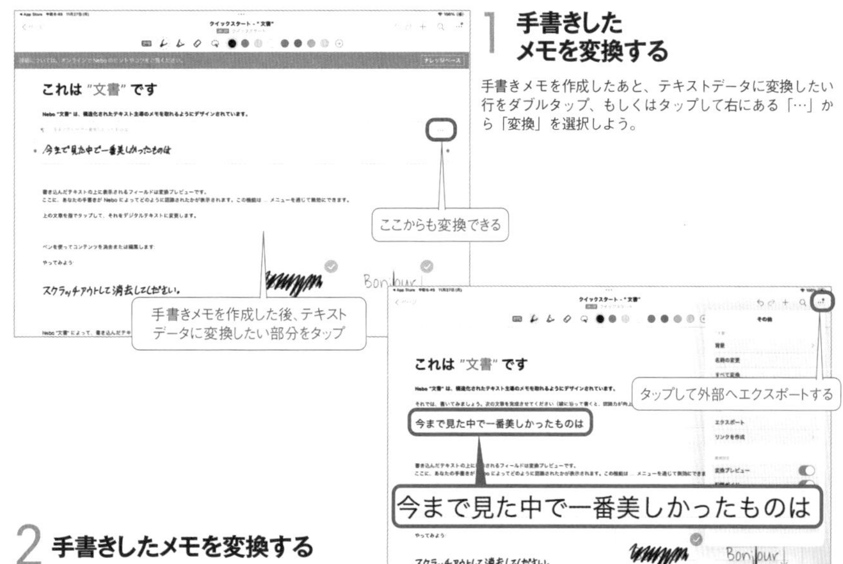

1 手書きしたメモを変換する

手書きメモを作成したあと、テキストデータに変換したい行をダブルタップ、もしくはタップして右にある「…」から「変換」を選択しよう。

2 手書きしたメモを変換する

手書きした部分がテキスト形式に変換される。変換したテキスト外部へエクスポートするには、右上の「…」から「エクスポート」を選択しよう。

テキストエディタ

188 縦書きで原稿作成ができる

「縦式」はシンプルな縦書きのテキストエディタ。400字詰めの原稿用紙と同じ体裁でテキスト入力することができ、ルビ、傍点、縦中横、見出し、改ページ、センター寄せに対応している。作成したテキストはPDF形式で出力でき、A4、B5など原稿用紙の大きさに合わせて印刷することもできる。

App
縦式
作者:Kazuyuki Mitsui
価格:無料

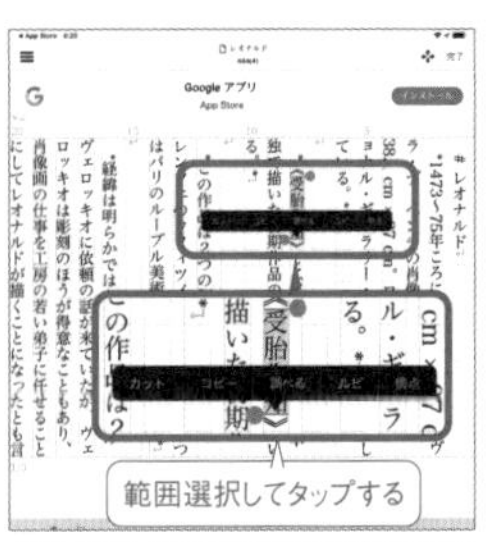

ルビ、傍点、縦中横などの設定を利用するには対象のテキストを範囲選択してタップしよう。メニューから適切なものを選択する。

作成したテキストを出力する場合は右上の共有ボタンをタップ。ファイル形式、用紙などを設定しよう。

マスト!

スクリーンショット

189 スクリーンショットを撮り即座に注釈を入れて送信する

マークアップツールで画像に注釈を入れて保存する

iPadでは電源ボタンとホームボタン(ホームボタンのないiPadはトップボタンと音量ボタン)を同時に押したときに働くスクリーンショットを撮影できる。撮影したスクリーンショットは即座に手書きの注釈を入れられる。注釈には「メモ」アプリのマークアップツールと同じものを利用する。撮影した写真に手書きでメモを入れられるほか、矢印や四角などのシェイプを挿入することもできる。注釈を入れたスクリーンショット画像は他のアプリと共有も可能だ。

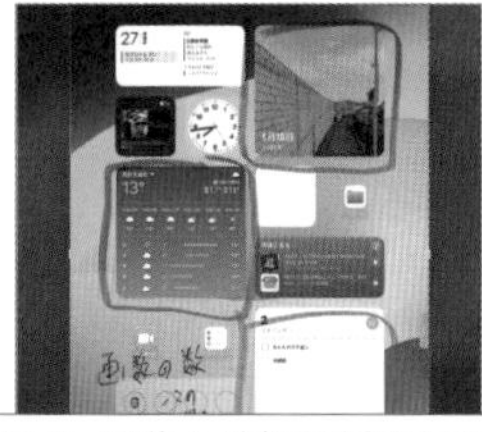

スクリーンショット撮影後、左下端に表示される画像をタップするとマークアップツールが起動する。ペンを選択して直接手書き注釈を行おう。

マークアップ画面で右上の共有ボタンをタップすると注釈を入れた画像を保存したり、ほかのアプリに共有することができる。

POPデザイン

190 プロのデザイナー並のPOPを簡単に作成できる

豊富に用意されているパーツをダウンロードして、美しいPOPが作成できる。お店の業種別に、様々な有料パーツも販売されているが、無料パーツでも幅広く活用できる。POPのカスタマイズも可能。

App

POPKIT
作者/POPKIT CO.,LTD.
カテゴリ/エンターテインメント
価格/無料

このように、自分でゼロから作るには大変な、万人にアピールしやすいPOPを作成できる。

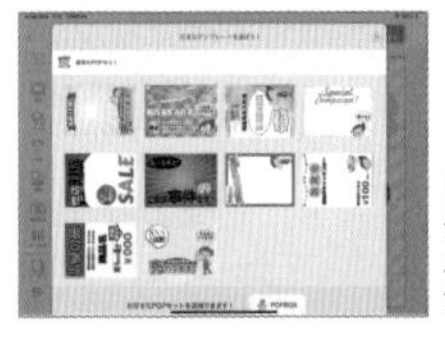

白紙から作ることもできるが、デザイン性の高いテンプレートが用意されているので利用しよう。メニュー左上のテンプレートボタンをタップするとテンプレートを選択できる。

上級技

圧縮・解凍

191 さまざまな形式の圧縮ファイルを解凍する

さまざまな形式の圧縮ファイルを解凍したり、ファイルをZIP形式に圧縮してメールなどで送信できるツール。パスワード付きの圧縮ファイルにも対応しているので、メールで受けとった圧縮ファイルが開けないときに用意しておくと安心。

App

iZip
作者/ComcSoft Corporation
価格/無料
カテゴリ/ユーティリティ

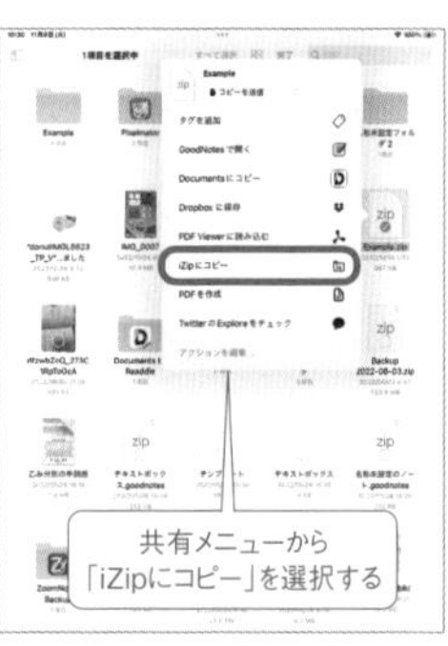

メールなど他アプリから共有メニュー経由でiZipに送信すると、確認後に解凍して「Files」に保存される。パスワード付きZIPもOK。

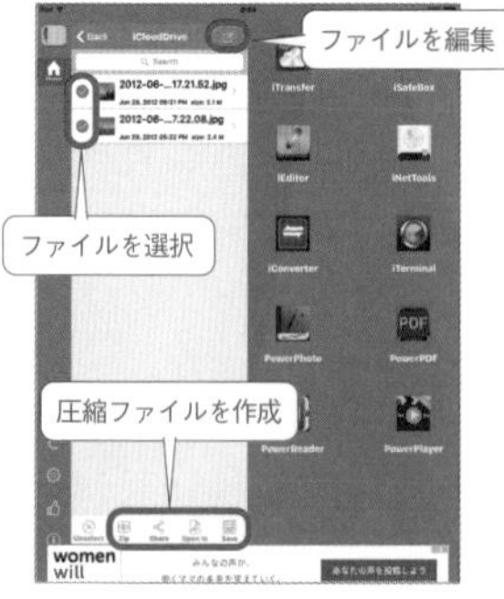

「Files」に保存されているファイルを選択して、ZIPアーカイブを作成できる。クラウドからダウンロードして圧縮することも可能。

SECTION 06

設定とカスタマイズ

一通りマスターしておきたい「設定」のポイントや、より自分好みにiPadを仕立て上げられるカスタマイズの例、ネットワークを駆使した上級技などをたっぷりと紹介。

上級技

192 ホーム画面 ホーム画面を1枚にできてしまうランチャー!

アプリをウィジェットに集約して効率アップ!

アプリを追加していくと、ホーム画面のページが増え、いざ使いたいと思ったときにどこに目的のアプリがあるのか分からなくなってしまうことがある。そんな悩みは、「Launcher」を使えばたちまち解決できる。このアプリは、オリジナルのウィジェットを作成できるアプリで、ウィジェットによく使うアプリをまとめておくと便利だ。

App

Launcher - 複数のウィジェットを持つランチャー
作者/Cromulent Labs
価格/無料(App内課金あり)

1 ウィジェットにアプリをまとめられる

Launcherで作ったウィジェットは、通常のウィジェットと同様にホーム画面に配置できる。ここによく使うアプリをまとめておけば、ホーム画面のページをめくってアプリを探す手間が省ける。

2 ウィジェットを作成する

アプリをまとめたウィジェットを作るには、最初に「アプリランチャー」を選択する。なお、一部Launcherに対応しておらず、ウィジェットに配置できないアプリもある。またApp内課金でより大きく、多くのアプリを配置できるウィジェットを作成できる。

193 設定 Macユーザーなら超便利なユニバーサルコントロールを使おう

Macのキーボードを、つなぎ直すことなくiPadで使う

iPadをパソコンライクに使いたいことはあるものの、そのために重くて厚い純正キーボードカバーを着けたり、マウスを常備しておいたりするのはちょっと……、という人におすすめしたいのが、「ユニバーサルコントロール」と呼ばれる機能だ。これは、Macに接続されているキーボード、マウス、トラックパッドなどの入力機器を、つなぎ直すことなく、iPadとシームレスに共有できるという機能だ。

これにより、iPadのそばにMacがあればいつでも、Macのキーボードを使ってiPadでスムーズに文字入力ができるようになり、マウスによるきめ細かい操作も可能になる。たとえば、iPadではYouTubeなどのアプリを、MacではWebブラウザなどを起動しておき、それぞれをMacから一括して操作するという、デュアルディスプレイのような使い方もおすすめだ。

ユニバーサルコントロール機能を利用するには、MacとiPadのそれぞれが、同一のApple IDでサインインしていることが条件になる。また、各デバイスが10m以内の距離にあり、すべてでBluetoothとWi-Fi、Handoffが有効になっている必要もある。

なお、ユニバーサルコントロールに対応するのは、macOS Monterey 12.4以降を搭載したMac、iPadOS 15.4以降のiPadになるので、この機能を利用したい場合は、手持ちのデバイスがこの条件の満たしているか、事前に確認しておこう。

ユニバーサルコントロールでできること

1 MacからiPadを操作できる

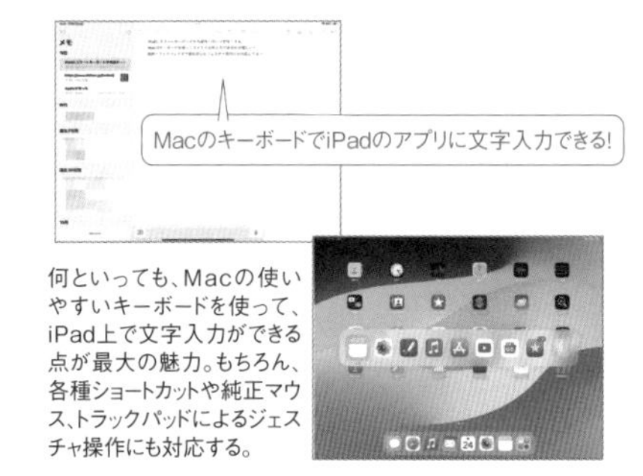

何といっても、Macの使いやすいキーボードを使って、iPad上で文字入力ができる点が最大の魅力。もちろん、各種ショートカットや純正マウス、トラックパッドによるジェスチャ操作にも対応する。

2 iPadにしかないアプリもMacで操作できる

Macに専用アプリが存在しないYouTubeなども、Macのキーボードやマウスで操作できる。iPadをまるで、Macのサブディスプレイのように使うといった用途もアリだ。

ユニバーサルコントロールを有効にする

1 iPadで有効にする

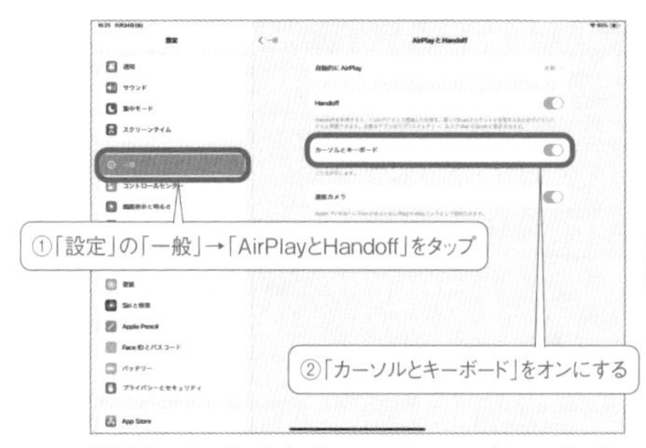

「設定」アプリで「一般」→「AirPlayとHandoff」をタップし、「カーソルとキーボード」のスイッチをオンにする。この画面では「Handoff」もオンにしておこう。

2 Macで有効にする

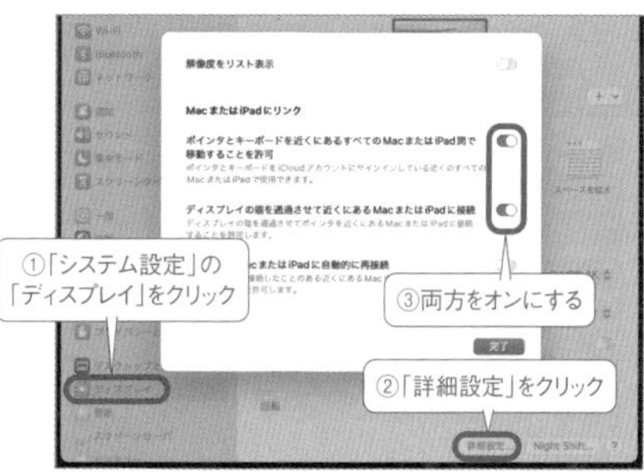

「システム設定」アプリで「ディスプレイ」→「詳細設定」をクリックし、「MacまたはiPadにリンク」の上2つの項目のスイッチをそれぞれオンにする。

MacからiPadを操作する

1 マウスポインタを画面端に移動する

Macのマウスポインタを画面左端に寄せ、そのままさらに左方向に動かす。

2 iPadにマウスポインタが移動する

iPadの画面右端に、マウスポインタが表示されたら、Macに接続されたキーボードやマウスでiPadを操作できるようになる。Macの操作に戻すには、このマウスポインタをMacの画面に表示されるまで、iPadの画面右端に移動させる。

集中モード

集中モードをうまく活用して通知を制御する

集中力を削ぐアプリからの通知を一時的に抑える

iPadで文書作成や調べ物などの作業をしているとき、ZoomやFaceTimeなどのビデオ会議に参加しているときなどに、不意に表示される新着メッセージの通知に、集中力を削がれた経験は誰にでもあるはずだ。「集中モード」は、こうしたアプリからの通知を一時的に抑えることで、現在取りかかっている作業に集中することを手助けしてくれる機能と言える。

集中モードは、iPadのコントロールセンターから有効にすることで、その間のアプリからの通知をオフにすることができる。たとえば日中に集中モードを有効にすると、夜間には自動的に解除され、解除までの通知がまとめて表示されるので、通知を完全に見逃すことはない。スケジュールを設定しておけば、指定した曜日の任意の時間帯だけ、集中モードを自動的に有効にすることもできる。

さらに集中モードでは、特定のアプリ、特定の相手からのメッセージ着信だけを、通知オフの対象から除外したり、有効な間だけ、ホーム画面のページを固定したりすることもできるなど、とにかく集中するための環境をカスタマイズして、自分で作り上げることができる。

なお既定では、1台のデバイスで集中モードを有効にすると、同じ設定内容で同一のApple IDでサインインしているすべてのデバイスで集中モードが有効になる。

集中モードを有効にする

1 「集中モード」をタップする

コントロールセンターを表示して、「集中モード」コントロールのアイコンをタップする。

2 集中モードが有効になる

集中モードの既定のプリセットである「おやすみモード」が有効になり、その間のアプリからの通知が表示されなくなる。解除するには再度アイコンをタップする。

1時間だけ集中モードを有効にする

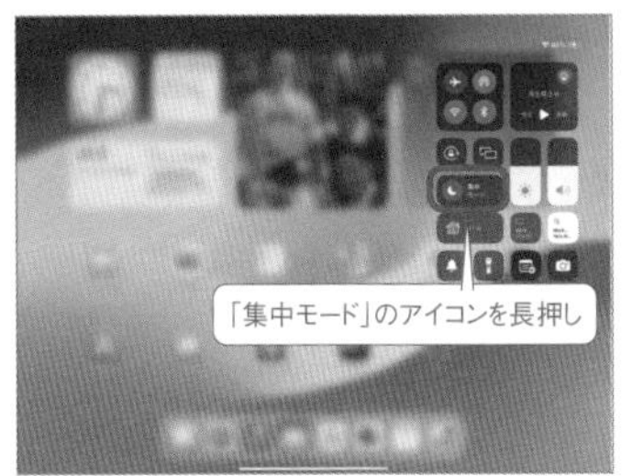

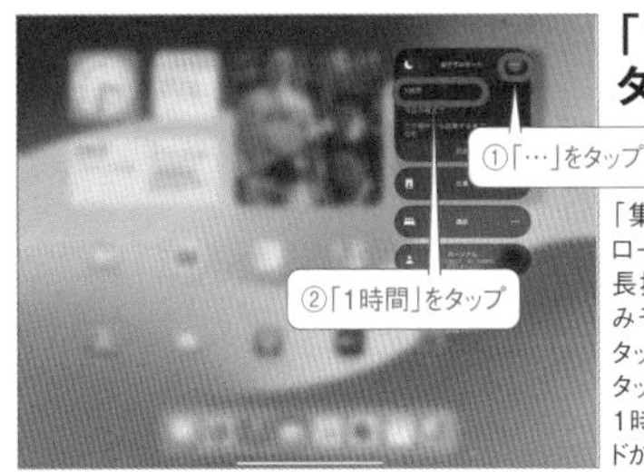

「1時間」をタップする

「集中モード」コントロールのアイコンを長押しして、「おやすみモード」の「…」をタップし、「1時間」をタップすると、以降の1時間だけ集中モードが有効になる。

集中モードをカスタマイズする

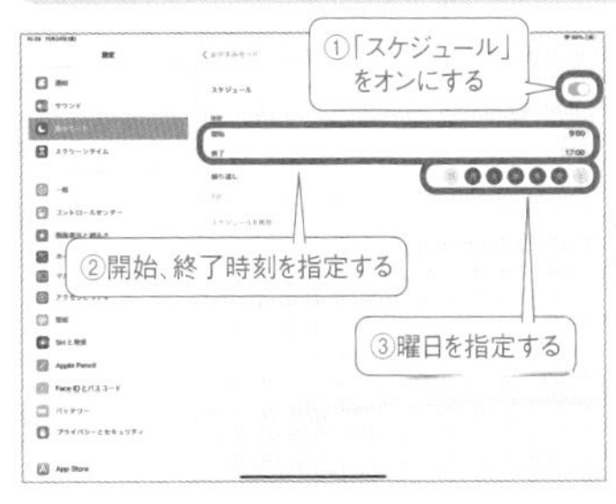

1 スケジュールを設定する

「設定」アプリで「集中モード」→「おやすみモード」→「スケジュールを設定」の時間帯をタップすると表示される画面で、集中モードを自動的に有効にする曜日や時間帯を指定できる。

2 ホーム画面の特定ページを固定表示する

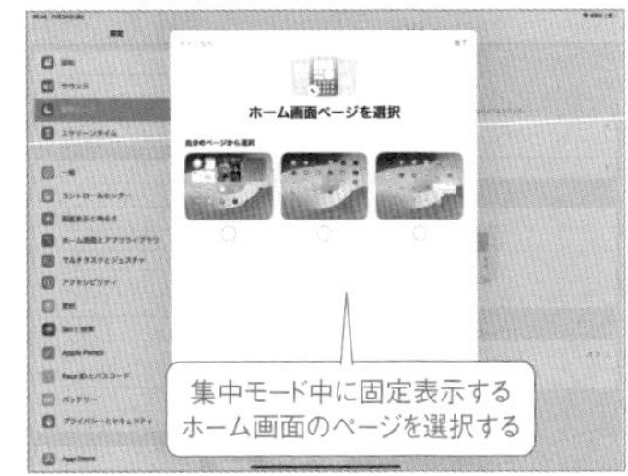

「設定」アプリで「集中モード」→「おやすみモード」→「画面をカスタマイズ」の「選択」をタップすると表示される画面で、集中モード中に固定表示するホーム画面のページを選択できる。

3 アプリごとの挙動を設定する

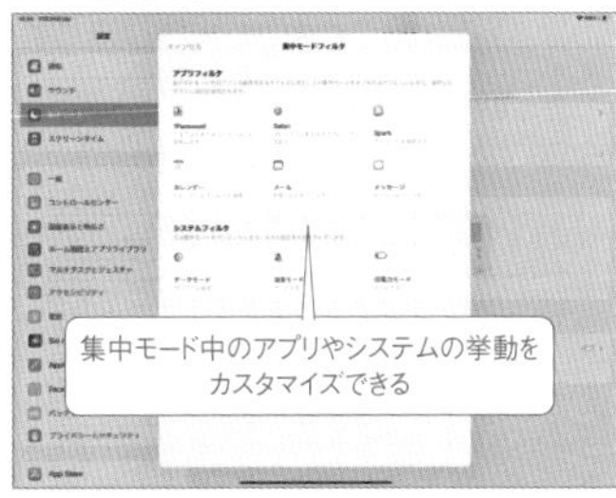

「設定」アプリで「集中モード」→「おやすみモード」→「集中モードフィルタ」の「フィルタを追加」をタップすると表示される画面で、アプリごとの集中モード中の挙動をカスタマイズできる。

195 ファイル 便利な「ファイル」アプリを使いこなそう

内蔵／外部ストレージ、クラウドのデータを自由に扱える

iPadをパソコンライクに使うために不可欠なアプリの1つが、標準搭載されている「ファイル」アプリだ。「ファイル」アプリは、Windowsパソコンの「エクスプローラー」、Macの「ファインダー」と同様に、ファイルやフォルダといった各種データの閲覧や管理をするための"ファイラー"とも呼ばれるアプリで、iPadの内蔵ストレージはもちろん、iCloudドライブに保存されたデータにも対応している。さらに、DropboxやOneDriveなど、サードパーティのクラウドストレージサービスに接続することもできるので、既存のデータをすぐに活用できる点がうれしい。

iPad Proシリーズなど一部のiPadに搭載されたUSB Type-C（USB-C）ポートにUSBメモリや外付けストレージなどを接続すれば、「ファイル」アプリからその中身を閲覧したり、データを書き込み、削除したりできる。特にiPadの内蔵ストレージの空き容量に不安がある場合は、この機能を使って外部ストレージにバックアップ、退避させておくといいだろう。

肝心のファイル、フォルダ操作の方法は、シンプルなのですぐに覚えられるはずだ。操作したいファイルやフォルダのアイコンをタップすれば開き、コピーや移動などをしたいのであれば、アイコンを長押しすると表示されるメニューからコマンドを選べばいい。もちろん、複数のファイルやフォルダを同時に操作することも可能だ。

サイドバーを表示する

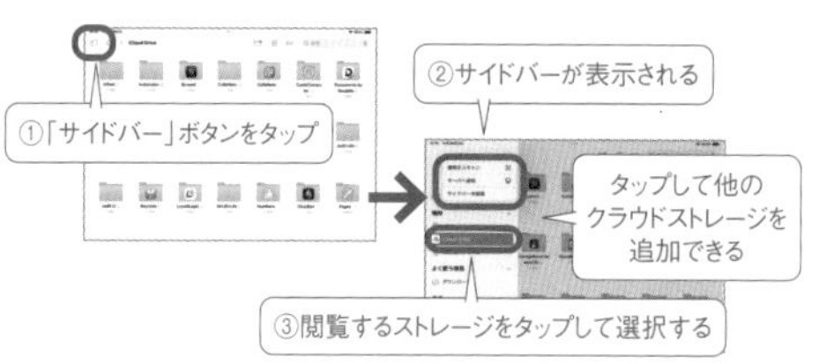

サイドバーボタンをタップするとサイドバーが表示される。ここでは、iPadの内蔵ストレージとiCloudドライブを切り替えられる他、サイドバー右上の「…」ボタンをタップ、「サイドバーを編集」をタップして、OneDriveやDropboxへの接続も可能。

ファイルやフォルダを操作する

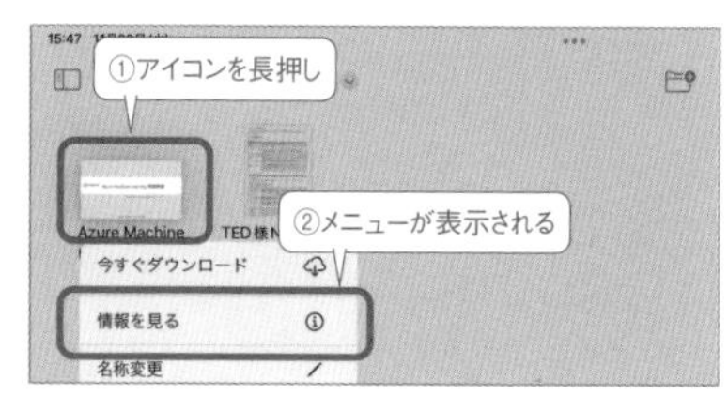

ファイルやフォルダを開くには、アイコンをタップする。コピーや移動をしたい場合は、アイコンを長押しすると表示されるメニューから目的のコマンドをタップする。アイコン以外の部分を長押しすると、「ペースト」などのメニューが表示される。

複数ファイルをまとめて操作する

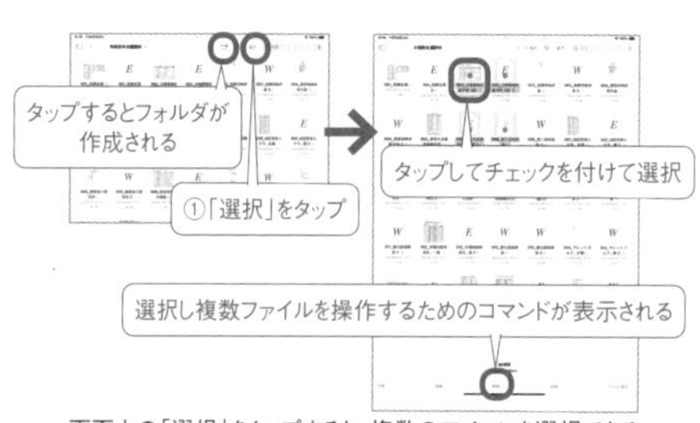

画面上の「選択」をタップすると、複数のアイコンを選択できる状態になる。ここで目的のアイコンをタップしてチェックを付けると、画面最下段にコマンドが表示されるので、目的の操作コマンドをタップする。

外部ストレージを利用する

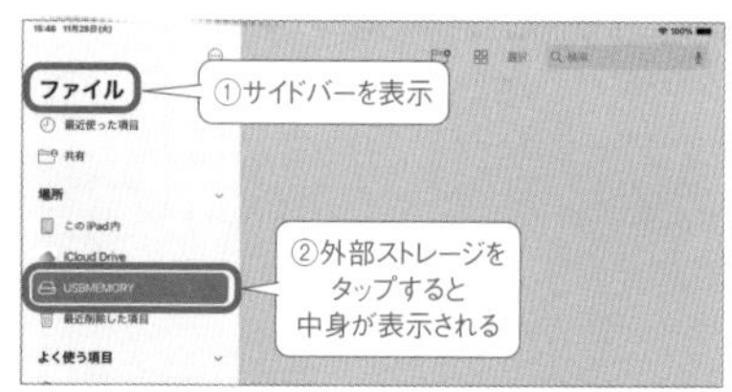

USB-Cポートを備えたiPadなら、そこに外部ストレージを接続すれば、「ファイル」アプリから利用できる。外部ストレージのデータを読み書きするには、「ファイル」アプリのサイドバーで外部ストレージ名をタップする

便利機能を活用する

1 ファイル形式を変換する

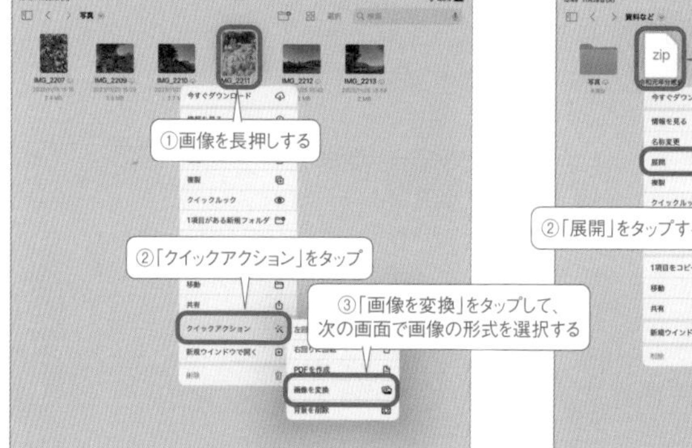

画像ファイルを長押しすると表示されるメニューから、「クイックアクション」→「画像を変換」をタップすると、JPEG、PNG、HEIFのいずれかの形式に変換できる。PDFファイルの場合は、サイズの圧縮も可能。

2 圧縮、展開する

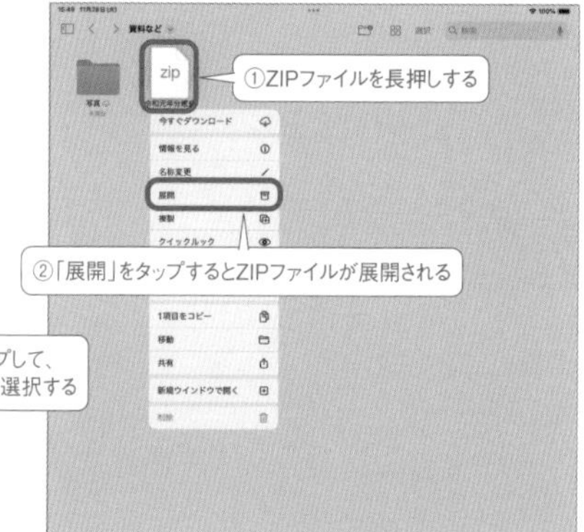

メールなどでのファイルのやり取りに多用されるファイル形式であるZIPも、別途アプリを使うことなく、「ファイル」アプリだけで展開できる。展開はアイコンをタップすればよく、アイコンを長押しすると表示されるメニューから「圧縮」をタップすれば圧縮もできる。

196 設定 一部のiPadなら拡大表示が使える

情報量の多さ優先か、文字の見やすさ優先か

iPadの一部の機種では、画面の構成要素であるアイコンや文字の大きさを一括して変更できる「拡大表示」機能が利用できる。拡大表示では「デフォルト」と「スペースを拡大」のいずれかからサイズを選択でき、「スペースを拡大」を選択すると画面構成要素すべてがひと回り小さくなる分、1画面に表示される情報量が多くなる。

なお、2021年以降に発売されたiPad Pro 12.9インチモデルでは、上記に加えて「文字を拡大」というサイズも選択できるようになっている。

拡大表示でサイズを変更する

「拡大表示」をタップする

「設定」アプリの「画面表示と明るさ」→「拡大表示」の「表示」をタップして、目的のサイズをタップして選択する。

デフォルト

初期設定のサイズ

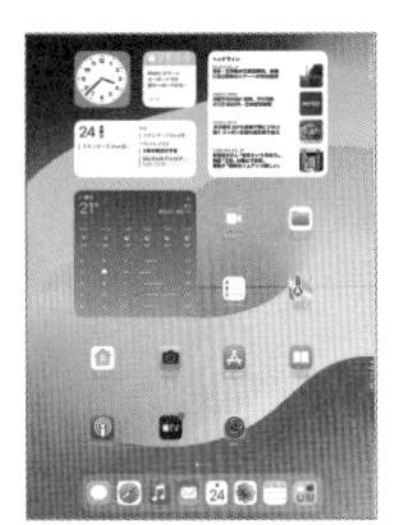

スペースを拡大

画面構成要素がひと回り小さくなり、1度に表示できる情報量が増える

文字を拡大(iPad Pro 12.9インチモデルのみ)

画面構成要素がひと回り大きくなり、それぞれの視認性が高まる

上級技

197 画面拡大 ピンチアウトで拡大できない画像を強制的に拡大表示する

画像の細かい部分も拡大してじっくり見られる

Webブラウザや、アプリで表示されている画像を拡大して細かい部分を調べたい時、通常ならピンチアウト操作で拡大させるが、Webページやアプリによってはピンチ操作に対応していない場合がある。そのような時は、iPadに標準で搭載されている「ズーム機能」を活用すれば、どんな画像でも拡大表示できる。ズーム機能を有効にしておけば、3本指で画面をダブルタップすることでいつでも画面を拡大可能。3本指で画面をタップしたまま指を上下に動かすことで拡大率を変えたり、ドラッグして拡大する位置を移動する。再度3本指ダブルタップで元の画面に戻る。

1 ズーム機能をオンにする

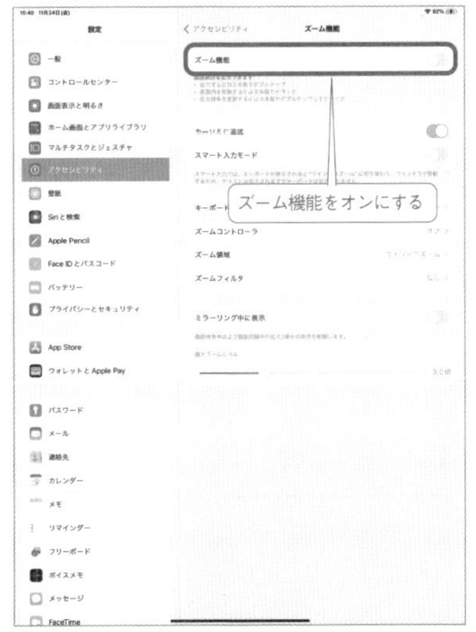

設定を開き「アクセシビリティ」>「ズーム」>「ズーム機能」の順にタップして「ズーム機能」をオンにする。ズーム範囲は「ズーム領域」で指定。

2 3本指ダブルタップでいつでも画面拡大

画面を3本指でダブルタップすると画面がズームされる。下のつまみをドラッグでスクロール。再度3本指ダブルタップでズーム終了。

198 iCloud iCloudを使ってデバイスの垣根を越えたデータ同期を実現!

無料のiCloud、有料のiCloud+でできることは?

iCloudは、iPadをはじめとするアップルデバイスユーザー向けに提供されるクラウドサービス群の総称だ。その中でも代表的なサービスと言えるのが、サファリのブックマークや、「連絡先」「カレンダー」「リマインダー」「メモ」など標準アプリのデータ、さらにはWebサイトやサービスのパスワードの「同期」で、これにより、同じApple IDでサインインしているアップルデバイス間で、常にデータを最新の状態に保ち、揃えることができる。しかも特別な操作も必要ないので、気付かずにこの同期機能を使っているという人も多いことだろう。

iCloudには、端末の位置情報を地図上に表示したり、遠隔操作したりできる機能「iPadを探す」や、iPad内のデータをクラウド上のストレージ「iCloudドライブ」にバックアップする機能も備わっており、アップルデバイスユーザーであれば誰でもこれらのサービスや機能を無料で利用できる。

さらにiCloudには有料のサブスクリプションプランである「iCloud+」も用意されている。これは、クラウドストレージの容量を標準の5GBから増やすことで利用できるようになるプランだ。iCloud+ではクラウドストレージの容量増に加え、メールエイリアスやサファリの閲覧履歴の暗号化など、主にエンタープライズ向けの各種機能も併せて提供されるので、仕事メインでiPadを使う場合は加入を検討してもいいだろう。

iCloudにサインインして同期するデータを選ぶ

1 iCloudにサインインする

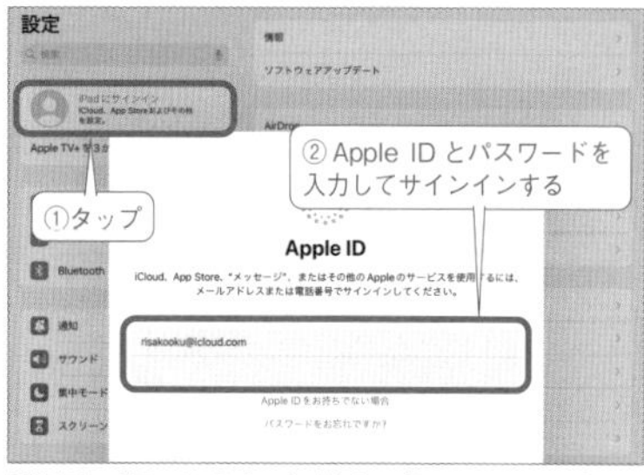

「設定」→「iPadにサインイン」をタップして、Apple IDとパスワードを入力し、「次へ」をタップしよう。続けて、パスコードなどを入力して認証する。

2 iCloudの設定画面

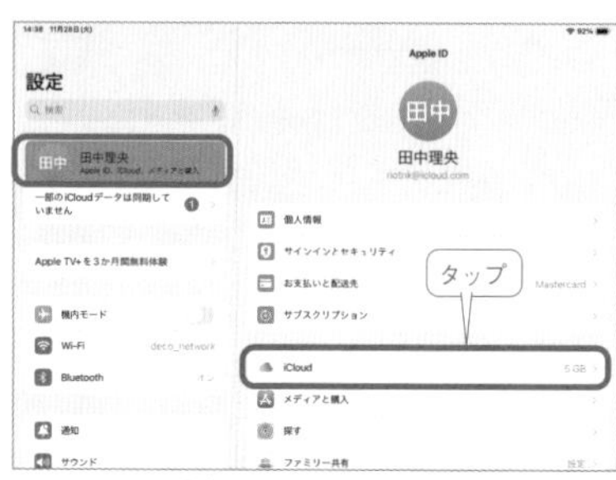

サインインしたら設定画面一番上のアカウント名をタップして、「iCloud」をタップし、次の画面で「すべてを表示」をタップする。

3 iCloudで同期したい項目を選択

メールや連絡先など、iCloudで同期したいデータを選択しよう。オフにする際、以前の同期データを残すか削除するかも選択できる。

point iCloud Driveを活用するには?

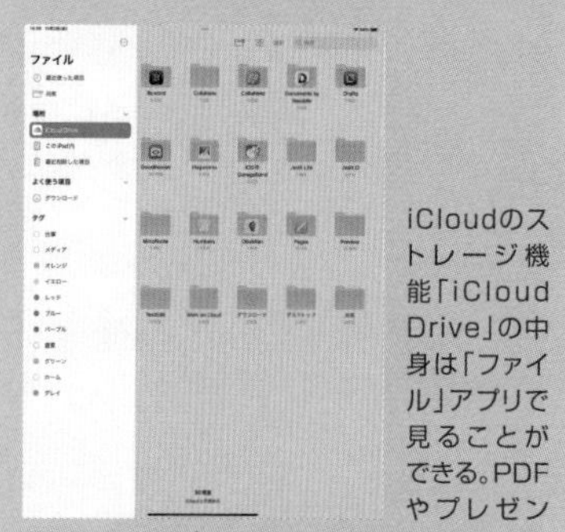

iCloudのストレージ機能「iCloud Drive」の中身は「ファイル」アプリで見ることができる。PDFやプレゼンテーション、スプレッドシートなどの書類を保存でき、また、iPhoneや、Mac、Windowsパソコンとファイルを共有して編集することも可能となる。

ストレージ容量を増やしてiCloud+にする

1 iCloudの設定画面を開く

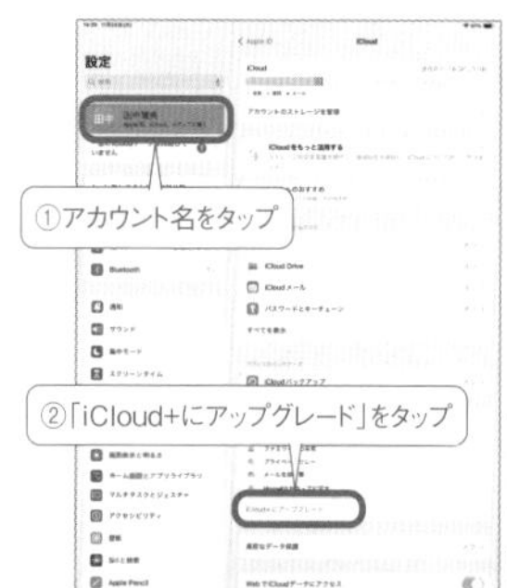

「設定」アプリでアカウント名をタップして、「iCloud+にアップグレード」をタップする。「アカウントのストレージを管理」をタップすると表示される画面からもアップグレードできる。

2 容量を選択する

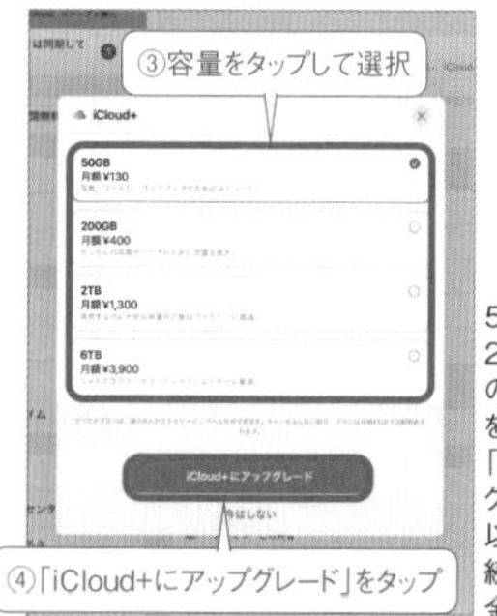

50GB、200GB、2TB、6TB、12TBのいずれかから容量をタップして選択し、「iCloud+にアップグレード」をタップする。以降は、支払いの手続きに進む。月額料金は、選択した容量によって異なる。

199 iCloud 各種設定や撮影した写真などを、クラウドにバックアップしよう

iCloudバックアップで設定やアプリが元通りになる

iCloudのメニュー内にある「iCloudバックアップ」をオンにすれば、Wi-Fi接続／電源接続／画面ロック時に、自動でバックアップを実行してくれる。バックアップされるのは、各種設定やホーム画面、アプリ、iPadで撮影した写真や動画、メッセージなど。iPadを初期化した際は「iCloudバックアップから復元」を選ぶだけで、これらが全て元通りになる。ただしこの時はWi-Fi接続が必要だ。ただし、復元先のiPadのストレージサイズが小さすぎる場合、特に一部のバックアップデータが復元できない可能性もある。

1 iCloudバックアップをオンにする

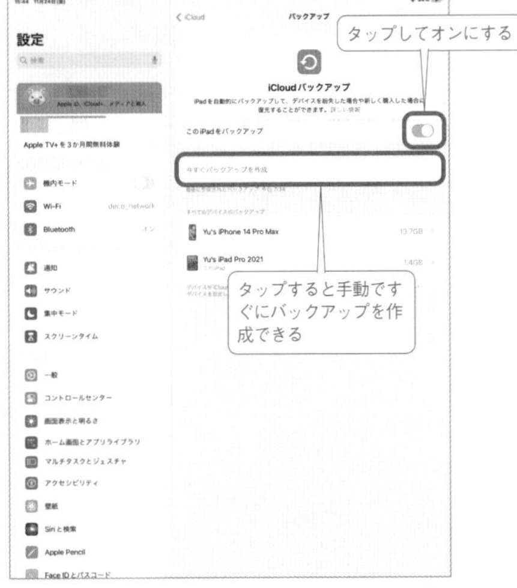

設定の「アカウント」→「iCloud」→「iCloudバックアップ」で「このiPadをバックアップ」をオンにすれば、バックアップが自動実行される。

2 iCloudバックアップから復元するには

iPadを初期化した場合、初期設定の途中で表示される「iCloudバックアップから復元」を選択すれば簡単に復元できる。

200 iCloud ウェブブラウザでiCloudの各種機能を利用する

iCloudに保存されたデータはiPadやiPhoneだけでなく、パソコンのブラウザで公式サイトにアクセスしても確認できる。サイトでは各アプリのアイコンからデータに表示できるだけでなく、データの変更や追加などもできる。特に、iPadと同じアプリのないWindowsのユーザーにとっては、ブラウザだけでiPadとデータを同期、共有できる点は、大きなメリットとなる。

ブラウザでiCloud（https://www.icloud.com/）にアクセスし、Apple IDでサインインすると、iCloudで同期中の項目が表示される。

メールや連絡先などのアイコンをタップすれば、それぞれアプリで内容を編集できる。「iPhoneを探す」もブラウザから利用可能だ。

201 iCloud ファミリー共有でさまざまなコンテンツを家族と共有する

家族それぞれが、MacやiPadなどのアップルデバイスを使っているなら当然、Apple IDを取得済みなはず。そんな環境ならぜひファミリー共有を使ってほしい。

ファミリー共有はアップルの各種サブスクサービスはもちろん、iCloudのストレージ容量、家族の誰かが入手したアプリ、スケジュールなどを共有できる機能で、コンテンツを通じて家族同士がつながることができる。

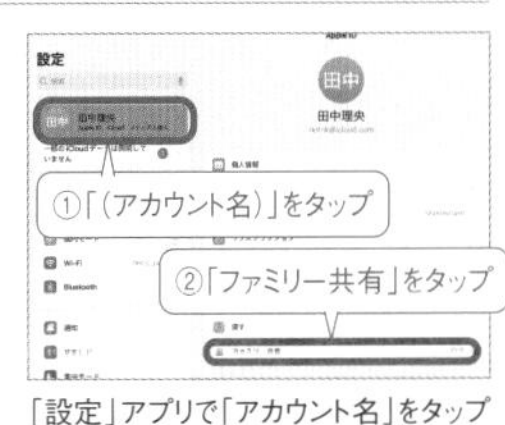

「設定」アプリで「アカウント名」をタップし、「ファミリー共有」をタップして家族を招待する。ファミリー共有開始後は、「アカウント名」の下に「ファミリー共有」の項目が追加され、ここから共有内容を変更できる。

ファミリー共有でできること

共有できるもの	月額料金（税込）
Apple Music	1,680円
Apple TV+	900円
Apple Arcade	900円
iCloud+（追加ストレージ）	130円～1,300円
Apple One	1,980円
Apple Booksで購入した本	
App Storeで入手したアプリ	
iTunesで購入した音楽	
子どものスクリーンタイム	
家族メンバーの現在地	

202 辞書 単語登録で文字入力を効率化、省力化しよう

超便利! 複数のデバイスでユーザ辞書を同期可能に

iPadやiPhoneなど、機器ごとに個別にユーザー辞書を登録する必要はない。同じApple IDでサインインしていれば他のiOSデバイス、およびMac(OSX Mountain Lion以降)の「日本語IM」と辞書が同期されるようになっている。ユーザ辞書を確認するには、「設定」→「一般」→「キーボード」を開いて「ユーザ辞書」をタップしよう。登録単語が五十音順で表示され、編集や新規登録も可能だ。挨拶やよく使う言い回し(長文も登録できる)を登録して便利に活用しよう。

1 ユーザ辞書に登録する

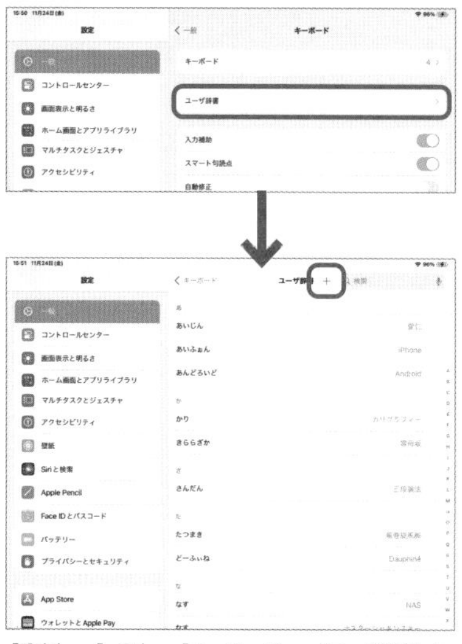

「設定」→「一般」→「キーボード」→「ユーザ辞書」と進み、「+」をタップして新規登録できる。

2 ユーザ辞書を活用する

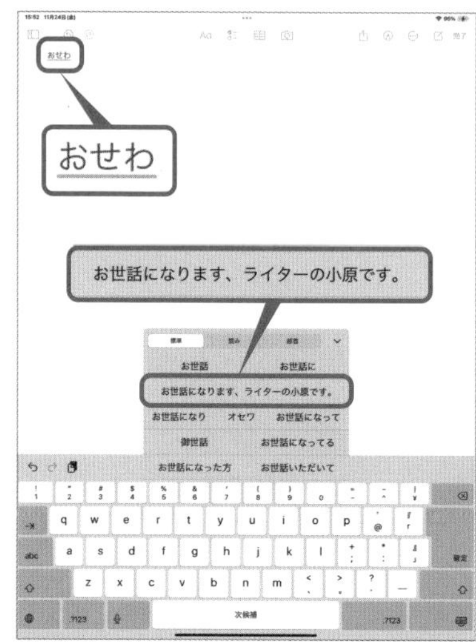

登録した「読み」を入力すると、登録した単語やフレーズが候補に現れる。

203 フォント ホーム画面などの文字が小さくて見づらい!

iPadの文字が小さくて見辛いと感じたら、フォントサイズを変更しておこう。「設定」→「画面表示と明るさ」の「テキストサイズを変更」をタップ。スライダを右にスライドすると、連絡先、メモ、メール、メッセージなどDynamic Typeに対応しているアプリではフォントサイズが大きくなる。それでも見辛いなら「設定」→「アクセシビリティ」→「画面表示とテキストサイズ」からさらに調整できる。

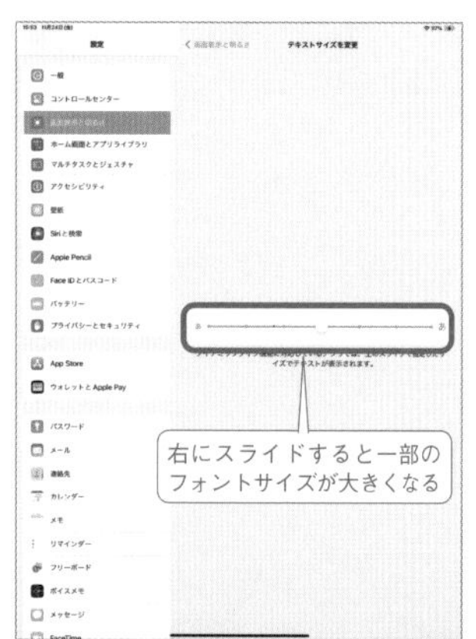

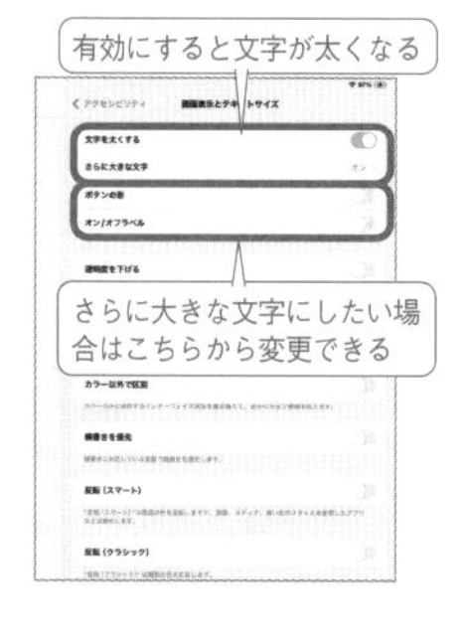

快適に使いたいならフォントに関する見直しも必要だ。「テキストサイズを変更」や「文字を太くする」などの設定を見直して見やすくしていこう。

204 フォント iPadにさまざまなフォントをインストールする

ワープロなどのアプリでは、テキストのフォント(字体)を変更できるが、フォントの選択肢はあまり多くはない。そこで、インターネットで配布されているフリーフォントをiPadに追加して使ってみよう。フリーフォントをiPadにダウンロードしたら、「RightFont」などのアプリを使ってそれをシステムに組み込めばいい。なお、フリーフォントはほとんどの場合、ZIP形式で圧縮されているが、純正の「ファイル」アプリを使えばZIP形式のファイルを展開して、フォントファイルを取り出すことができる。

App

RightFont
開発者/立穀 成
価格/400円

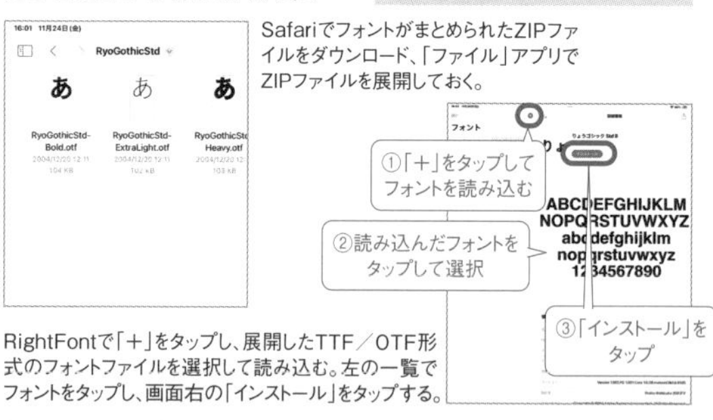

Safariでフォントがまとめられたファイルをダウンロード、「ファイル」アプリでZIPファイルを展開しておく。

RightFontで「+」をタップし、展開したTTF/OTF形式のフォントファイルを選択して読み込む。左の一覧でフォントをタップし、画面右の「インストール」をタップする。

205 音声入力 とても使いやすくなった音声入力を使おう

音声入力時のUIが刷新、他の入力方法との併用もできる

音声入力時のUIが変更され、入力中でもソフトウェアキーボードが表示され続けるようになった。これにより、音声入力とキーボード入力が併用でき、音声入力でミスした場合でも、キーボードからすばやく修正できるようになっている。また、やり直しや繰り返し、アプリによっては書式の変更などの操作も、音声入力中にできるようになったこともうれしいポイントだ。

なお、外付けキーボード接続時にももちろん、音声入力は可能だ。その場合はショートカットキーを押すが、そのキーをカスタマイズすることもできる。

1 音声入力をオンにする

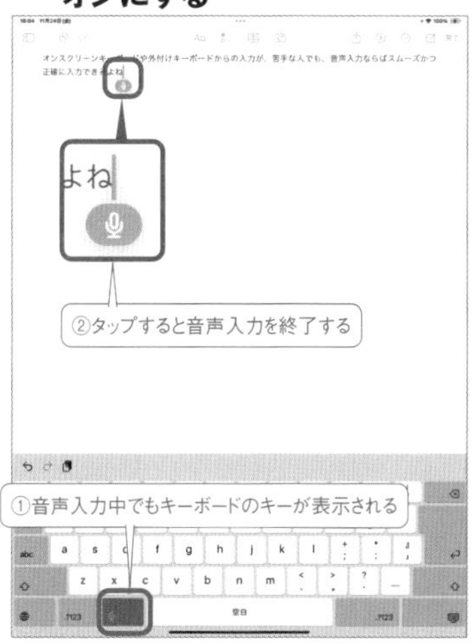

従来と同様、ソフトウェアキーボードのマイクキータップで音声入力が開始。音声入力中もキーボードが表示される。音声入力の終了は、カーソル位置のポップアップでマイクアイコンをタップする。

2 ショートカットキーを変更する

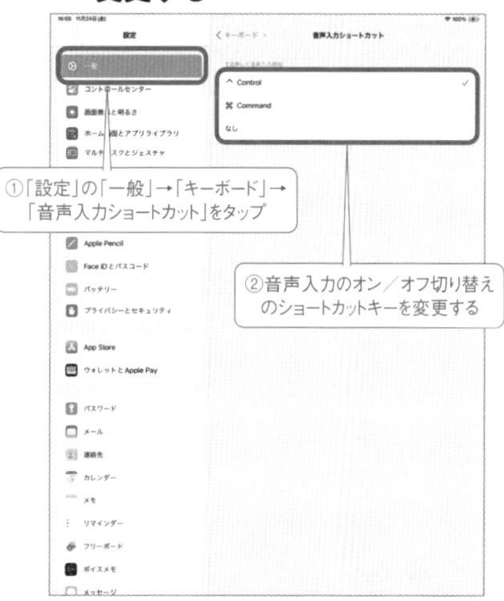

外付けキーボード利用時の音声入力オン/オフには、既定ではcontrolキーの2回押しが割り当てられている。この割り当ては、「設定」アプリの「一般」→「キーボード」→「音声入力ショートカット」で変更可能。

206 音声入力 音声入力では絵文字も使える!

文字入力で変換できる絵文字なら音声でもOK

意外と見落としがちだが、音声入力では一部の絵文字も入力できる。これでLINEなどのSNSでのメッセージのやり取りも捗るはずだ。たとえば音声入力で「ラーメンの絵文字」と発声すると、ラーメンの絵文字が実際に入力される。基本的に、ソフトウェアキーボードや外付けキーボードで文字入力して変換できる絵文字は、音声入力でも同様に入力できると考えられるので、いろいろ試してみよう。

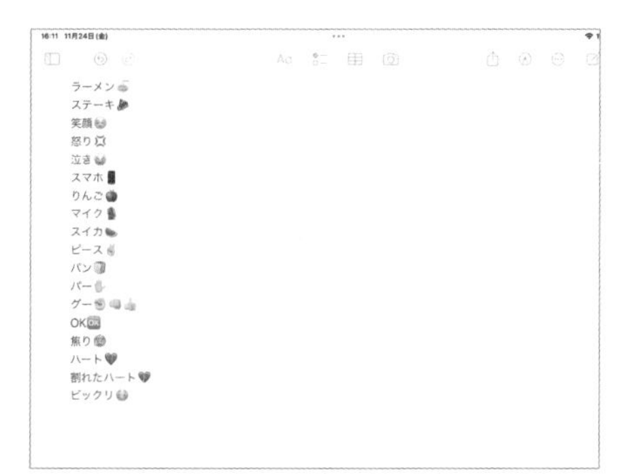

試してみたところ、食べ物や表情、ハンドサインなどの絵文字の多くは、音声入力で入力できた。ほかにもいろいろな絵文字が入力できるはずなので、試してみよう。

上級技

207 音声入力 音声入力で記号を入力するには?

音声入力を使ってテキストを打っている際、どう話しかければいいのか分からない入力操作が多々出てくる。基本的には、記号名をそのままなんとなく話しかければうまく入力できる。改行をしたくなった場合はそのまま「かいぎょう」と話しかければきちんと改行されるはずだ。また句点を打ちたいときは「まる」や「くてん」、読点を打ちたいときは「てん」や「とうてん」と発声すればよい。！マークの場合は「びっくりマーク」と話しかければ問題なく入力できる。

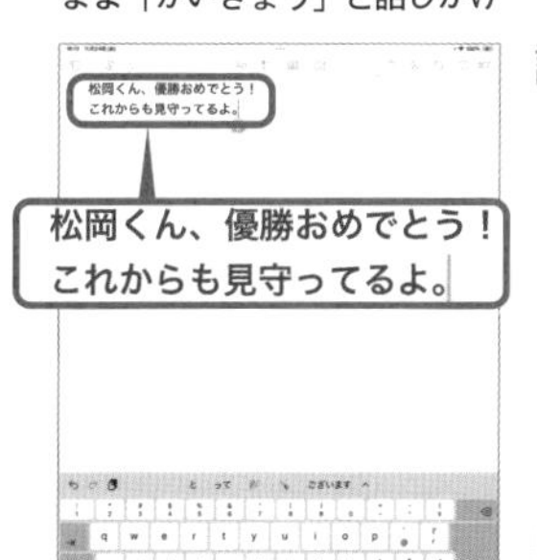

たとえば「松岡くん、優勝おめでとう!」と入力したい場合は、「まつおかくんてんゆうしょうおめでとうびっくりマーク」と言えばよい。

記号関係の音声入力方法一覧

記号	音声入力方法
空白スペース	すぺーすばー
改行	かいぎょう
?	はてなまーく/ぎもんふ/くえすちょんまーく
。	まる/くてん
、	てん/とうてん
!	びっくりまーく/かんたんふ
*	あすたりすく
=	いこーる
—	はいふん
!	びっくり
#	しゃーぷ
¥	えんまーく
$	どるまーく/どるきごう
&	あんど/あんぱさんど
@	あっとまーく
／	すらっしゅ
＼	ばっくすらっしゅ
:	ころん

上級技

208 Gboard Google製キーボードアプリ「Gboard」を使おう

Googleが提供するキーボードアプリで文字入力を快適にする

「Gboard」はGoogleが提供している文字入力アプリ。iPhone用のアプリだがiPad上でも問題なく動作させることができる。Gboardの最大の特徴はGoogleならではの予測変換精度の高さ。流行語、固有名詞、人名を入力しても思い通りの変換候補を表示することが可能だ。なお、標準ではテンキー入力になっているが、Gboardの設定画面からパソコン用キーボードのQWERTYに変更できる。

App

Gboard- Googleキーボード
作者／Google, LLC.　価格／無料
カテゴリ／ユーティリティ

1 Gboardをインストールする

インストール後、「設定」画面から「Gboard」を開く。「キーボード」をタップし、「Gboard」と「フルアクセスを許可」を有効にしよう。

2 Gboardに切り替える

Gboardに切り替えるには、キーボード画面で地球儀マークを長押しして「Gboard」をタップ。するとテンキー入力のGboardに変化する。

3 キーボードの種類を変更する

Gboardのアプリを起動し、「言語」→「日本語」をタップすると表示される画面で、キーボードの種類を切り替えることができる。

209 Gboard Gboardを使ってGoogleサービスを利用する

ウェブ検索からYouTube検索までできるGboard

Gboardは、標準のキーボードを置き換えて文字入力を効率化するだけでなく、Googleが提供するアプリならではの機能を備えている。それが、インターネット検索機能だ。キーボード左上の「G」ボタンをタップすると表示される検索ボックスにキーワードを入力すると、キーボード内にインターネット検索の結果が表示され、それをタップするとそのウェブページを表示できる。さらに、入力した単語やフレーズを別の言語に翻訳することも可能だ。

1 インターネット検索をする

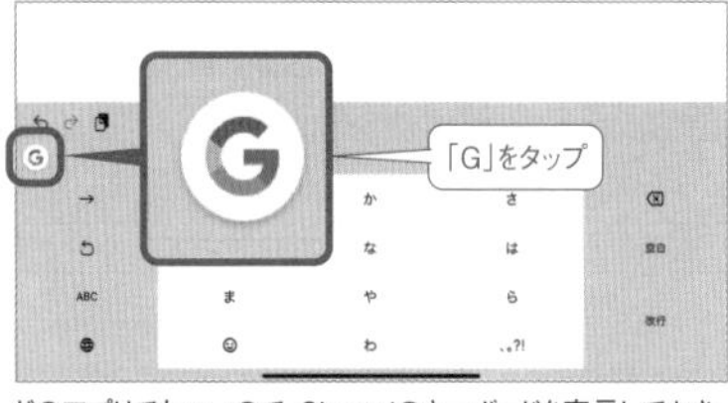

どのアプリでもいいので、Gboardのキーボードを表示しておき、キーボード左上の「G」をタップする。

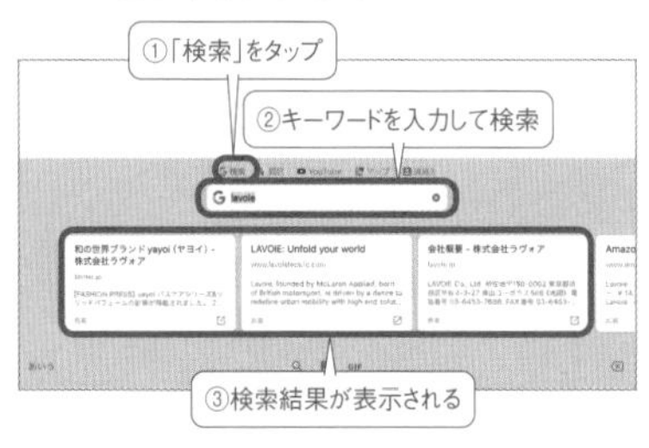

キーボード内に検索フィールドが表示されるので、「検索」をタップして、検索キーワードを入力、Enterキーをタップすると、検索結果が表示される。

2 翻訳する

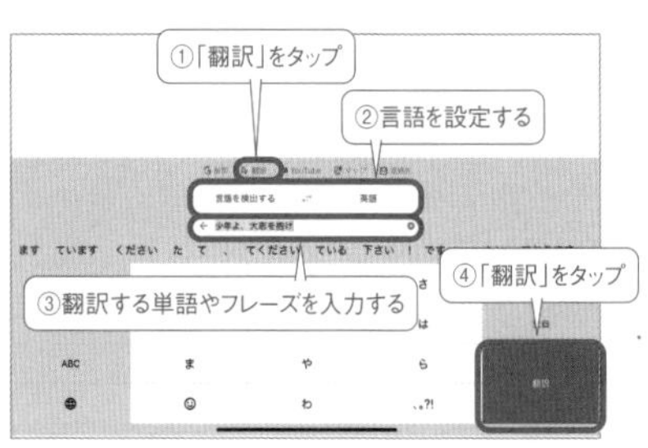

検索フィールドを表示した状態で、「翻訳」をタップし、翻訳する単語やフレーズを入力する。翻訳元、翻訳先の言語をそれぞれ指定して、「翻訳」をタップする。

指定した言語への翻訳結果が表示される。

210 Dock Dockにアプリやフォルダを追加する

Macのようによく使うアプリを画面下部に設置する

iPadのホーム画面下に設置されているDockは機種によって設置できる数は異なるが、最低でも10個以上のアイコンを登録できる。またセパレートで区切られたDockの右側には「最近使ったアプリ」や「おすすめのアプリ」が自動で表示され、よく使うアプリに素早くアクセスできる。なお自分で登録できるアプリの数は、「設定」>「ホーム画面とアプリライブラリ」画面で「DOCK」の2つの設定項目をオフにすることで増やすこともできる。

1 まるでMacOSのようにDockを利用できる

12.9インチの場合では標準で15個のアプリを登録できる。iPad miniは11個登録可能。またセパレート右側には最近使ったアプリやおすすめアプリが最大3個表示される。

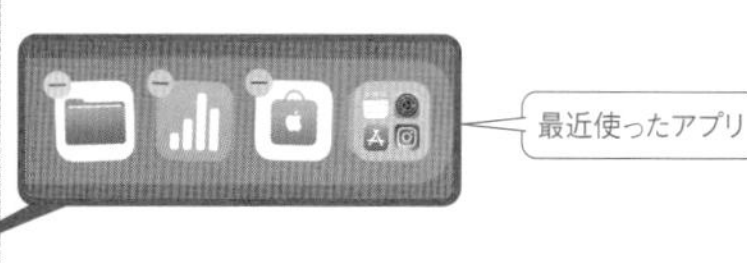

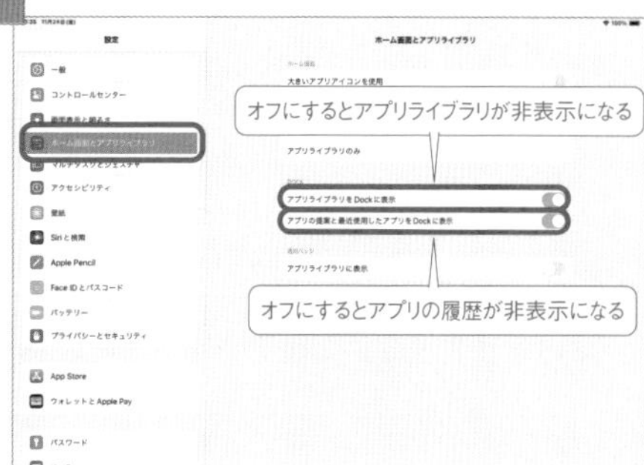

2 最近使ったアプリを非表示にするには?

「設定」アプリの「ホーム画面とアプリライブラリ」、「DOCK」の2つの設定項目をオフにすれば、登録できるアプリの数を増やすことができる。アプリライブラリの表示もオフにできる。

211 アイコン ホーム画面のアプリアイコンのサイズを変更したい

iPadのホーム画面には、各アプリを起動する、切り替えるためのアイコンが並んでいるが、このアイコンのサイズは2種類用意されており、必要に応じて変更することができる。初期設定の大きさでは、アイコンが見づらい、押し間違えてしまうといった場合は、アイコンをより大きく表示するように設定を変更しよう。設定を変更するには、以下のように「設定」アプリで「ホーム画面とアプリライブラリ」をタップし、「大きいアプリアイコンを使用」をオンにする。

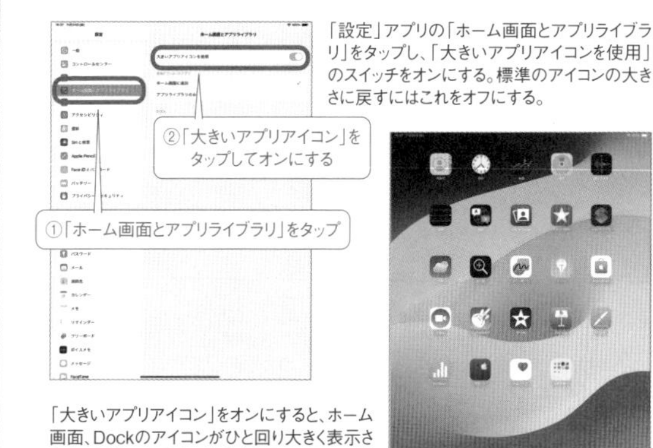

「設定」アプリの「ホーム画面とアプリライブラリ」をタップし、「大きいアプリアイコンを使用」のスイッチをオンにする。標準のアイコンの大きさに戻すにはこれをオフにする。

「大きいアプリアイコン」をオンにすると、ホーム画面、Dockのアイコンがひと回り大きく表示される。ただし、1画面に表示されるアイコンの数は変わらない。

212 アプリライブラリ アプリライブラリを活用しよう

iPadOS 15以降では、ホーム画面のDockの右端にフォルダのようなアイコンが追加されている。これはアプリライブラリを呼び出すためのアイコンだ。

アプリライブラリは、iPadにインストールされたすべてのアプリを1画面に集約して表示するもので、当然、ここでアイコンをタップすればそのアプリを起動できる。特にアプリの数が多く、ホーム画面が複数ページになってしまっているような場合でも、瞬時に目的のアプリを見つけられる点が便利だ。なお、アプリライブラリはホーム画面の最終ページで左フリックしても呼び出せる。

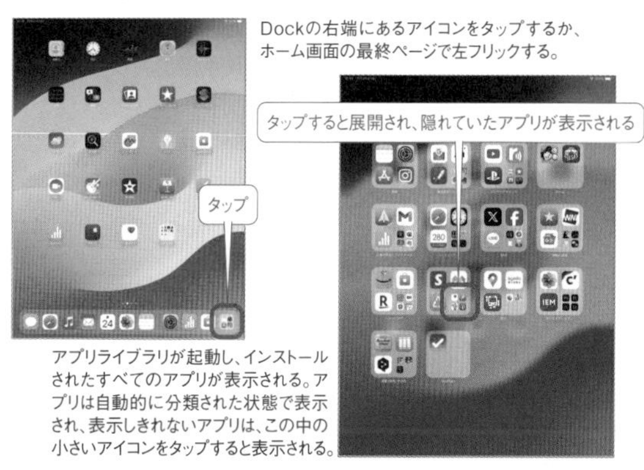

Dockの右端にあるアイコンをタップするか、ホーム画面の最終ページで左フリックする。

アプリライブラリが起動し、インストールされたすべてのアプリが表示される。アプリは自動的に分類された状態で表示され、表示しきれないアプリは、この中の小さいアイコンをタップすると表示される。

上級技

213 Split View アプリスイッチャー上でSplit Viewを作成できる

アプリを一覧しながら、マルチタスクできる

異なる2つのアプリを1画面に並べて表示するSplit Viewは、iPadでPCのようなマルチタスクをこなすために覚えておきたい機能だ。iPadOS 15以降ではこの機能がさらに進化し、アプリの履歴を一覧しながら切り替えられるアプリスイッチャーの画面でも、Split Viewが使えるようになった。その方法は右のとおりで、アプリスイッチャーでアプリのサムネイルを長押しし、Split Viewで並べて表示する別アプリのサムネイルにドラッグ&ドロップしよう。

1 サムネイルを長押しする

アプリスイッチャーを表示(画面下端から上方向へゆっくりスワイプ)して、アプリのサムネイルを長押しする。

2 他アプリのサムネイルにドラッグ&ドロップする

そのままSplit Viewで表示したい別アプリのサムネイルにドラッグし、サムネイルが図のような表示になったら指を放す。

3 Split Viewで表示される

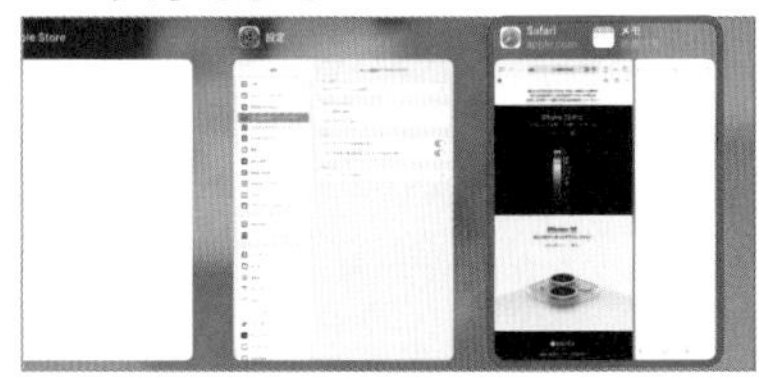

2つのアプリが1つのサムネイルに結合される。このサムネイルをタップすると、アプリがSplit Viewで表示される。なお、サードパーティアプリの中には、Split Viewに非対応のものもある。

上級技

214 ショートカット よく使うアプリの組み合わせで、Split Viewをすばやく表示する

「ショートカット」を利用して操作を自動化する

iPadでパソコンライクなマルチタスクを可能にしてくれる機能であるSplit Viewだが、これを使ってアプリのウインドウを並べるまでの操作ステップが多く、面倒に感じてしまうこともある。もし、並べて使うアプリの組み合わせがいつも決まっているなら、「ショートカット」を作っておけば、以降は一発でそのその組み合わせでSplit View表示できるようになる。

ショートカットは、iPadで利用できるさまざまな機能を簡単かつすばやく呼び出すためのプログラムで、標準で付属する「ショートカット」アプリで作成できる。プログラムといっても、コードを書く必要はなく、アイコンなどをタップするだけで作成できる点がうれしい。

1 アプリを起動する

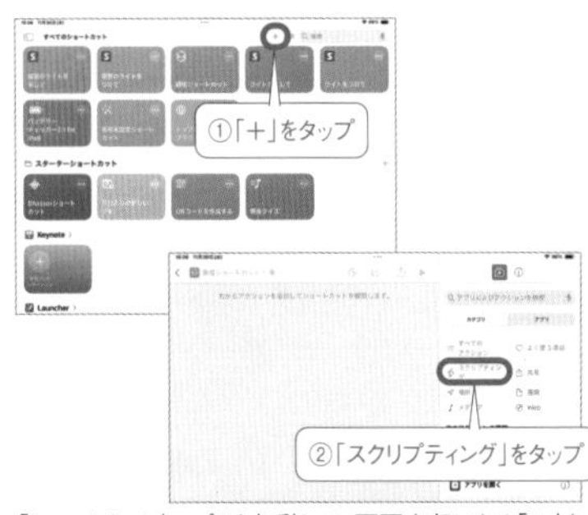

「ショートカット」アプリを起動して、画面上部にある「+」をタップし、「カテゴリ」→「スクリプティング」をタップする。

2 並べて使うアプリを指定する

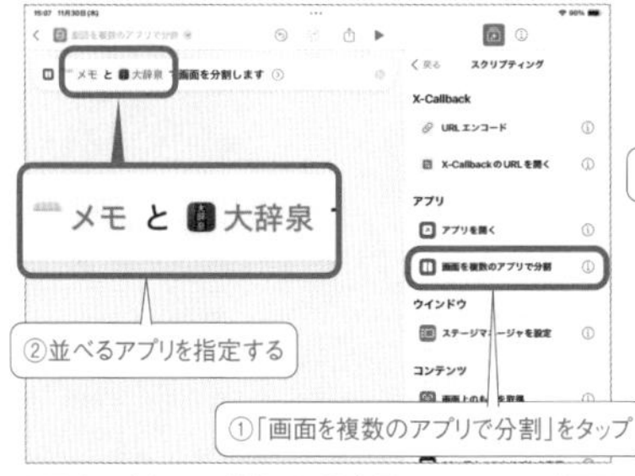

画面右に実行できる機能が一覧表示される。ここから「画面を複数のアプリで分割」をタップし、並べて使うアプリを2つ、それぞれ指定する。

3 ショートカットが作成される

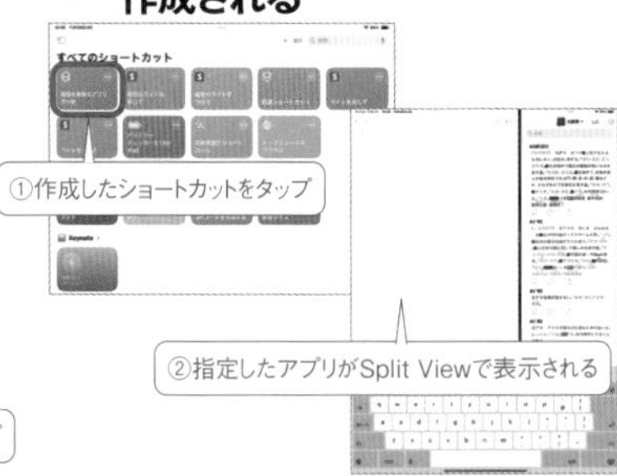

ショートカットが作成されるので、これをタップすると指定したアプリがSplit Viewで表示される。なおショートカットは、ホーム画面のアイコンとして保存することもできる。

Slide Over／Split View

215 マルチタスクをスマートに使うピンポイントテク!

Slide OverやSplit Viewによって、iPadで複数のアプリを使った作業は格段にやりやすくなった。これらのマルチタスク機能をもっと使いこなして、作業効率を高めたいなら、ここで紹介する2つの操作方法を覚えておきたい。まずはSlide Over時のフローティングウインドウをすばやく全画面表示にする方法。通常なら数回の操作が必要だが、この方法なら1度ドラッグするだけだ。もう1つがワンフリックでSplit Viewの左右をすばやく入れ替える方法だ。

フローティングウインドウの上端中央のインジケータを、画面上部中央にドラッグすると、そのアプリを全画面表示にできる。

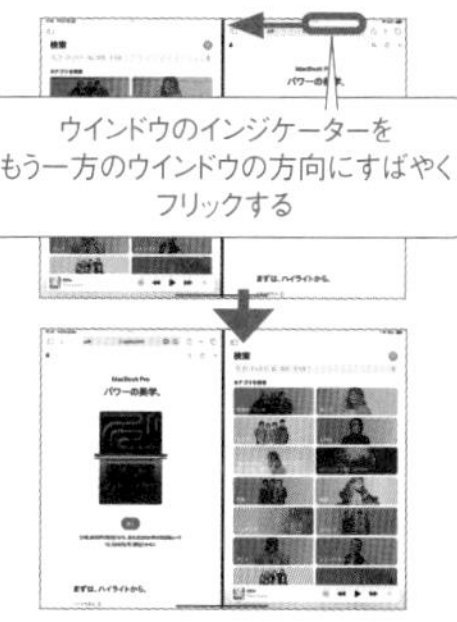

Split Viewでアプリのウインドウを入れ替えるには、いずれかのウインドウ上端中央のインジケータを、すばやく逆方向にフリックする。

Spotlight

216 Spotlightからのスピーディーな上級連携ワザ!

Slide Overで2つのアプリを1画面に表示できるのはたしかに便利だが、そのための操作が数ステップ必要になるなど、煩わしいのが弱点だ。iPadに外付けキーボードを付けていれば、commandキーとスペースキーの同時押しで呼び出せるSpotlightで目的のアプリ名(の最初の数文字)をタイプすれば、そのアイコンをすばやく呼び出せる。後はアイコンをSpotlightのウインドウ外にドラッグ&ドロップすれば、そのアプリがフローティング表示されるので、大幅に手間が軽減されて便利だ。

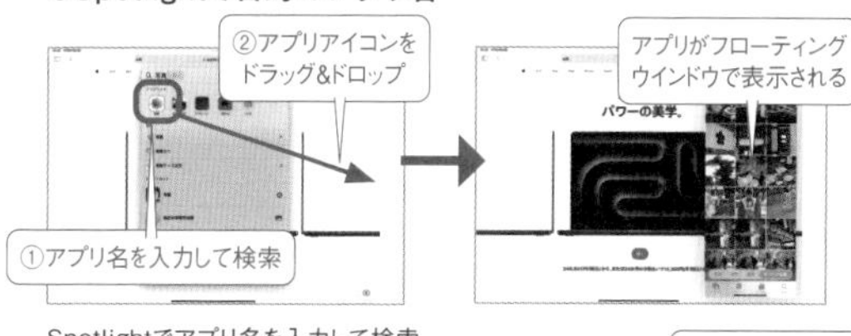

Spotlightでアプリ名を入力して検索、表示されるアプリアイコンを現在作業中のアプリ上にドラッグすると、Slide Overで表示される。

ホーム画面で見つからないアプリをSpotlightで検索、アイコンをホーム画面にドラッグすると、その位置にアイコンが移動される。この方法は外付けキーボードでなくても使える。

Apple ID

217 クレジットカードなしでもアプリを入手できる

クレジットカードやプリペイドカード無しでApple IDを取得する

App Store から iPad にアプリをインストールするには、クレジットカードの登録やアップルギフトカードからのチャージが必要と思われがちだが、実は Apple ID さえ取得済みであれば、それらは不要だ。Apple ID でサインインした状態で右のように操作し、正しく認証できれば、無料アプリに限ってダウンロード、インストールが可能なことはぜひ覚えておきたい。

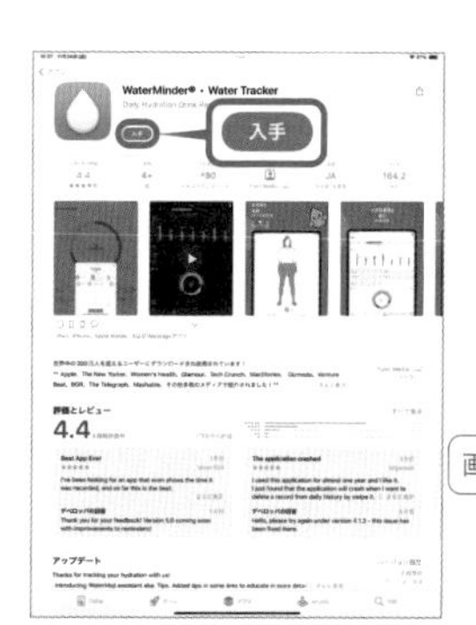

なんでもいいので、無料のアプリを探し「入手」ボタンをタップする。

画面に表示される指示に従い操作し、Touch IDなどで認証すれば、そのままアプリをダウンロードできる。

iTunes

218 クレジットカードを登録済みでもプリペイドカードは使える

iTunesカードの残高から優先的に消費される

アプリや音楽の購入時には、登録済みのクレジットカードかプリペイドカードによるチャージ残高から支払う。プリペイドカードからチャージするには、カード背面のコードを手入力するか、カメラで読み取ればいい。なお、クレジットカード登録済みかつチャージもされている状態であれば、決済時にはチャージ残高から優先して使われ、不足分がクレジットカードに請求されることになる。

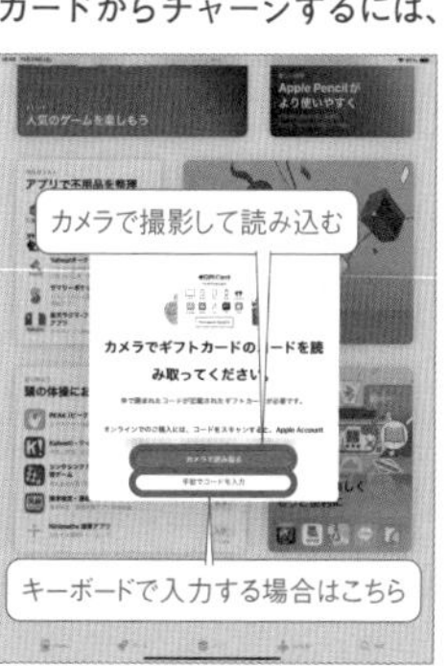

「iTunes」や「App Store」アプリのトップ画面下にある「コードを使う」でコードを入力。カメラでの読み取りも可能だ。

App Store、もしくはiTunes Storeアプリの画面右上にあるアカウントアイコンをタップすると、プリペイドカードからチャージした残高が確認できる。

219 コントロールセンター さまざまな操作をキメ細かく調整できるコントロールセンター

表示方法が変更され新しい機能が追加されたコントロールセンター

「コントロールセンター」は、各アプリを起動しなくても写真撮影、ネットワークの切り替え、音楽再生のコントロールなど、よく使う機能に素早くアクセスできる便利な機能だ。ホーム画面だけでなく、ロック画面やアプリの起動中でも呼び出せるのがメリットだ。初代iPadから現在にいたるまでずっと搭載されている。画面の輝度の調整や、画面の向きのロック、集中モードの切り替えなどが、コントロールセンターで操作すると便利な機能だ。

コントロールセンターは画面の右上隅から下にスワイプすることで表示させることができる。

表示させる機能はカスタマイズでき、「設定」アプリの「コントロールセンター」でよく使いそうなアプリを追加し、逆に使わないアプリは削除しよう。並び順も自由にカスタマイズできる。また、ゲームを多くプレイする人などに便利な機能だが、アプリ使用中にコントロールセンターを表示するかしないかの設定ができる。ほかにApple TVやHomePodなどのHomeKitに対応したアクセサリをリモートコントロールできる機能も追加されている。iPadを効率よく使うならコントロールセンターをじっくりカスタマイズしよう。

また、コントロールセンター上にあるボタンを長押しすると、オプションメニューがポップアップで開き、細かい設定ができるようになっている。ボタンによってはとても便利な機能が利用できるようになるので知っておくといいだろう。

コントロールセンターの使い方

1 コントロールセンターを開く

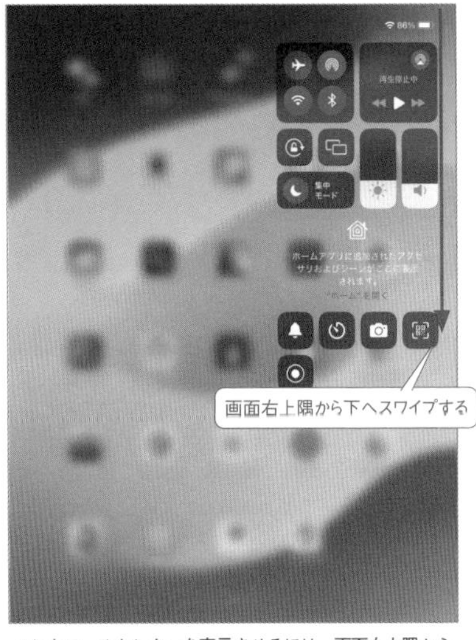

コントロールセンターを表示させるには、画面右上隅から下へスワイプする。ホーム画面だけでなく、ロック画面やアプリ起動中でも表示させることができる。

2 コントロールセンターをカスタマイズする

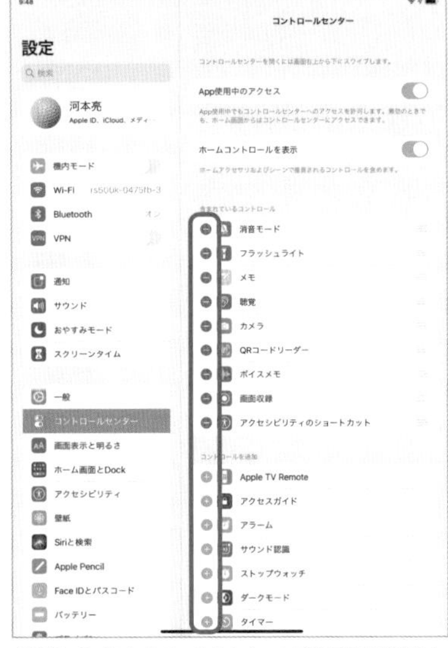

「設定」の「コントロールセンター」で表示する機能をカスタマイズできる。「+」をタップして追加、「−」をタップして削除しよう。

3 項目の並び順を変更する

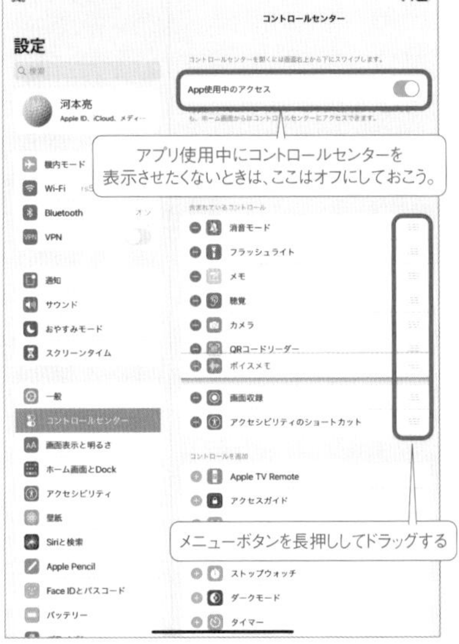

項目右横にあるメニューボタンを長押ししてドラッグすると、コントロールセンターの並び方をカスタマイズすることができる。

4 長押しでオプションメニューを表示させる

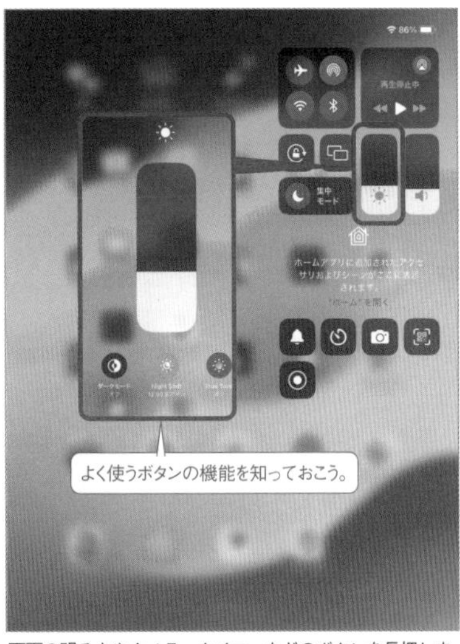

画面の明るさやカメラ、タイマーなどのボタンを長押しするとオプションメニューの表示が可能。

設定

220 飛行機への搭乗時でも、Wi-Fiを使いたい!

「機内モード」は3G／4G／5G回線、Wi-Fi、Bluetoothすべての通信を切断する飛行機内利用時の機能だが、最近は機内でWi-Fiを利用できる航空会社も多い。国内だとJALとANAがそれぞれ機内Wi-Fi接続サービスを開始しており、一部国際線で利用することができる。機内モードがオンの状態でもWi-Fi接続はできるので、一度機内モードをオンにしてから、「Wi-Fi」をオンにして、接続するネットワークを選択しよう。

機内Wi-Fiサービスを利用したい場合は、機内モードをオンにした状態で、Wi-Fiを「オン」にして接続しよう。

Wi-Fi

221 Wi-Fi接続時にいちいち表示される確認がわずらわしい!

外出先などでWi-Fiをオンにしていると、公衆無線LANのアクセスポイントに接続するかどうかを確認するメッセージが表示されることがある。このメッセージが煩わしい場合は、以下のように設定を変更することで、表示されないようにすることができる。ただし、メッセージを非表示にすると、以前に接続したことがあるアクセスポイントに、いつの間にか接続してしまうことがあるので注意してほしい。

マスト!

222 Safariなどで保存したパスワードを確認、管理する

パスワード

便利なiCloudキーチェーンを有効に使おう

iCloudキーチェーンは、一度入力したパスワードを記録、次回アクセス時に自動入力してくれるので、会員制サイトへのログインなどを素早く行なうことができて非常に便利。この際記録したパスワードは、「設定」→「パスワード」とタップするとFaceID、タッチIDなどの認証を経たあと、表示される画面から確認することができる。また、この画面からパスワードの文字の組み合わせを確認することもできるので、操作中は他の人に見られないようにしよう。

1 パスワードを確認するには?

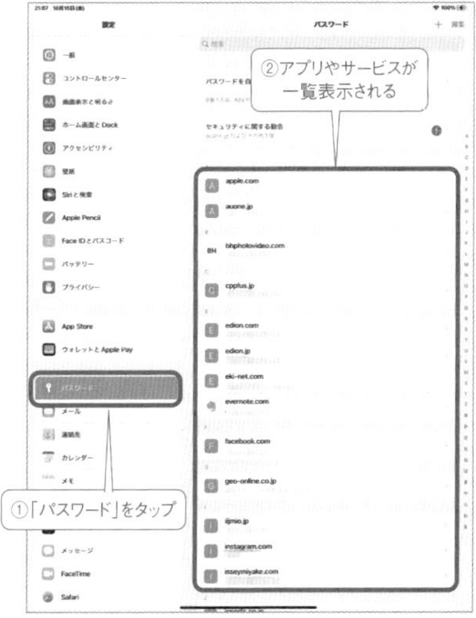

「設定」→「パスワード」とタップすると、Safariなどのアプリでパスワードを記録したサービスやアプリが一覧表示される

2 パスワードの文字列を確認する

パスワードの部分を直接タップすると表示され、コピーもできる

アプリやサービスの一覧から、目的のものをタップすると、ログインユーザー名やメールアドレス、パスワードの文字列を確認できる。

上級技

223 Mac連携 Macの外部ディスプレイにも液タブにもなる「サイドカー」

Mac上にあるファイルやMac専用アプリをiPadで使うことができる

パソコンにMacやMacBookを使っており、macOS「Catalina」以降のユーザーであれば、試して欲しい機能が「サイドカー」だ。

サイドカーはiPadを外部ディスプレイとして利用できるようにしてくれるMacの機能。MacとiPadを同じWi-Fiネットワークに接続、もしくはUSBケーブルで接続するだけで簡単にiPadをMac用ディスプレイとして使えるようにしてくれる。メインディスプレイで作業中にiPadのサブディスプレイでほかのアプリケーションを参照したいときに便利だ。

サイドカーはMacで表示している内容をミラーリングして両方のデバイスで同じコンテンツを表示して、iPad上で行ったタッチ操作やApple Pencilで操作した内容をMacに直接反映させることができる。つまり、液晶タブレットとしてiPadを活用でき、MacのグラフィックアプリをiPadで使ったり、Mac上にあるPDFをiPadとApple Pencilを使って注釈を加えることができる。

さらに、サイドカー独自のメニューも用意されている。iPadの画面左端にサイドカーのメニュー「サイドバー」が表示され、これを使ってキーボード操作を行える。サイドバーにあるキーボードボタンをタップしてフローティングキーボードを表示させてテキスト入力を行おう。

また、サイドカー起動中でもほかのアプリに切り替えて使うことができる。なお、サイドカーに近い「ユニバーサルコントロール」という利用法もあるので、そちらも試してみよう(102ページ参照)。

サイドカーを使ってみよう

1 システム設定から「ディスプレイ」をクリック

Macのシステム設定を開き「ディスプレイ」をクリック。なお、すべてのMacには対応しておらずMacBook Airなど一部のMacは利用できないこともある(基本的には2016年以降に発売になった機種が対象となる)。

2 「ミラーリングまたは拡張」を選択する

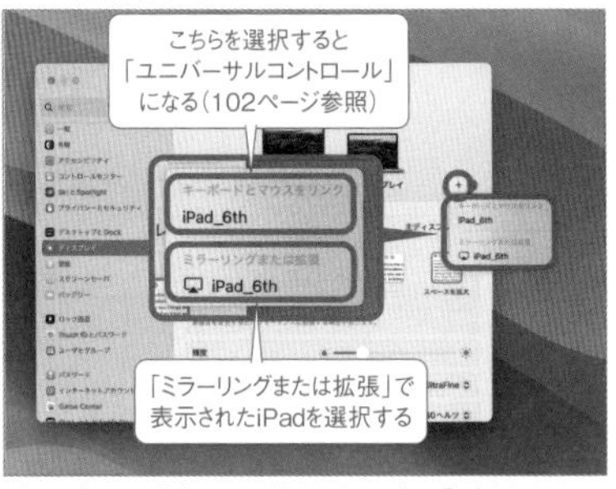

ディスプレイの設定画面が表示される。右の「+」をクリックし、プルダウンメニューから「ミラーリングまたは拡張」を選ぼう。

3 iPadがMacの画面に切り替わる

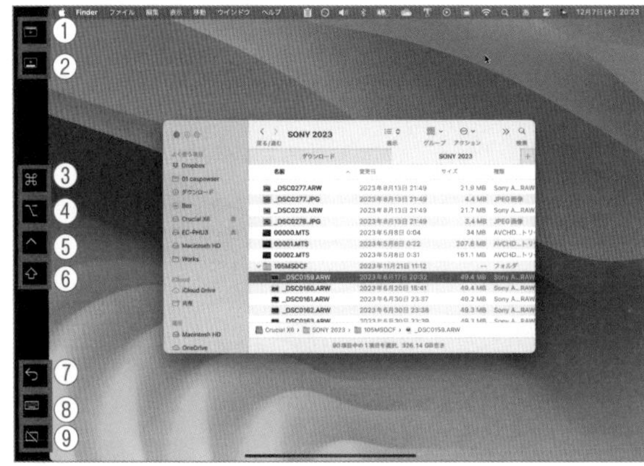

①iPadでウインドウをフルスクリーンで表示しているときにメニューバーの表示/非表示
②画面下部からDockを引き出す/隠す
③commandキー
④optionキー
⑤controlキー
⑥shiftキー
⑦1つ前の操作に戻る
⑧キーボードを表示/非表示
⑨接続の解除

iPadの画面がMacの画面に切り替わる。標準ではMacのデスクトップの右側に位置する状態になっており、標準ではマウスカーソルを右へ移動するとiPadにマウスカーソルが表示される。

4 MacのDockを表示させる

MacのDockをiPad側の画面に表示させたい場合は、サイドバーにあるDockボタンをタップしよう。下からDockが表示される。

5 連携マークアップが超便利!

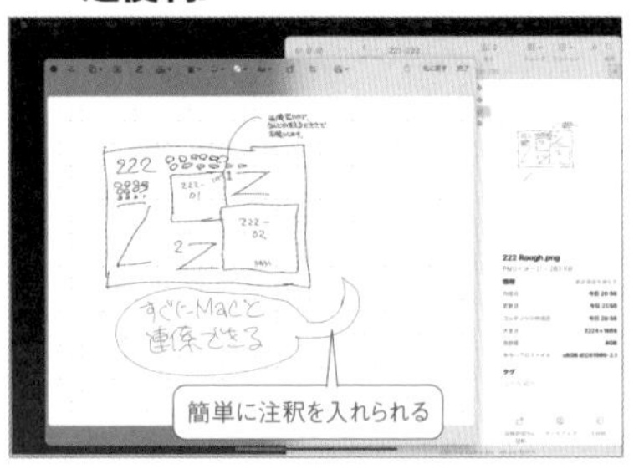

Mac上の画像ファイルを、サイドカーのiPad上でApple Pencilを使って注釈をさらっと入れられるのが便利!

224 ディスプレイ サイドカー非対応の環境でも iPadはサブディスプレイになる

有線接続で快適! Windowsでも使用できる!

使っているMacがサイドカーに非対応(MacBook Proの場合は2016以降のモデルが対応)の機種でも、Duet Displayを使えば快適にサブディスプレイとしての使用が可能だ。有線、無線の接続を選べ、動きの少ない表示をするなら遅延は問題ない。また、Windows環境で使える点も見逃せない。

Duet Display
作者/Duet Inc.
価格/App内課金あり・多数のプラン

1 パソコンにもソフトを入れ、iPadと接続して使う

Mac、もしくはWindowsのPCにソフトをインストールしたら、iPad側でDuet Displayを起動させ、パソコンでも起動させるとサブディスプレイとして起動する。特に難しい設定などはない。通常の外部ディスプレイと同様、配置なども変更できる。

2 設定も細かくチューニング可能!

通常の拡張表示のほか、ミラーリングも可。解像度も5段階から選べる。フレームレート、表示品質、Retina表示も選択できる。行う作業の内容と、表示の状態を確認してベストな設定値を見つけよう。

PC SOFT
Duet Display
作者/Duet Inc.
URL https://www.duetdisplay.com/ja/

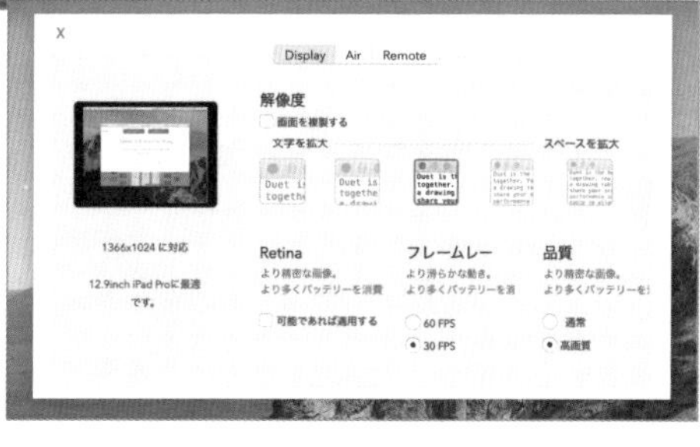

上級技

225 遠隔操作 Googleのアプリで iPadからPCを遠隔操作

Chrome拡張機能のリモート操作アシスタント

Googleの「Chrome Remote Desktop」は優秀なリモートアプリ。Chromeの拡張機能として追加することで、簡単なPINコードでiPadからパソコンを操作できるようになる。

App

Chrome Remote Desktop
作者/Google, Inc.
価格/無料 言語/日本語

PC SOFT
Chrome リモート デスクトップ
作者/Chromoting Release Managers
URL/remotedesktop.google.com/access

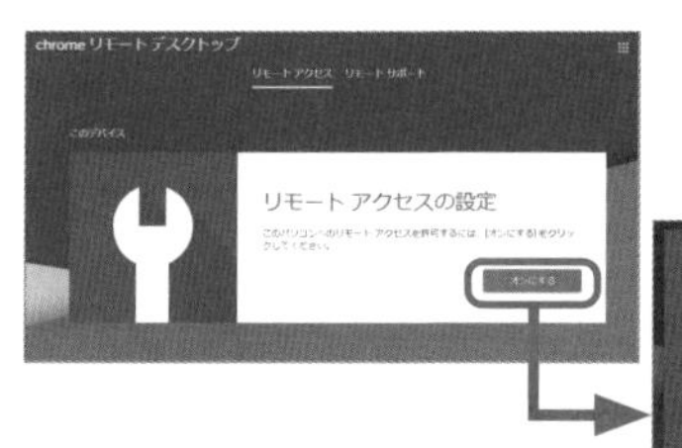

1 遠隔操作するパソコンの設定をおこなう

「remotedesktop.google.com/access」にPCでアクセスし、機能拡張をChromeにインストールしたら「リモートアクセスの設定」をオンにし、パソコンの名称とPINコードを設定する。そして「起動」をクリックで準備完了だ。

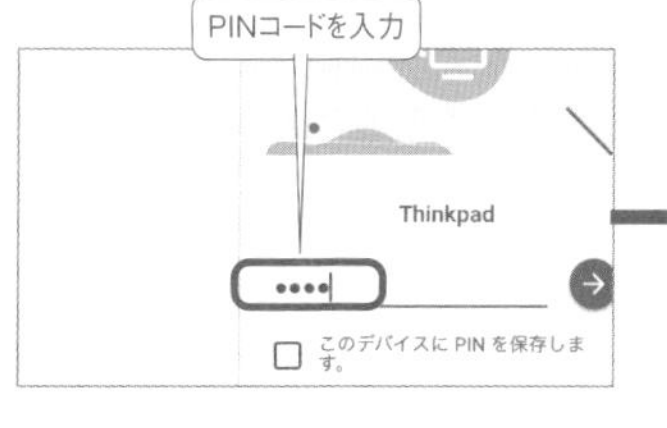

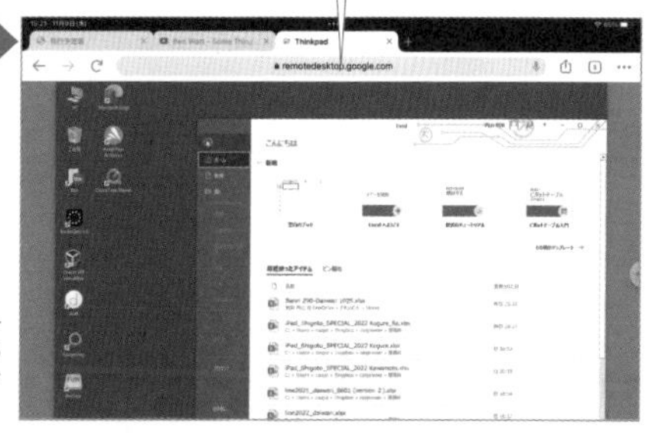

2 iPadアプリからアクセスしてスムーズに遠隔操作

iPadアプリを起動し、同じアカウントでログイン。「リモートのデバイス」に接続可能なパソコンの一覧が表示されるのでタップ。設定したPINコードを入力すれば、デスクトップをiPadで表示、操作できる。表示もスムーズ。

上級技

226 設定 仮想ホームボタンを追加できる「Assistive Touch」を使いこなす

ホームボタンを画面内に配置する「Assistive Touch」

設定の「アクセシビリティ」→「タッチ」→「AssistiveTouch」と進み機能をオンにすると画面に白い丸ボタンが表示される。これをタップするとメニューが表示され、仮想的ホームボタンとして使ったり、通知センターやコントロールセンター、Siriを起動したりといったiPadの基本的なジェスチャー操作をタップ操作で行なえるようになる。

また、この白い丸ボタンはドラッグすれば、画面外周の好きな場所に配置を変更可能。本来は操作をサポートするための機能だが、ホームボタンを押しすぎて反応が鈍くなった時などに、ホームボタンの代わりに利用するといったテクニックもある。

「Assistive Touch」機能で多機能ボタンを配置する

1 「Assistive Touch」をオンにする

設定から「アクセシビリティ」→「タッチ」→「Assistive Touch」と進み機能をオンにすると白い丸ボタンが表示される。

2 タップボタンでメニューを呼び出す

白い丸ボタンをタップすると、メニューが表示され、ホームボタンなどのさまざまな動作をタップで行なえるようになる。

「Assistive Touch」をカスタマイズしてホームボタンに特化する

「Assistive Touch」はさまざまな機能を使うことができるが、これをあえて1つの機能に特化させるのもまた便利だ。例えば前述した無印iPadなどでホームボタンが効かなくなってしまった場合の対処法。初期設定でホームボタンの代用をする場合、「Assistive Touch」の白い丸ボタンをタップした後に「ホーム」をタップせねばならない。しかし、「Assistive Touch」での機能を「ホーム」だけに限定することで、白い丸ボタンをタップした時に即座にホームボタンとして機能してくれるようになるのだ。ホームボタンが効きづらくなった場合の処置として覚えておこう。

「Assistive Touch」をホームボタンに特化させる

1 メニューをカスタマイズ

「Assistive Touch」の設定画面で「最上位レベルのメニューを…」をタップ。「ー」ボタンをタップしてアイコンを削除していく。

2 ホームボタンに割当てる

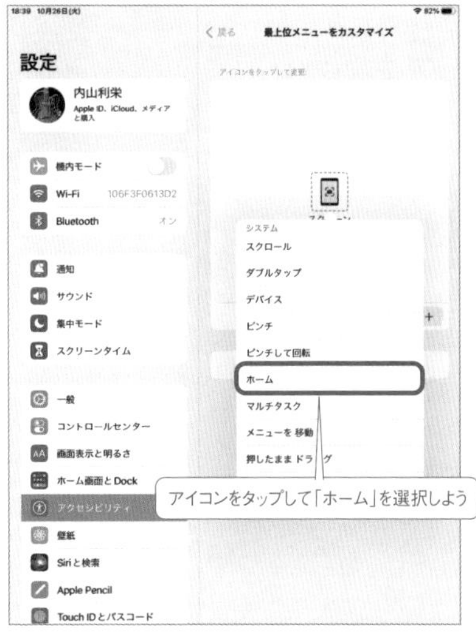

ひとつだけ残ったアイコンをタップし、「ホーム」を選択する。これで即座にホームボタンと同じ動作を行なってくれるようになる。スクリーンショットボタンだけにするのも便利だ。

基本

227 長押しを駆使して素早いページ移動を行う

iPadに大量のアプリを入れてしまい、ホーム画面が10ページを超えてしまっている人も多いだろう。そんな場合は、iPad下部のページネーション表示を少しだけ長押ししてみよう。表示が変わったらすぐにその部分をドラッグすると高速でページの移動が可能になる。また、画面ではなくアプリを探したい場合はAppライブラリを使う方が便利だ。「設定」などで深い階層まで進んだ場合も長押しで一気に戻ることができる。

Dockのすぐ上にあるページネーション表示を少しだけ長押しして、ドラッグしてみよう。高速でページを移動できる。

アプリが変わった際や、設定で深い階層に入った場合でも「戻る」ボタンを長押しすることで階層が表示され、一気に戻ることができる。

設定

228 着信音と通知音だけの音量を調整する

iPadで鳴るさまざまな音の音量は、本体横のボリュームボタンで変更できるが着信音と通知音のみ、ボリュームボタンでの音量変更を無効化して、個別に音量をコントロールすることが可能だ。「設定」→「サウンド」画面を開き、「着信音と通知音」欄にある「ボタンで変更」をオフにしよう。この状態でボリュームボタンを押しても、他の音量は変更されるが、着信音と通知音の音量は変わらなくなる。

「サウンド」の「ボタンで変更」をオフにすれば、ボリュームボタンで着信／通知音量が変更されなくなる。

上級技

アクセサリ

229 ペーパーライクフィルムでPencilの書き味を上げる

Apple Pencilを使う機会が多い人ならば、iPadの質感を紙のように変える「ペーパーライクフィルム」の使用を考えてもいいだろう。通常のフィルムではタッチが固く、滑りすぎるので紙にペンで書くのとは感触が違いすぎる。ペーパーライクフィルムなら滑りすぎることもなく、適度な抵抗があって書きやすいはずだ。ただ、画面の輝度やシャープさはある程度損なわれてしまうし、製品によってはペン先の摩耗も若干早まるとも言われているのでデメリットもある。

PCフィルター専門工房 iPad mini6 用ペーパーライクフィルム

iPadの各機種に対応:価格は1,610〜2,610円(税込)
Amazonで大人気のフィルムがこちら。書き心地はもちろん良好で、貼りやすく、貼り直しも可能で、ペン先の摩耗もだいぶ低減されている。

アクセサリ

230 ケーブルの先端や根本部分を保護して使用する

Lightningケーブルは標準で先端部分がむき出しのため、持ち歩いているとカバンの中を摩擦して破損しがち。破損を防ぐには先端用の保護キャップを購入するのがよいだろう。Amazonなどで「Lightningケーブル先端用キャップ」と検索をしてみよう。かなりの数の保護キャップが現れる。またやぶれがちなケーブル根元部分を防護するには断線防止プロテクターを利用しよう。根元部分をがっちり保護できる。Apple純正のプロテクターは現在販売休止中だが、サードパーティ製の安価な製品が多数販売されている。

テクノベインズ Lightningケーブル先端用キャップ(半透明) 6個/パック

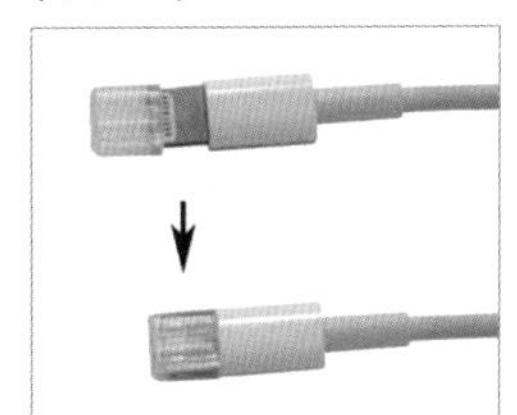

6個入りで500円程度の透明保護キャップが販売されているケースが多い。なくしても1個80円程度なので気にならないだろう。

DanYun ケーブルプロテクター 6点セット

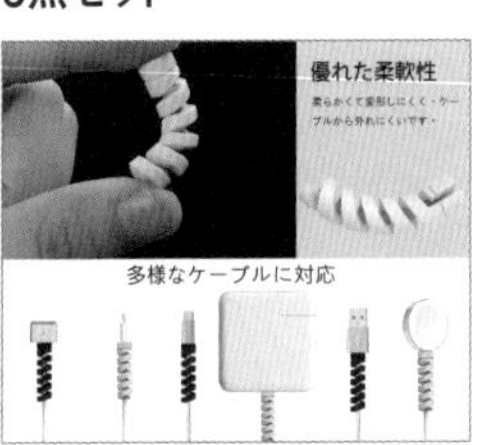

Lightningケーブルをはじめ、2.5〜4mmの範囲のケーブルならどれでも保護できる。デザインもシンプルでよい。500円程度で6個入り。

231 省データモード 省データモードを使ってみよう!

データ通信の使いすぎを未然に防ぐ

iPadOSには、「省データモード」が搭載されている。省データモードを有効にすると、Safariなどのウェブブラウザをはじめとする通信するアプリでのデータ通信量を抑えることができるので、特に携帯電話回線やスマートフォンのテザリングでiPadをインターネット接続しているときに有効にしておくといいだろう。iPadのセルラーモデルの場合は、「設定」→「モバイルデータ通信」から有効にできる。

1 接続中のスマートフォンの詳細を表示する

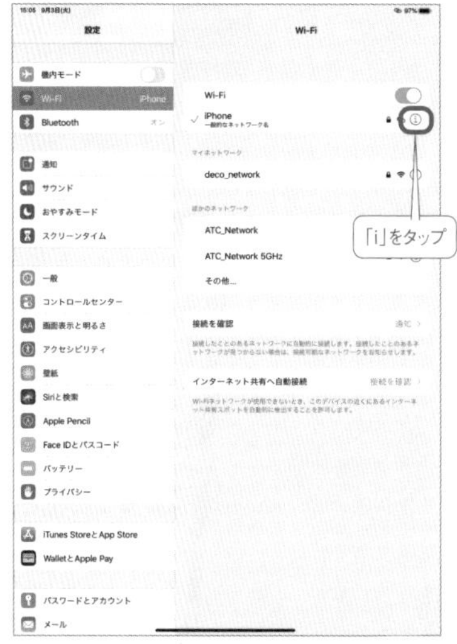

「設定」→「Wi-Fi」とタップし、目的のアクセスポイント(ここではテザリング元のスマートフォン)の「i」ボタンをタップする。

2 「省データモード」を有効にする

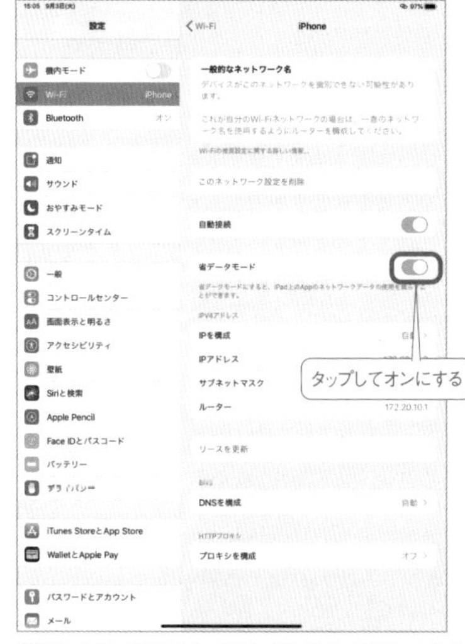

「省データモード」のスイッチをタップしてオンにする。セルラーモデルの携帯電話回線の通信量を抑える場合は、「モバイルデータ通信」の画面で同様に操作する。

上級技 232 キーボード 外付けキーボードのショートカットを活用する

ショートカットキーを使って、キーボードを便利に活用!

iPadにMagic Keyboardなどの外付けキーボードを接続している状態であれば、対応する各アプリでショートカットキーが使用できる。使用できるショートカットキーは、キーボードのcommandキー(Windowsキー)などを長押しすれば確認できるが、iPadOS 15以降ではこれが機能別に分類されてより見やすくなっている。また、便利なショートカットキーが数多く追加されているので、新たにこれらをマスターすれば作業の劇的な効率化が実感できるはずだ。

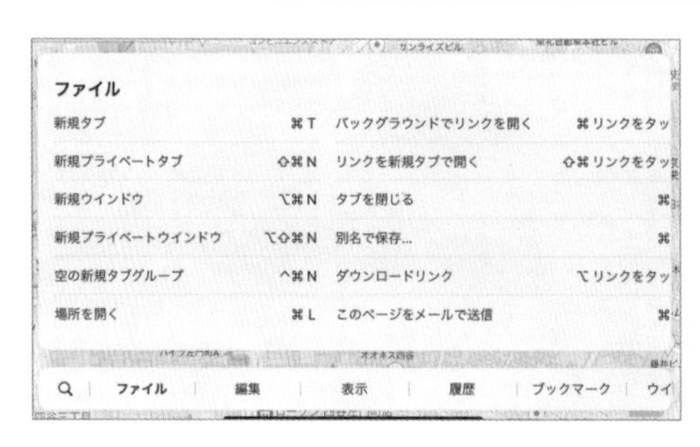

1 ショートカットキーが確認しやすい

外付けキーボード接続時にcommandキーや地球儀キーを長押しすると表示されるポップアップが、「ファイル」や「編集」といった内容ごとに分類表示され、確認しやすくなっている。なお、表示しているアプリによってショートカットは変わっている。

2 追加されたショートカットキー

iPadOS 15以降で追加された、主な外付けキーボード用ショートカットキー。地球儀キーと組み合わせるものが多く、特にMagic KeyboardなどのApple純正キーボード利用時の利便性が向上している。

Siriを起動する	地球儀+S
コントロールセンターを表示する	地球儀+C
通知センターを表示する	地球儀+N
クイックメモを起動する	地球儀+Q
Appライブラリを表示する	地球儀+Shift+A
Dockの表示／非表示(アプリ使用時)	地球儀+A
アプリ内でのフィールド移動	option+tab
	option+Shift+tab

SECTION 07

生活お役立ち技

**いつも自分のそばにあるiPadだからこそ、
より普段の生活に効率良く役立てたい。
ビデオ通話や地図、乗換え、料理、
体重管理などにもiPadは素晴らしく役に立つ。**

233 トリセツ なくしがちな家電の取説は検索性の高い「ブック」で電子保存しよう

マスト!

PDF管理アプリとしても優秀な「ブック」で取説を保存

家電を買うと付属する取り扱い説明書（取説）。何かあったときに……。と保管するが、しまい込んでしまって「何か」のときにすぐに出てこないことも。こうしたトラブルを防ぐための良いアイデアがある。取説のPDFをメーカーサイトから「ブック」アプリにダウンロードしておこう。

ブックアプリでは電子書籍だけでなく、PDFファイルの管理も可能。コレクション（フォルダ）管理やキーワード検索、目次でのジャンプもできるのが優秀。調べたい内容にすぐにたどり着くことができるので紙で保存するよりも機能性も高くて優秀だ。

1 トリセツのPDFを「ブック」に保存

Safariで取説のPDFを探して開いたら、アクションボタンから「ブック」を選択する。

2 取説を「ブック」アプリで管理する

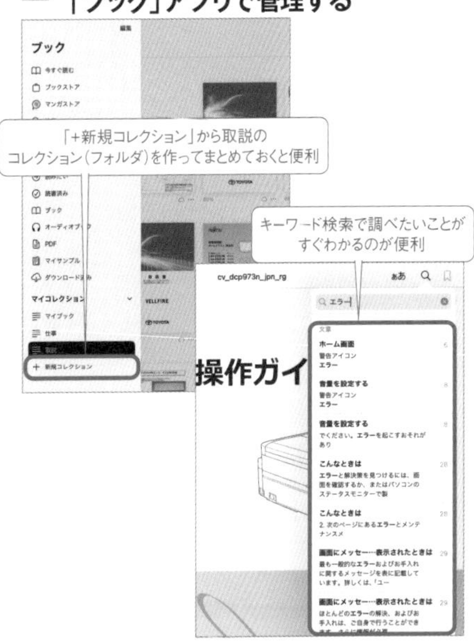

ブックアプリでPDFが開く。この際、「新規コレクション」から、取説だけをまとめたコレクションを作っておくと便利だ。

マスト!

234 FaceTime いつでもどこでもFaceTimeを楽しもう

iPadの大画面でビデオ通話ができるFaceTimeを活用!

iPadにはiPhoneのような通話機能は搭載されていないが、標準アプリ「FaceTime」を利用することで、iOSデバイス間でビデオ通話や、LINEのような音声通話が利用できる。Wi-Fiでも4G・5G通信でも利用可能。iPadOS 16.1（iOS 16）以降では、対応する機器との間でFaceTimeをHandoffで引き継げるのも便利だ。また、他のビデオ通話アプリよりも、比較的に音質・画質共に良好で、Wi-Fiなどで通信環境が安定しているなら、高音質・高画質な通話が利用できる。

標準でFaceTimeは有効になっている場合がほとんどだが、利用できない場合は「設定」→「FaceTime」から機能をオンにすればいい。また、ここでは発着信に利用する連絡先情報を変更できる。標準ではApple IDに関連付けられた電話番号・メールアドレスが自動的に割り当てられているので、変更は不要。ただし、「発信者番号」は他のiOS機器と統一しておいたほうが、着信側でトラブルが少なくなる。

ビデオ機能を除いた音声だけのFaceTime機能「FaceTimeオーディオ」も便利。通常の電話とまるで変わらず無料で利用できるFaceTimeオーディオは電話代の節約にもなりとても便利だ。通話時にホームボタンを押すことで「ピクチャ・イン・ピクチャ」モードとなり、他のアプリを使いながらビデオ通話を楽しむことも可能だ。

ビデオ通話だけでなく音声通話も可能

1 FaceTimeの有効とアドレスを確認

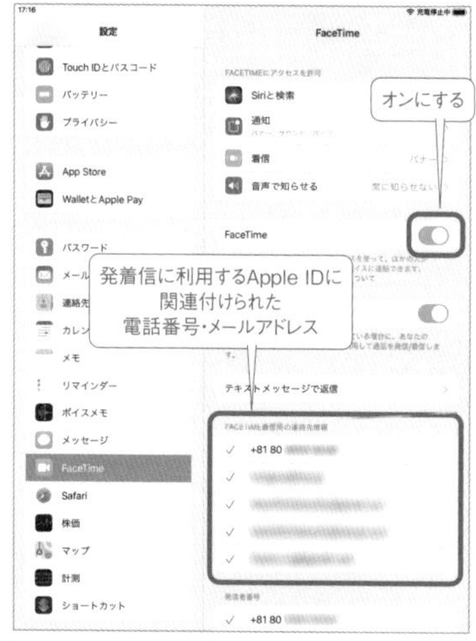

「設定」→「FaceTime」から機能が有効になっていることを確認。発着信の連絡先情報も確認しておこう。

2 FaceTimeでビデオ通話してみよう

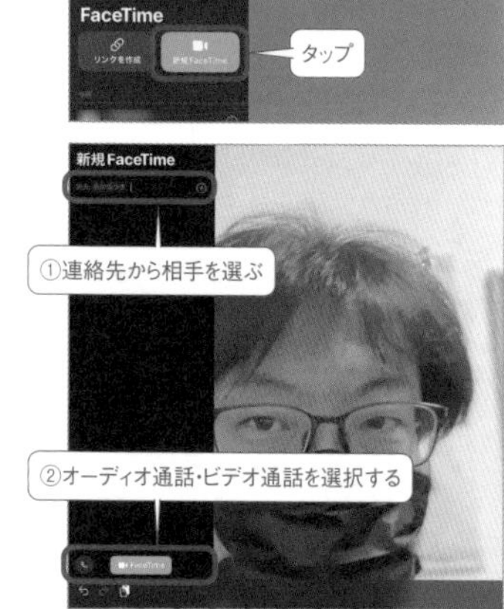

FaccTimeアプリで「新規FaceTime」ボタンから通話相手を指定して、FaceTimeを発信できる。また、「連絡先」からも発信が可能。好きな方を選ぼう。

映像にエフェクトなどをかけられる

通話画面の写真を撮影できる（相手にも通知が届く）

通話終了やスピーカー・マイクのオンオフなどの操作ができる

3 ビデオ通話を楽しむ

相手がFaceTimeに応答すれば、ビデオ通話や音声通話が開始される。ビデオ通話の場合は画面に自分の映像が表示され、左下から終話やカメラの切り替えなどが可能。

point

グループで制限時間なく通話できるからオンライン飲み会にも便利!

グループビデオ通話も楽しめる。オンライン飲み会といえばZoomがメジャーだが、FaceTimeであれば通話品質も高く、制限時間もない。さらに現在ではAndroidやWindowsユーザーとも招待リンクを使ってFaceTimeに誘えるようになっているので、コミュニケーション手段として活用していこう。

OSを問わずFaceTimeでビデオ通話が可能。相手の環境に左右されず、グループでFaceTimeを楽しめる。

235 FaceTime ミー文字でFaceTimeをするのが楽しい!

顔を隠して相手と通話したいユーザーに便利

iPad ProユーザーならFaceTimeで映している自分の顔をミー文字に変えることができる。知らない相手や匿名でFaceTimeをしたいときに便利な機能だ。顔を隠すだけのステッカーと異なり、ミー文字ではカメラで映し出されたユーザーの表情の動きを読み取り、実際の表情に合わせてキャラクターの表情も変えてくれるのが最大の特徴だ。そのため、コミュニケーションするときに意思疎通がとりやすい。なお、ミー文字は「メッセージ」アプリから作成することができる(36ページ参照)。

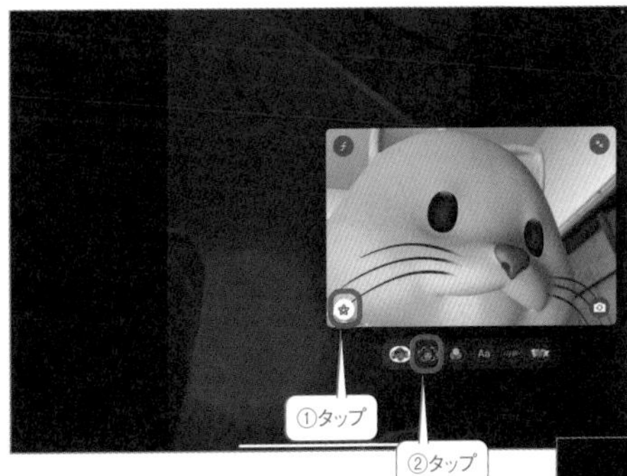

1 ミー文字を利用する

FaceTimeでミー文字を利用するには、自分のカメラ画面の左下にある星アイコンをタップし、ミー文字アイコンをタップ。

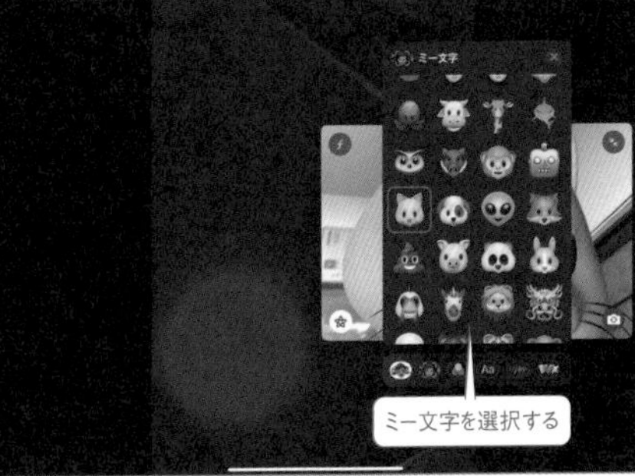

2 ミー文字を選択する

ミー文字選択画面が表示されるので利用したいミー文字を選択しよう。標準で用意されているもののほかメッセージで自作したミー文字も利用できる。

上級技

236 FaceTime FaceTimeはAndroidユーザーともビデオ通話できる

URLを発行して他OSユーザーを招待できる!

Appleデバイスユーザー間専用の通話機能だった「FaceTime」だが、現在ではAndroidやWindowsユーザーともビデオ通話できるようになっている。これには、iPad(iPhone)ユーザーがFaceTimeアプリで「リンクを作成」をタップして、相手を招待する必要がある。手順としては、招待用URLリンクを作成し、メールなどで通話したい相手と共有すればいい。メールを受け取ったユーザーは記載されているURLリンクをタップすることで、ブラウザからFaceTime通話に参加できる。

1 「リンクを作成」をタップする

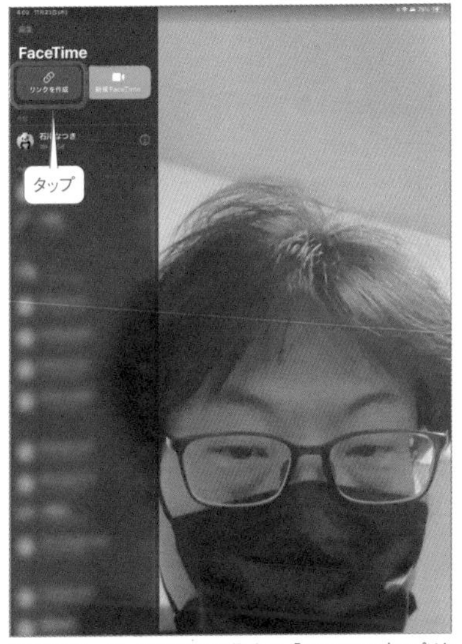

他OSのユーザーと通話したい場合は、「FaceTime」アプリを起動したら「リンクを作成」をタップする。

2 リンクをメールなどで送信する

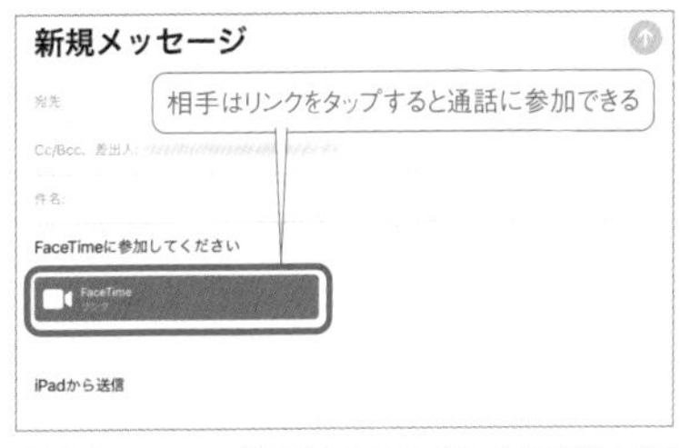

通話用リンクURLが発行されるので、「メール」アプリなどで通話相手に送ろう。相手はメール記載のリンクをタップすると、FaceTimeに参加できる。

237 FaceTime 動画や音楽を楽しみながら通話できる!

遠く離れた友達と同じ映画や音楽を一緒に楽しもう!

FaceTime通話には「SharePlay」というユニークな機能がある。これは、通話相手と同じ映像や音楽コンテンツを楽しめるという、いわゆるウォッチパーティー機能だ。遠く離れた家族や友人と、同じ映画やスポーツ番組を通話しながら、一緒に盛り上がることができる。

しかし、すべてのサービスで利用できるわけではない。「Apple TV+」 や「Twitch」「TikTok」「YouTube」などでは利用できるが、「Netflix」では非対応。再生するコンテンツによっては、参加者側もサブスクリプションが必要になる点に注意しよう。

対応アプリにはこの通知が表示される

①見たいコンテンツを選ぶ

1 FaceTime通話中にアプリを起動する

通話中にSharePlay対応アプリを起動し、見たいコンテンツを選択。「SharePlay」をタップする。相手にはSharePlayへの勧誘が表示されるので「開く」→「SharePlayに参加」をタップするとSharePlayが始まる。

2 SharePlayを終了する

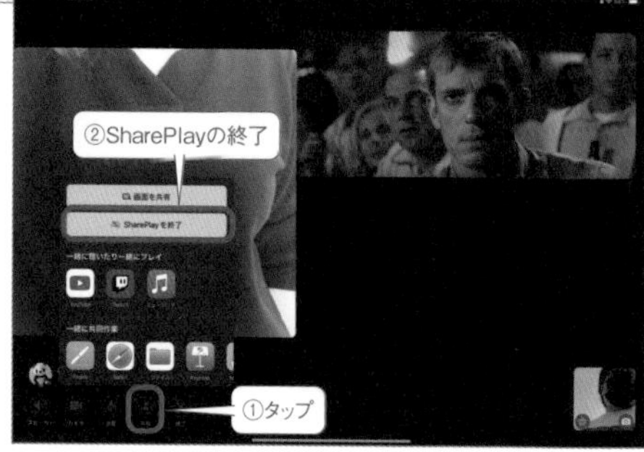

SharePlayを終了する場合、相手のカメラ画面をタップしてから「SharePlay」ボタンをタップし、「SharePlayを終了」を選べばいい。

238 FaceTime iPadの画面を通話相手に見せる

画面共有で操作画面を相手に見せられる

FaceTimeではカメラの映像を写すだけでなく、ビデオ会議アプリのようにiPadの画面を相手と共有することも可能。これには通話中に画面共有ボタンをタップして、「画面を共有」を選べばいい。相手側には画面共有へのリクエストが表示され、参加に応えるとこちらの画面が相手の側にも映し出される。

共有時には、こちらの画面と操作をリアルタイムに伝えられるので、操作方法を教えたり、同じ資料を見ながらレクチャーすることも可能。ビデオ会議アプリよりも手軽なので、共有方法を覚えておこう。

1 通話中に「画面を共有」ボタンをタップ

FaceTime通話中にコントロールにある「画面を共有」ボタンをタップし、「画面を共有」を選ぶ。

2 画面共有の開始

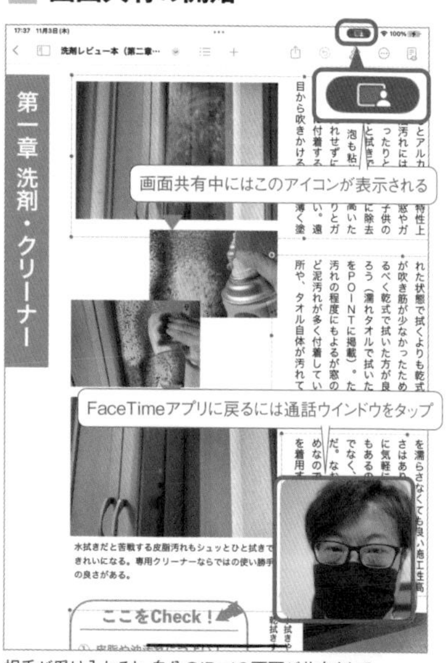

相手が受け入れると、自分のiPadの画面が共有される。

FaceTime

239 応答できなかったときや、相手が出なかったときは?

仕事中や移動中など、FaceTimeに応答できなかった場合、ただ無視するだけでは何度もかけ直されて困ることもある。この場合は「あとで通知」で、応答できない理由をメッセージで送っておこう。

逆にこちらから発信したFaceTimeに応答してもらえなかった場合は、短いビデオメッセージを送ることもできる。どうしてもビデオで伝えたい内容がある場合は、この方法が便利だ。ただし、お互いの端末がiPadOS 17(含むiOS 17)以上である必要がある。

1 応答できない理由のメッセージを送る

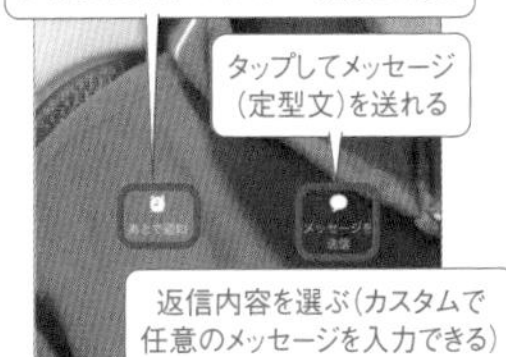

かかってきたFaceTimeの画面で「メッセージを送信」を選ぶと、応答できない理由を定型文(iMessage)で送信できる。

2 相手にビデオメッセージを送信する

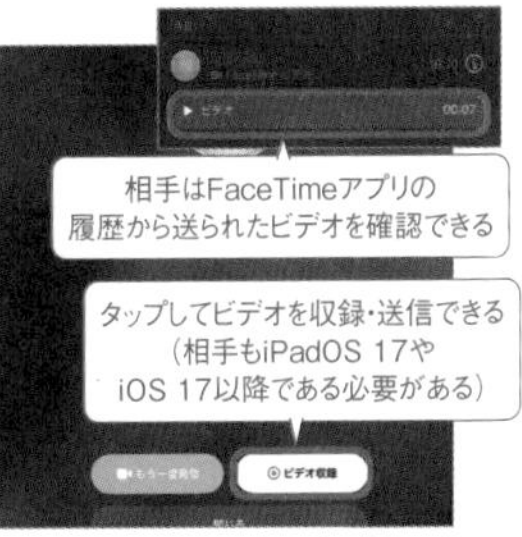

相手が応答しなかった場合、短時間のビデオメッセージを送ることができる。どうしても動画で伝えたい時に利用してみよう。

FaceTime

240 ハンドジェスチャーのエフェクトで通話が盛り上がる!

iPadOS 17ではFaceTimeのビデオ通話でハンドジェスチャーによる3D拡張現実エフェクト機能が加わった。これは、特定のハンドジェスチャーを行なうことで、画面にさまざまなエフェクトを飛ばせる機能。たとえば親指を立てる「いいね」のハンドジェスチャーをすれば、画面にも同じくサムズアップアイコンが表示される。ほかにも背景に花火やレーザーを表示するエフェクトなどもあり、FaceTimeでの会話がより一層盛り上がるはずだ。

3D拡張現実でさまざまなエフェクトを表示。手を顔から離し、少しの間動きを止めることでハンドジェスチャーを認識してくれる。

FaceTime通話で使えるハンドジェスチャー

ジェスチャー	アニメーション
両手でハートマーク	ハートマーク
片手でサムズアップ	いいね
片手でサムズダウン	よくないね
片手でピースサイン	風船
両手でサムズアップ	花火
両手でサムズダウン	雨
両手でピースサイン	紙ふぶき
両手でメロイックサイン(人差し指と小指を立てる)	広がるレーザー

ハンドジェスチャーを利用するには、コントロールセンターを開き、「エフェクト」をタップ。「リアクション」がオンになっていることを確認する。

241 天気 多機能でデザインも美しい標準の天気予報アプリを使おう

美しいデザインで情報量がとても豊富。ぜひ使ってみよう!

iPadOS 17にアップデートすると、標準でインストールされる「天気」アプリ。デザインも素晴らしく機能も超充実したアプリだ。現在地の今後24時間、10日間の天気予報を詳しく見られるほか、今後12時間の降水量予測をアニメーションで見ることができる。また、iPhone版もあるが、アプリはiPad版の方が充実している。

App

天気
作者/Apple 標準アプリ
言語/日本語

1 起動すると現在地の情報が表示される

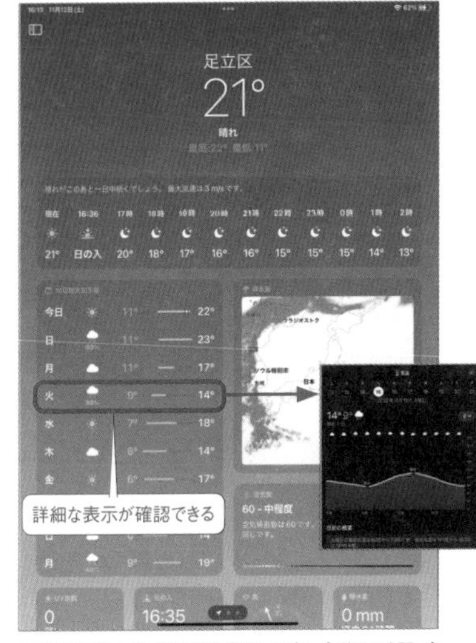

アプリを起動すると現在地の気温、天気、今後24時間、今後10日間の予報をサクッと確認できる。どちらも任意の部分をタップすると、詳細な予想気温、グラフが表示される。

2 降水量予想のアニメーションを見る

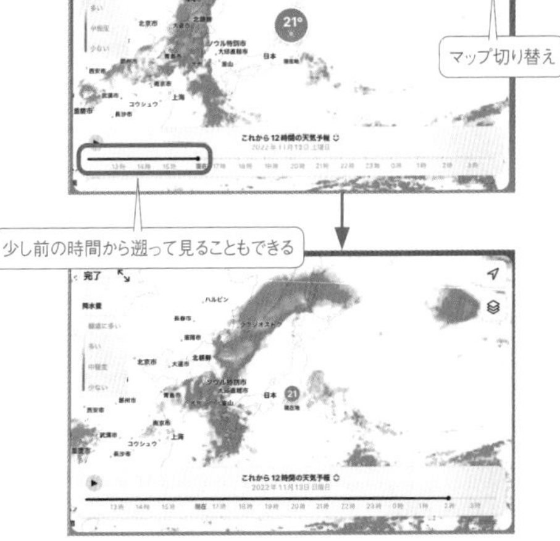

右側の地図をタップすると、今後12時間の降水量の予測をアニメーションで見ることができる。右上のボタンで気温と空気質にマップを切り替えられる。

マスト!

242 カレンダー カレンダーのベーシックな使い方と便利な応用テクニック

シンプルながらも使い勝手の良さが光る標準のカレンダー

iPad用として使い勝手の良いカレンダーアプリは多いが、実はiPadOS標準のカレンダーも使いやすさという面では非常に優れたアプリだ。表示単位(日・週・月・年)の切り替えができ、任意のスケールで予定を確認できるのはもちろん、イベント(予定)の追加も、追加したい日時を長押しするといった直感的な操作なので、スムーズに使い始められる簡単さがある。

シンプルなだけではない。イベントには、場所を追加して「マップ」から確認できたり、メモを記入したり、参加者を設定したり、予定の開始前に通知(リマインド)を受け取ることも可能。毎週同じ予定を繰り返し追加するなどもOKだ。こうして、スケジュール管理ツールという視点からも、欲しい機能は一通り揃っているため、ビギナーからスペシャリストまで、幅広いユーザーにオススメできる。

なお、初期設定ではカレンダーの予定はiCloudで同期されるが、Gmailアカウントを追加することで、Googleカレンダーと同期することも可能。Googleカレンダー上の予定をチェックできるだけでなく、「カレンダー」アプリからGoogleカレンダーへと予定を追加することもできるので、Googleサービスをメインで利用している人にとっても、「カレンダー」アプリはオススメできる。まずは、基本的な使い方。そして応用編として、Googleカレンダーとの同期方法をチェックしていこう。

カレンダーのベーシックな使い方

1 新規イベントを作成する

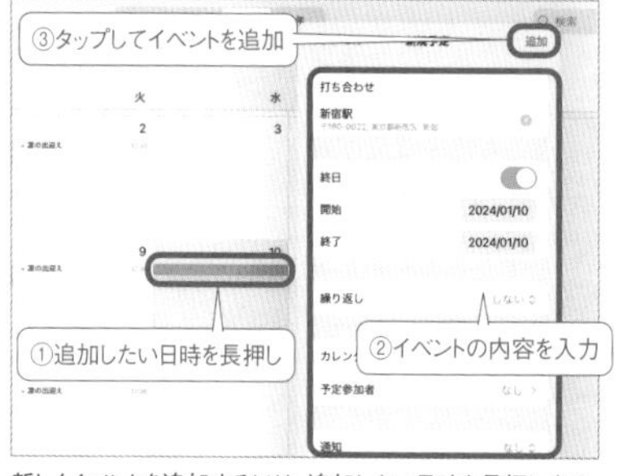

新しくイベントを追加するには、追加したい日時を長押しする。新規イベントが作成されるので内容を入力しよう。

2 イベントを編集・削除

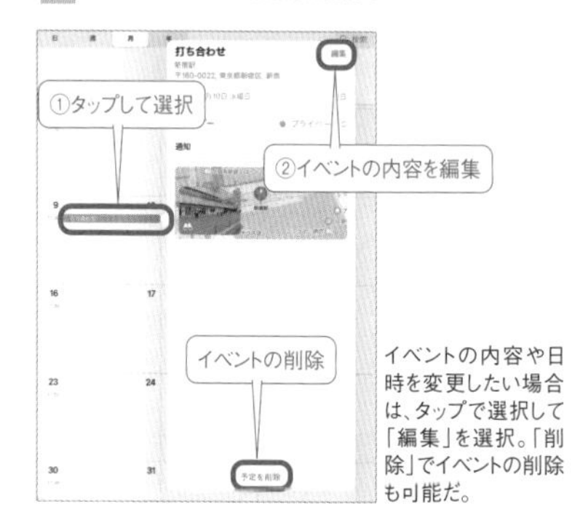

イベントの内容や日時を変更したい場合は、タップで選択して「編集」を選択。「削除」でイベントの削除も可能だ。

3 イベントの開始前に通知を受け取る

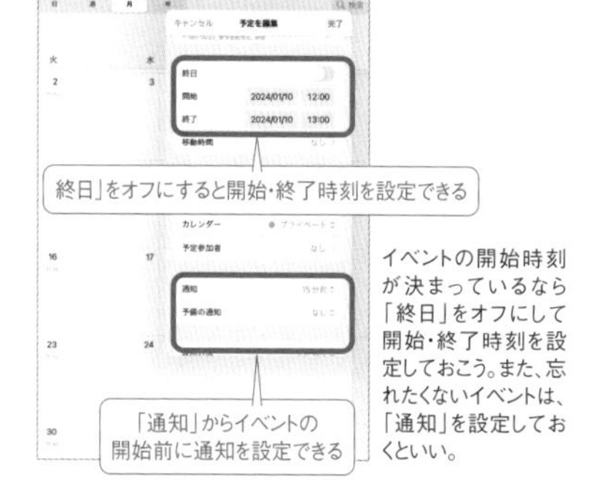

イベントの開始時刻が決まっているなら「終日」をオフにして開始・終了時刻を設定しておこう。また、忘れたくないイベントは、「通知」を設定しておくといい。

4 毎週繰り返す定期イベントを作成する

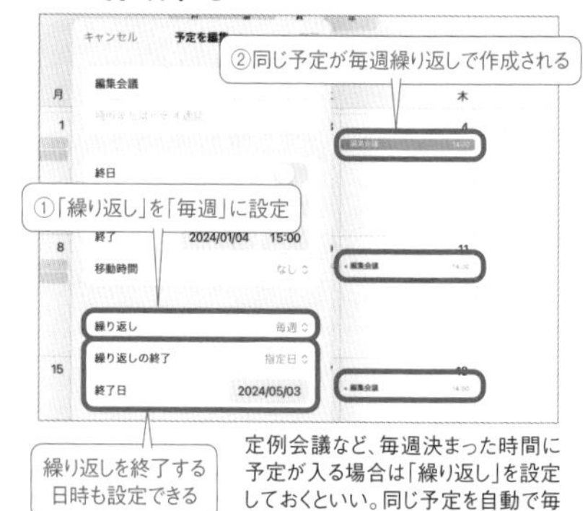

定例会議など、毎週決まった時間に予定が入る場合は「繰り返し」を設定しておくといい。同じ予定を自動で毎週追加してくれる。

応用テクニックーGoogleカレンダーを管理する

1 Googleカレンダーを追加

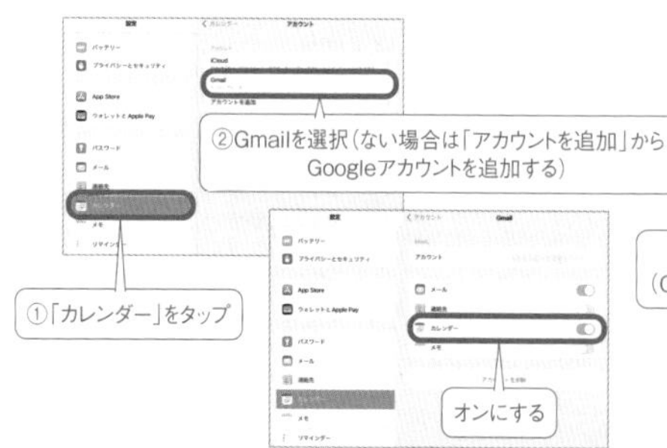

「設定」→「カレンダー」→「アカウント」からGoogleアカウント(Gmail)を追加。タップして開き、「カレンダー」のスイッチをオンにしておく。

2 Googleカレンダーに予定を追加する

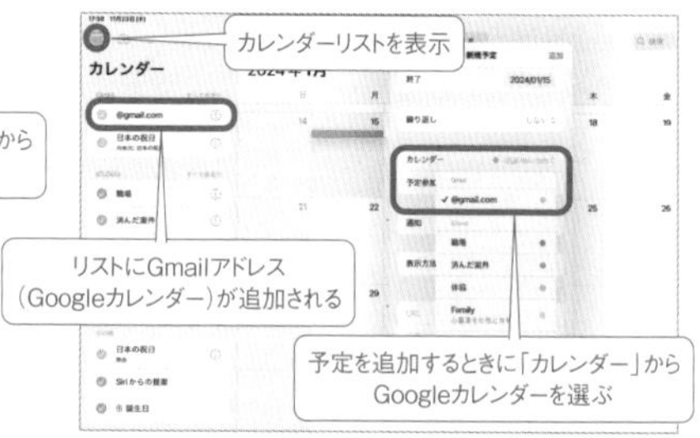

「カレンダー」アプリにGmailアドレスのカレンダー(Googleカレンダー)が追加される。Googleカレンダーに予定を追加するには「カレンダー」項目で追加したGoogleカレンダーを選択すればいい。

243 カレンダー ページ分割されない、便利なカレンダーアプリ

月ごとのページ分割なし! 直感的に利用可能

カレンダーアプリの多くは月ごとにページが変わったり、月の変更時に余白が表示されるなど、「月」の区切りを意識したデザイン。しかし「くるまきカレンダーHD」は、月を背景色の違いで区切ることで、ページ分割を廃止している。おかげで、月またぎ案件でも予定が見やすく、直感的に確認できる。

App

くるまきカレンダーHD
作者／LITTLEN STAR Inc.
価格／400円

1 月をまたいでも スクロールして予定を確認

月ごとのページ分割がなく、月をまたいだ予定なども、縦スクロールだけで素早く確認することができる。非常に直感的に使えるカレンダーだ。

2 iOS標準カレンダーと 同期可能

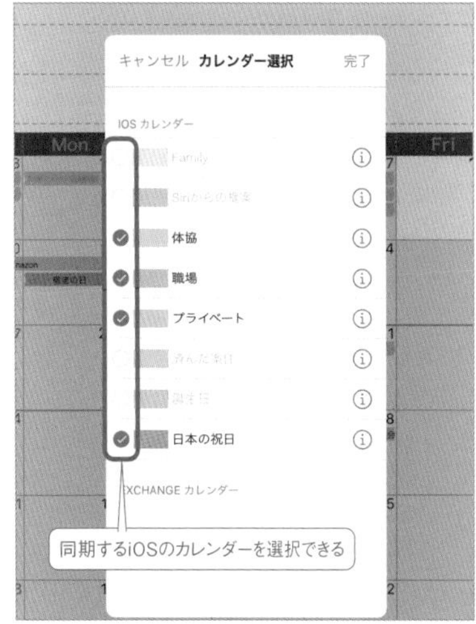

「設定」ボタンから「カレンダー選択」を選ぶと、同期するカレンダーを選択できる。iOSのカレンダーと標準で同期できるのは便利だ。

244 スケジュール 手書きで予定を編集できる「Pencil Planner」

手書きを活用! ハイブリッドなスケジューラー

日々のスケジュールやタスクを、スマホやPCといった、デジタルで管理している人、手帳などのアナログで管理している人……それら両者におすすめなのが、デジタルとアナログのハイブリッドでスケジュール管理できる「Pencil Planner」だ。標準の「カレンダー」の予定の上に、手書きでさまざまな予定を書き込むことができる。

App

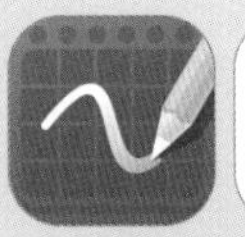

Pencil Planner & Calendar Pro
作者／Wasdesign, LLC
価格／無料(App内課金月額550円から)

1 Appleカレンダーに 手書きを加える

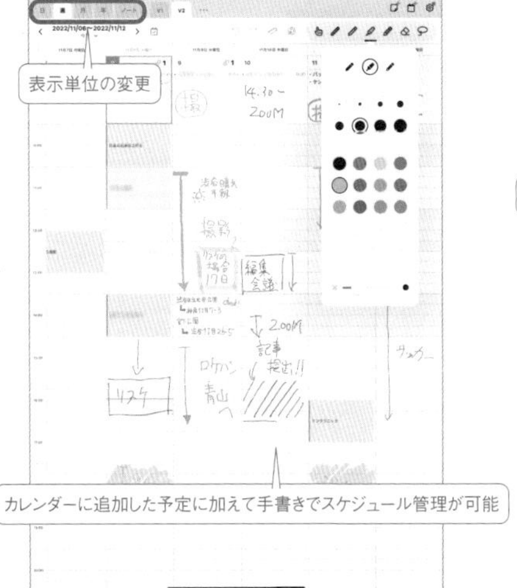

標準の「カレンダー」のスケジュールに手書きでメモを加えられる。表示単位は「日」～「年」まで変更可能。

2 タスク管理も これだけで完結する

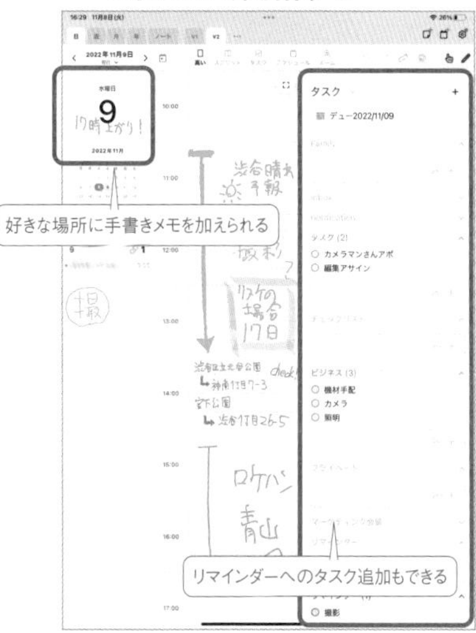

標準の「リマインダー」とも連係していて、タスクをアプリ上から追加も可能だ。

245 Siri とても便利な音声コントロール「Siri」をさらに活用する

音声アシスタントを更に活用できる便利なテクニック

賢くて優秀な音声アシスタント「Siri」をもっと便利に活用したいなら、押さえておきたい設定がある。まず、マストで設定しておきたいのが「Hey Siri」だ。これは自分の声を登録することで、「ヘイ シリ」と声で話しかけることで、Siriを起動できる機能。有効にしておくことで「ヘイ シリ、明日の天気を教えて」「ヘイ シリ、明日の朝6時に起こして」など、Siriと会話するように命令を出すことができる。なお、この機能を利用するには自分の声を何度か聞かせて、声を覚えさせよう。これによって、自分以外の声では起動しなくなるので、勝手に使われることはなく安全だ。

Siriがどう発言したのか？自分の声をどう認識したのか？を文字として画面に表示することもできる。表示された会話は、タップして文字入力による訂正が可能だ。Siriの認識能力は高いが、固有名詞など、なかなか認識できないフレーズを正したいときに便利なので、こちらも有効にしておこう。

また、はじめから文字入力を使ってSiriに命令を出すことも可能。たとえば、電車の中など声を出すのが難しい場所や、周囲が騒がしい場所などではこのテクニックが有効だ。ただし、この設定を行なうと、ボタン長押しで起動したときは、音声入力は無効になるので留意しよう。音声で命令したいときは、「Hey Siri」で起動すればいい。

なお、Siriは声を選ぶこともできる。自分の聞き取りやすい声に変更しておこう。

Siriで押さえておきたい4つの便利設定

1 声でSiriを起動する

「設定」→「Siriと検索」とタップし「"Hey Siri"を聞き取る」をオンにする。自分の声を登録することで「ヘイ シリ」と話しかければSiriを起動できる。

2 Siriとのやり取りを文字で表示

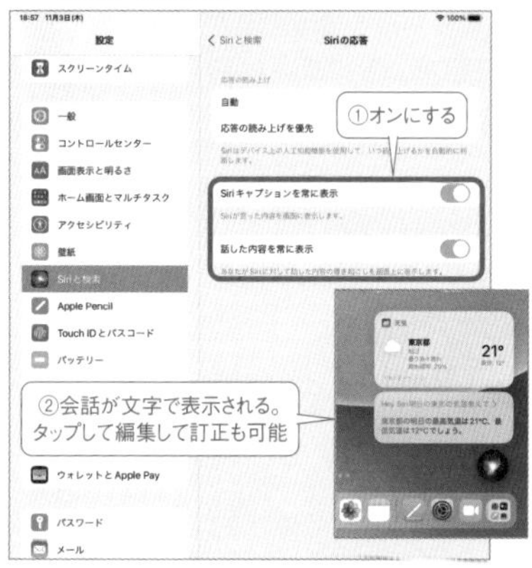

「Siriと検索」画面で「Siriの応答」を開き、「Siriキャプションを常に表示」「話した内容を常に表示」をそれぞれオンにすると、Siriとの会話が文字で表示される。

3 Siriの声を変える

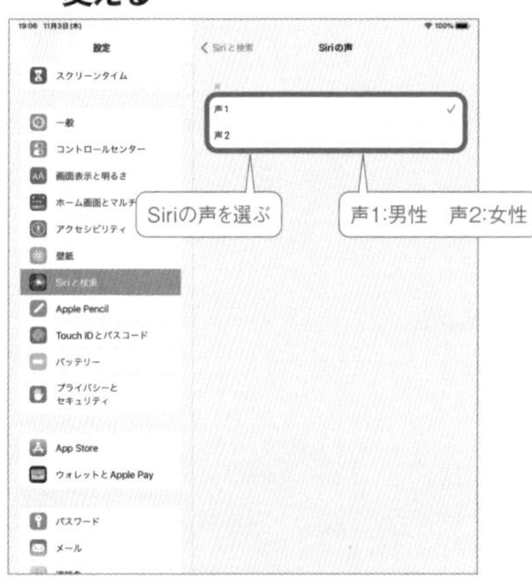

「Siriと検索」画面で「Siriの声」を開く。男性の「声1」、女性の「声2」から声を選ぶことができる。

4 声を出せないときにSiriを利用する

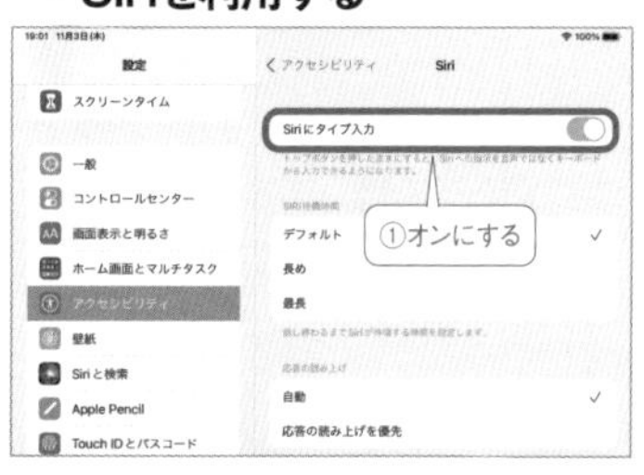

「設定」→「アクセシビリティ」→「Siri」を開き、「Siriにタイプ入力」をオンにする。これでSiriに文字入力で命令を送れる。

point 通知をSiriに読み上げてもらうことも

対応イヤホン(第1世代を除くAirPodsシリーズ、Beatsブランドの一部)を接続していると、届いた通知をSiriが読み上げてくれる。手放しで通知を確認することができるので、移動時や両手が塞がっているときに便利な設定だ。

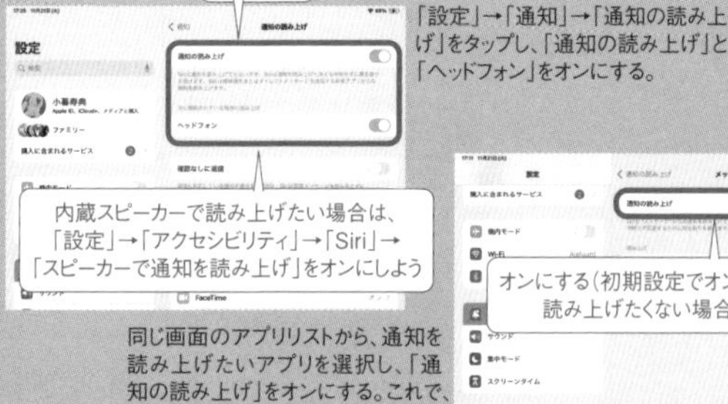

「設定」→「通知」→「通知の読み上げ」をタップし、「通知の読み上げ」と「ヘッドフォン」をオンにする。

同じ画面のアプリリストから、通知を読み上げたいアプリを選択し、「通知の読み上げ」をオンにする。これで、画面がロック中に届いた通知の内容を読み上げてくれる。

上級技

246 Siri Siriにはなにを頼めばいいの?

Siriができることを覚えておこう!

Siriはさまざまな命令を聞いてくれる。知りたいことをインターネットで検索するのはもちろん、予定やリマインダーを追加したり、タイマーを設定するといったスケジュールの追加。さらにはアプリの起動や、通話をかけたり、通話を終了するといった、ほかのアプリ・機能との連係も可能になっている。

ここでは便利で、よく使うSiriの音声コマンドの一例をまとめておいたので、実際にどういうことをやってくれるのか？をSiriと会話しながら試してみよう。

Siriで使える便利な音声コマンド

ジャンル	用途	言い方
スケジュール	アラームの設定	「明日の朝6時に起こして」「1時間後に起こして」など
	カレンダーに予定を登録	「来週月曜日の午前9時から会議を登録」
	リマインダーの登録	「午後3時に美容院へ電話するとリマインド」
	タイマーの設定	「3分のタイマー」「タイマーを解除」
検索	インターネットで検索	「○○○をインターネットで検索」や「○○○について教えて」など
	ニュースを検索	「今日のニュースは？」
	天気を検索	「今日の天気は？」「○○の天気は？」
	曲名を検索	「この曲は何？」
	施設を検索	「近くの○○を教えて」など
	iPhoneをさがす	「iPhoneを探して」
連絡	通話をかける	「○○さんに電話」「○○さんにFaceTimeオーディオ」
	通話を切る	「通話を切って」(「Siriと検索」設定で「通話を終了」をオンにする必要がある)
	メールやメッセージ	「○○さんにメッセージを送って」
その他	アプリを起動する	「○○(アプリ名)を起動」
	雑談	「何か話して」「早口言葉」「なぞなぞ」「しりとり」

Siriが対応している音声コマンドの一例。このほかに「なにができるの?」と聞くと、Siriができることを一覧で教えてくれる。

247 Siri Siriを使ってスポーツの結果などを表示する

スポーツ観戦が好きな人にとって便利なのがSiriのスコア検索。野球の試合結果などを手軽に調べることができる。たとえば「プロ野球の結果」と話しかけると前日の試合結果を一覧表示でき、「プロ野球の予定」と話しかければ、今日のプロ野球の試合日程の一覧表示が可能だ。各球団の選手リストを一覧表示することもできる。ほかにも、Jリーグ、メジャーリーグ、サッカー欧州リーグ、アメリカプロバスケットボール、ナショナル・ホッケー・リーグなどにも対応。

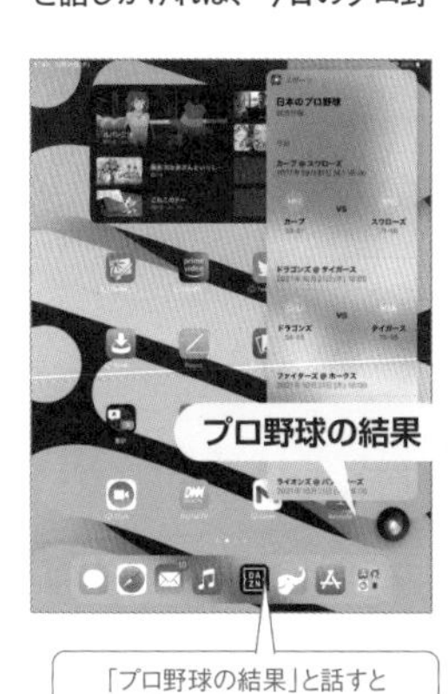

「プロ野球の結果」と話すと前日のプロ野球の結果を一覧表示

球団名の後に「選手」と話すと、その球団の選手リストを表示

248 Siri 目的地までの道のりをSiriで素早くマップ表示する

経路検索アプリを使うときに煩わしく感じるのが、目的地名の文字入力。特にカーナビなど運転中など手が離せないときに不便だ。そこでSiriを使おう。Siriを起動して「○○に行くには?」「○○までナビ」と話しかけると、標準マップアプリが起動し、目的地までのルートを表示。さらにそのままカーナビ画面に自動で移行もしてくれる。「Hey Siri」機能とあわせて使えば、ハンズフリーでマップアプリの利用が可能だ。なお、車だけでなく交通機関を選択してのルート検索もできる。

Siriを起動したら「○○に行くには?」や「○○までナビ」と話しかけよう。

「マップ」アプリが起動して、ルートを表示してくれる。車、徒歩、電車やバスなど交通機関を使ったルートを切り替えて表示できる。

マスト!

249 マップ 年々使いやすくなっている純正地図アプリを使いこなそう

ルート検索をはじめ便利機能がたっぷり! 充実の純正マップ

Apple標準のマップは、ランドカバー（地形情報）が充実し、山なのか平野なのか市街地なのか、それらがひと目で判断しやすいのが特徴だ。車道や歩道の情報量もここ数年で大幅にアップしており、インターチェンジなどの情報はもちろん、公園内の細い通路などもかなりカバーされている。

公共交通機関を利用した経路検索も、道路情報の充実に伴い、かなり正確になっており使いやすい。出発地点（または現在地）と目的地を指定すれば、徒歩や自動車のルートだけでなく、電車やバスを利用した経路も表示してくれる。現在時刻と連動して直近の発車時刻を確認することもできる。

またAppleのマップの特徴として、通常の詳細地図、航空写真のほかに、ドライブ用のマップと交通機関の地図が切り替えられる点が挙げられる。同じエリアを違った目的で見ることができて便利だ。特に使いやすいのはルックアラウンド（ストリートビュー）機能で、地図をある程度大きく表示すると画面下に表示される双眼鏡アイコンをクリックすることでマップと同時に街の鮮明な画像を見ることができる。航空写真の3D表示も圧巻だ。見たいエリアを選んだら、右上の「3D」ボタンをタップしよう。
高低差がわかるのはもちろん、建物をあらゆる角度から眺めることができる。凄いのは東京、大阪の一部都市だけでなく、地方の市街の多くでも3D表示ができる点だ。

マップの便利な機能を使いこなそう

1 交通機関での経路を検索する

マップ画面左上にある入力フォームに目的地を入力するか、マップ上を直接タップする。目的地情報が表示されたら交通機関のマークをタップする。そしてアイコンで車、徒歩、公共交通機関などから選択すればよい。

2 車では自由に経由地を追加できる

車での経路検索では、経由地を自由に追加できるので、とても使いやすい。出発の準備ができたらiPhoneに同期することもできる。

3 マップは切り替えて使える

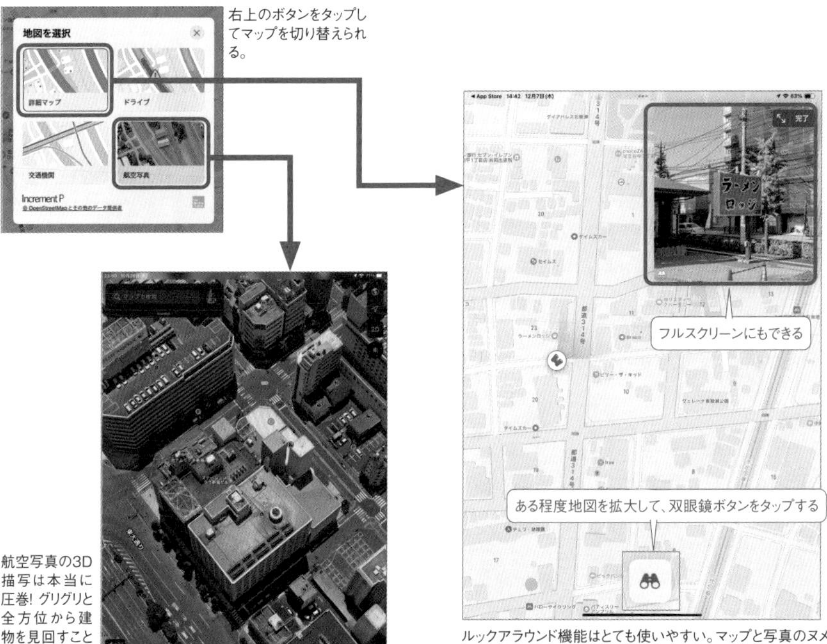

右上のボタンをタップしてマップを切り替えられる。

航空写真の3D描写は本当に圧巻! グリグリと全方位から建物を見回すことができる。

ルックアラウンド機能はとても使いやすい。マップと写真のヌメヌメとした連係が心地よい。

250 マップ マップで調べたスポットを「よく使う項目」に登録しておく

よく行く場所は「よく使う項目」に保存する

「マップ」アプリを使っていて、よく開く場所がある場合は「よく使う項目」に登録しておこう。お気に入りの場所を、「よく使う項目」に登録するには、長押しでピンを立てた後に表示されるメニューから「よく使う項目に追加」（★の追加マーク）を選択すれば登録することが可能だ。登録した「よく使う項目」は検索メニューを展開すると呼び出せる。なお、「よく使う項目」に登録しておけば、前ページで紹介しているナビ機能を使って経路を調べることができる。

1 長押しでピンを立てる

任意の場所を長押しするとピンが立つ。同時に表示されるメニューから「★」をタップして保存する。

2 「よく使う項目」を呼び出す

「よく使う項目」は、上部のメニューに収まっている。「さらに表示」ですべての保存場所を確認できる。

251 ナビゲーション Googleマップのストリートビューで世界中の名所を擬似ドライブする

ストリートビューで世界中の風景を楽しもう

「Google マップ」の優れている点は、マップ上のある地点をタップするとその地点を撮影した写真を立体的に視聴できる「ストリートビュー」機能。iPad を通して世界中の道路を擬似ドライブして楽しめるほか、世界の名所を巡ったり絶景を眺めることができる。一部の博物館や競技場、レストラン、お店といった施設の中の様子も見ることも可能なので、訪問先の店を事前にチェックするにも役立つだろう。

App

Googleマップ
作者／Google,Inc.
価格／無料

1 道路部分を長押しする

ストリートビューを表示したい道路部分を長押しする。次に左メニューからストリートビューの写真をタップする。横長の写真がストリートビューの写真だ。

2 ストリートビュー画面を操作する

ストリートビュー画面に切り替わる。左右上下スワイプで方向を切り替えられる。画面をダブルタップ、もしくは画像の上に表示される矢印をタップすることで移動も可能。

252 乗換案内 複雑な条件に対応できる最高の乗換案内は?

電車などの交通機関の乗換はアプリにお任せ

今では乗換案内アプリは、どのアプリの完成度も高いが、ここでは細部にまで配慮の行き届いた「乗換 NAVITIME」を紹介しよう。このアプリなら、路線図からのワンタッチ駅指定や、混雑度表示、乗降アラーム、交通費メモなど、あらゆる部分をキメ細かく活用できる。

App

乗換NAVITIME
作者／NAVITIME JAPAN CO.,LTD.
価格／無料　言語／日本語

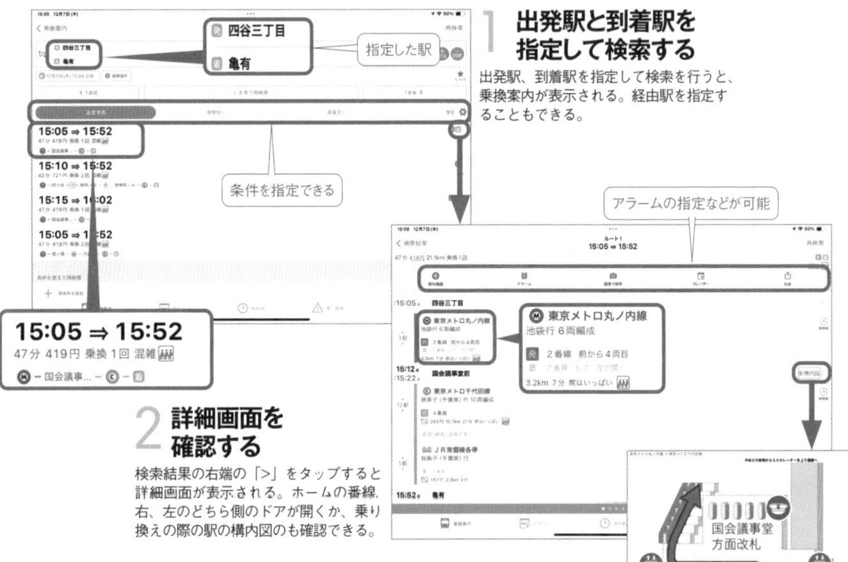

1 出発駅と到着駅を指定して検索する

出発駅、到着駅を指定して検索を行うと、乗換案内が表示される。経由駅を指定することもできる。

2 詳細画面を確認する

検索結果の右端の「>」をタップすると詳細画面が表示される。ホームの番線、右、左のどちら側のドアが開くか、乗り換えの際の駅の構内図のも確認できる。

253 計測 iPadでものの大きさ、距離が測れる「計測アプリ」

iPadのカメラと拡張現実技術で物体の長さを測定する

標準アプリの「計測」を使えば、iPadのカメラと拡張現実(AR)を利用して、物体のおおよその長さを測ることができる。アプリを起動したら測定したい部分の始点を決め、iPadを動かすだけで始点からの距離をインチとセンチメートルで自動的に表示してくれる。定規やメジャー代わりに利用するのもよいが、手の届かない高い場所にある物体の長さを測るときに役立つだろう。測定した距離の値はクリップボードにコピーできるほか、物体と計測値を収めた写真を撮影して保存することができる。

1 計測アプリを起動して距離を計測する

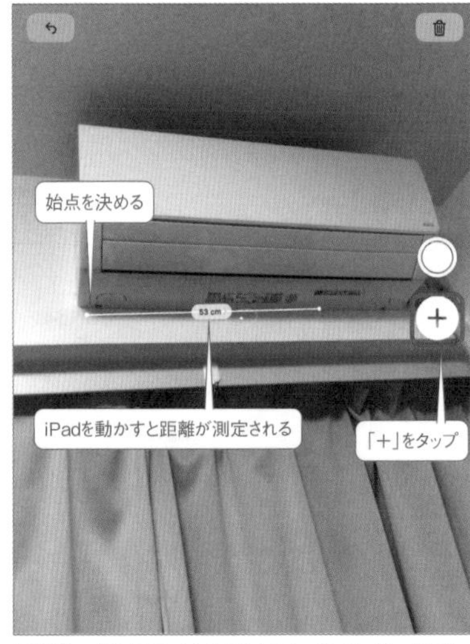

「計測」アプリを起動したら表示されるウィザードに従い、計測したい対象の始点を決め「+」をタップする。そのままiPadを動かすと始点から現在の画面の中心までの距離が表示される。

2 測定値をコピーする

表示された測定値をタップするとインチとセンチメートルで距離が表示される。「コピー」をタップするとクリップボードに選択している方の単位の測定値がコピーされる。

254 株価 アップデートされて使いやすくなった「株価」アプリ

独自ウォッチリストで銘柄の整理機能がパワーアップ!

株式市場の動向をチェックするのに必須な「株価」は古くからあるアプリだ。銘柄を検索してウォッチリストに追加すれば、常に株価変動を追えるが、最新のiPadOSでは、独自のウォッチリストを作成して、切り替えて表示するといった、銘柄ごとの管理能力がさらに強化されている。

また、銘柄コードをアクションボタンから「メッセージ」や「メール」への添付が可能になっている点も注目。銘柄コードを手入力することなく、トレンドの銘柄を、家族や友人に素早く共有できるようになった。

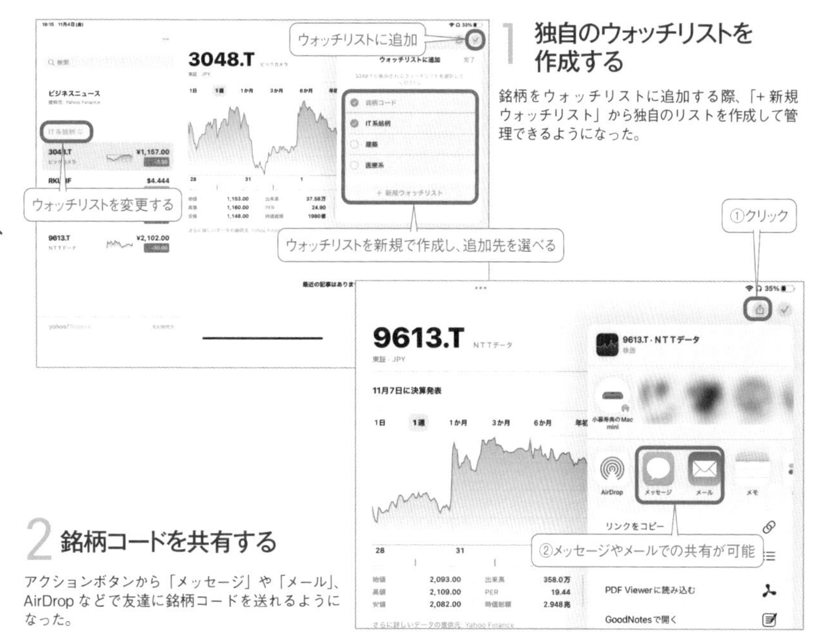

1 独自のウォッチリストを作成する

銘柄をウォッチリストに追加する際、「+新規ウォッチリスト」から独自のリストを作成して管理できるようになった。

2 銘柄コードを共有する

アクションボタンから「メッセージ」や「メール」、AirDropなどで友達に銘柄コードを送れるようになった。

255 iPad管理 スクリーンタイムで自分のアプリ利用時間を調べる

iPadの用途や利用時間を簡単に確認できる

どれだけ端末を操作していたか?どのアプリを操作していたか?といった画面を見ている時間をチェックできるのが「スクリーンタイム」機能だ。これは端末を使っている間、自動的に計測され、通知センターや「設定」→「スクリーンタイム」から確認することができる。「すべてのアプリごと~」からはiPadを持ち上げた回数まで知ることができる。また、iPhoneとiPadなど、複数の機器を所有している場合は、「デバイス間で共有」をオンにしておくと、全てのデバイスの時間が合計されたデータを確認できる。

1 スクリーンタイムをチェックする

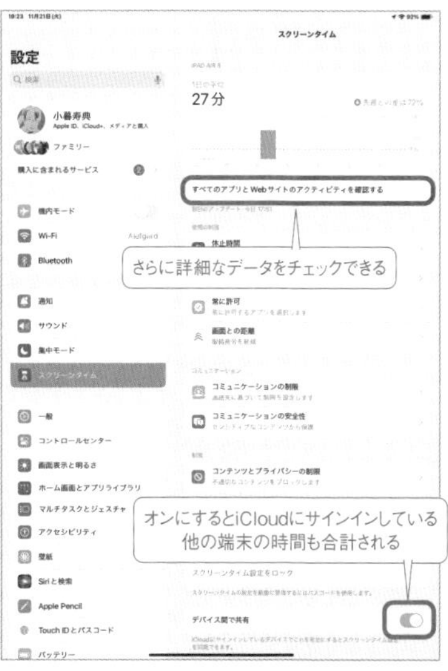

「設定」→「スクリーンタイム」とタップすると画面を見ていた時間(スクリーンタイム)を確認できる。

2 アプリの利用時間を確認する

手順1で「すべてのアプリとWebサイトのアクティビティを確認する」をタップすると、「週」や「日」ごとの時間、利用アプリを確認できる。

256 電子書籍 月440円で雑誌が読み放題の「dマガジン」

コンビニやキオスクに並ぶ人気雑誌が読める

「dマガジン」は、NTTドコモが運営している電子書籍のオンラインストア。月額440円（税抜）で「週刊文春」「週刊新潮」「週プレ」「女性セブン」など人気雑誌1200誌以上の最新号が読み放題の人気サービスだ。ドコモユーザーでなくても会員登録すれば利用可能。しかも今なら、初回登録後31日間は無料で読み放題だ。

App

dマガジン
作者／株式会社NTTドコモ
カテゴリ／ブック　価格／無料

1 ウェブ上からドコモIDの登録を行う

dマガジンを利用するには、ドコモIDを取得する必要がある。公式サイトからドコモIDの取得を行った後、続いてdマガジンの各種初期登録を行おう。

2 iPadで雑誌を読み放題

登録後、dマガジンアプリからドコモIDでログイン。あとは表示される雑誌の表紙から好きなものをタップすればダウンロードして閲覧できる。

257 マンガアプリ 無料のマンガアプリで快適にマンガを楽しもう

毎日無料で読めるマンガアプリがたくさんある!

iPadでは、毎日無料でマンガを読めるアプリがたくさんある。その多くは、毎日ポイントやコインが、マンガ数話分配布されるので、その分を無料で読めるシステムとなっている。メジャーなマンガが多く、最初のインストール時には大量のポイントがもらえる場合が多いので非常にお得だ！

App

マンガワン
作者／SHOGAKUKAN INC
価格／無料

1 マンガワンでは小学館のマンガを楽しめる!

「マンガワン」のトップページでは、「女子向け」「男子向け」「大人向け」などにマンガがカテゴリ分けされている。読みたいタイトルをクリックしよう。

2 紹介ページが表示されすぐに本編も読める

そのマンガの概要ページが表示され、すぐに第一話から読むことができる。１話を読むとライフが１つ消費するが、毎日９時と２１時にライフが４つアップするので、毎日８話分マンガを読むことができる。多くのマンガアプリがだいたいこれに近い形式をとっているので他アプリも併用して無料のマンガライフを充実させることができる。

258 電子書籍 Kindleで電子書籍を読む

「どこまで読んだっけ?」を覚えてくれる強力な同期機能

Amazonの電子書籍サービス「Kindle Store」上の電子書籍を閲覧するためのアプリ。利用しているAmazonアカウントでログインすると、購入した電子書籍が表示され、ダウンロードして閲覧できる。Whispersyncという同期機能が特徴で、Kindleで本を読んだ後、ほかの端末のKindleで同じ書籍を開くと、すぐに続きのページを表示してくれる。

App

Kindle
作者／AMZN Mobile LLC
価格／無料

1 電子書籍をダウンロード

利用しているAmazonアカウントでログインするとすぐに電子書籍を読める状態になる。無料で読めるものも多いので、まずはアプリをインストールしてみよう。タップすると端末にデータをダウンロードできる。

2 ダウンロードした電子書籍を閲覧する

電子書籍を開いた状態。Whispersyncという同期機能ではかの端末のKindleで読み進めたページの場所をすぐに開くことができる。ブックマークや注釈も同期できる。

259 電子書籍 Amazonの読み放題サービスKindle Unlimitedを使ってみよう

月額980円で電子書籍が読み放題

「Kindle Unlimited」はAmazonが提供している980円で読み放題の電子書籍サービス。Amazonの書籍で「Kindle Unlimited」のアイコンが付いていれば、いくらでも無料でダウンロードして読むことが可能。ただし、同時に利用できるのは最大10冊まで。11冊目をダウンロードするには、以前、読んだタイトルの利用を終了する必要がある。Kindle Unlimited対象の書籍は「Kindle」アプリの「カタログ」から直接ダウンロードできる。

App

Kindle
作者／AMZN Mobile LLC
価格／無料

1 「カタログ」から読み放題の本を探す

読み放題対象の本は、通常の本の購入と異なり、Kindleアプリの「カタログ」から直接検索してダウンロードして、素早く閲覧できる。

2 利用するにはAmazonのサイトから

Kindle Unlimitedを有効にするにはブラウザでAmazonのKindle Unlimitedのサイトにアクセスして購読する必要がある。

260 レシピ 動画で見られてわかりやすいレシピアプリ「クラシル」

料理のプロが提案するハイクオリティでわかりやすいレシピ

5万件を超える献立・デザートのレシピデータベースから、キーワードや人気食材でレシピを探せるレシピアプリが「クラシル」。特徴的なのが、調理過程を動画でチェックできるところ。調理の手順や調理方法をビジュアルで確認できるため、非常にわかりやすく親切なレシピアプリとなっている。

App

クラシル
販売元／dely, Inc.
価格／無料(App内課金480円/月)

1 キーワードでレシピを検索

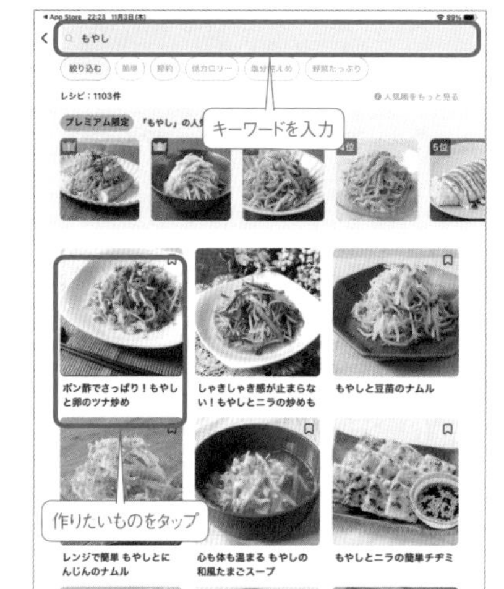

検索欄に食材や料理名など、キーワードを入力して検索。作ってみたいものを選ぼう。

2 レシピの動画をチェックする

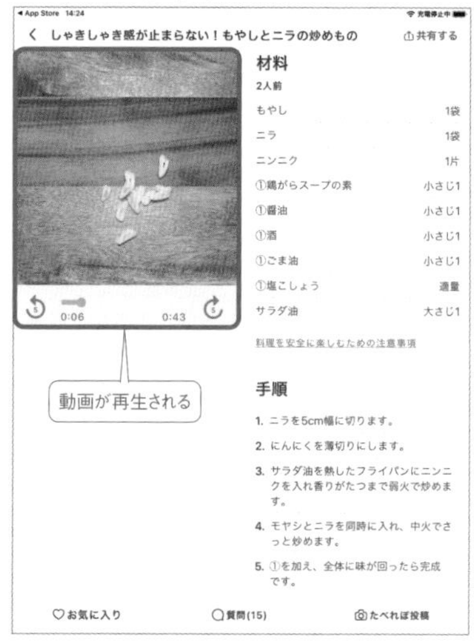

レシピの動画が再生される。調理過程から完成まで、しっかりと映像で手順を確認できる。

261 レシピ もうメニューに悩まない一週間の献立はアプリに考えてもらう

アレルギー食品の回避もできる自動献立アプリ

毎日献立を考えるのは大変。そこで献立を考えてくれる「ミーニュー」アプリがおすすめだ。家族構成や余っている食材を設定すると、指定した期間の献立を自動で考えてくれる。アレルギーがある食品の登録もできるので、安心して食事プランを構築でき、忙しい中でもバランスの良い食事計画を立てられる。

App

me:new(ミーニュー)
販売元／menew Co., Ltd.
価格／無料

1 献立の期間と家族構成を設定する

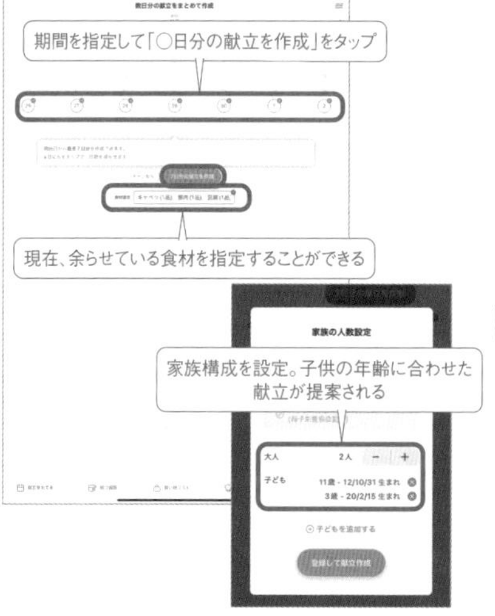

献立を考えて欲しい期間を設定し、「○日分の献立を作成」をタップ。家族構成を設定すると、家族の人数・年齢に合わせた献立を考えてくれる。

2 一週間分の献立が提案される

一週間分(設定した期間)の献立が自動で提案。写真をタップするとレシピが表示される。

262 ダイエット 体重の変化を可視化する

体重を入力するだけ! 習慣づけが簡単なダイエットアプリ

ダイエットでつまづきやすいのが、習慣づけの失敗。体重に加えてカロリーを事細かく記録するというアプリもあるが、「SmartDiet」は体重(+体脂肪)の記録だけで良いのがポイント。手軽に体重の変化を入力でき、グラフとして可視化できる。この手軽さなら誰でも継続できるはずだ!

App

SmartDiet
作者名/Komorebi Inc.
価格/無料(App内課金680円から)

1 体重を入力する

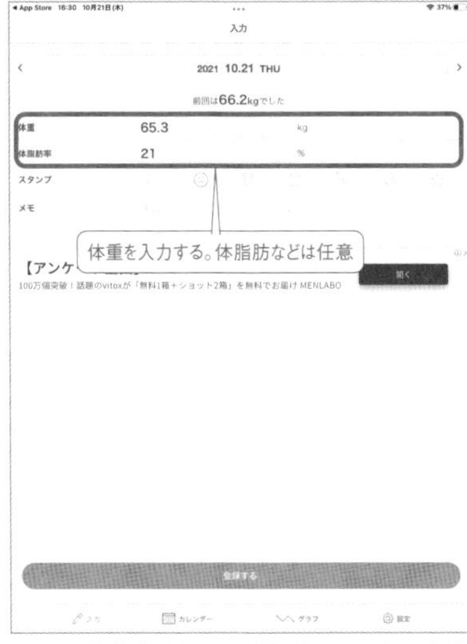

やることは体重を入力するだけ。体脂肪やスタンプ、メモなども入力できるが必須ではない。

2 体重変化をグラフとしてチェックできる

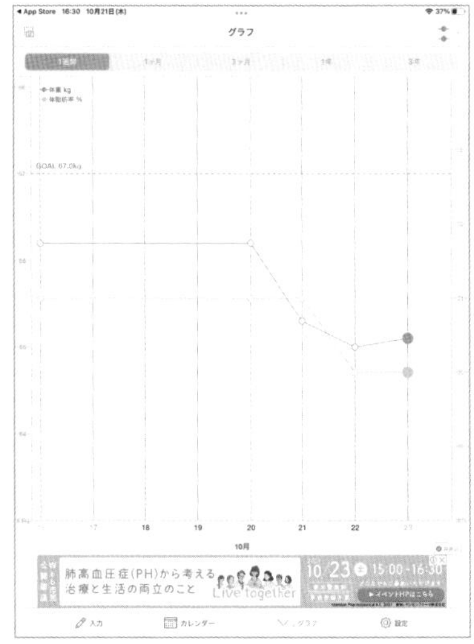

体重の変化がグラフとして可視化される。減っていく様子を見るとモチベーションアップにつながるはずだ。

上級技 263 電卓 無料で使える便利な多機能電卓アプリ

ただ無料なだけでなく、便利な機能がたっぷりの電卓!

なぜかiPadには標準で電卓アプリがないので、探したこともある人も多いだろう。電卓アプリの多くは有料になっているが、この「Calculation Pad」は無料で使えることに加え、計算した数値の保存(複数ストック可能)、消費税の計算、計算履歴の表示など非常に便利な機能が利用できるおすすめアプリだ。

App

Calculation Pad
作者/Yukio Tajima
価格/無料(App内課金あり)

1 ボタンの配置や操作性は独自性あり!

フルサイズで開くと左側の見慣れない文字に違和感を感じるが、わからないボタンは無視すればOKだ。

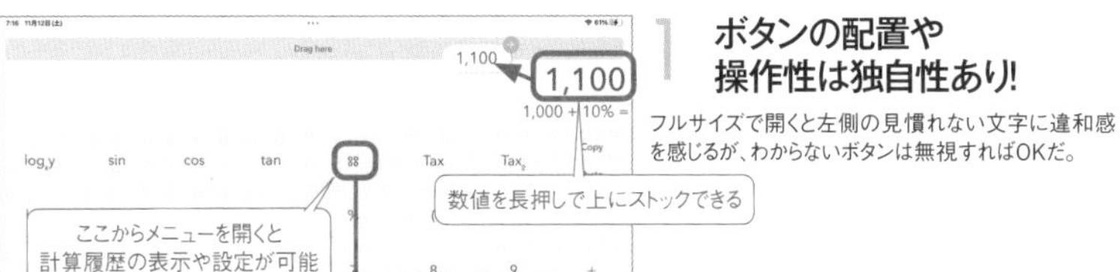

2 オールクリアは「×」ボタンを左にスワイプ

オールクリアがどこなのかがわかりにくいが、「×」ボタンを左にスワイプでOKだ。Split Viewで使うのが快適だ。App内課金はあるが、開発者を応援するための課金になっている。

264 ショッピング 近所のチラシをiPadで見る

オンラインで広告チラシを閲覧できる

最近は新聞を取らない家庭も増えているが、そのような人でも地域の折り込みチラシを閲覧することができるアプリ。GPSや郵便番号などで地域のチラシを探すことができる。じっくり見たいチラシだけを選り分ける作業があるのも面白い。このアプリでセール情報を逃さないようにしよう！

App

シュフーチラシアプリ
作者／ONE COMPATH CO., LTD.
価格／無料

1 チラシをダウンロードする

起動したらGPS情報を元にしてマイエリアを設定。チラシタブから周囲のチラシが一覧表示されるので見たいチラシをタップしよう。

2 チラシを閲覧する

チラシは見やすいように拡大・縮小で動かせる。裏面がある場合は下部の「めくる」をタップするとひっくり返すことができる。

265 リマインダー リマインダーをもっと有効利用 買い物リストが便利!

上級技

カテゴリ別に自動でリスト化 買い物が超ラクに!

買い物リストを紙で管理しているなら、iPadで効率化を図ってみたい。「リマインダー」アプリを使えば、入力したアイテム名を判別して、自動で分類してくれる。

例えば「サラダ油」と入力すると「油類・ドレッシング」カテゴリにまとめられ、「牛乳」と入力すると「乳製品・卵・チーズ」カテゴリにまとめてくれる。これによって、スーパーなどでも、品物の見落とし防止が期待できる。中には見当違いのカテゴリにまとめられてしまうこともあるが、今後ブラッシュアップしていくだろう。

1 買い物リストを作成する

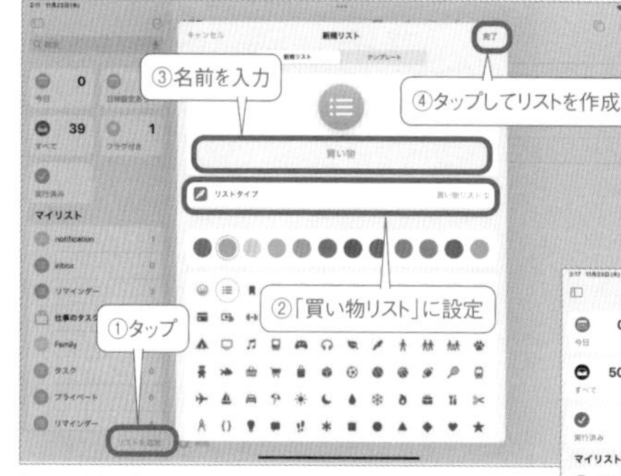

「リストを追加」をタップしてリストタイプを「買い物リスト」に設定。名前を入力して「完了」をタップしよう。

2 追加した製品を自動で分類分け

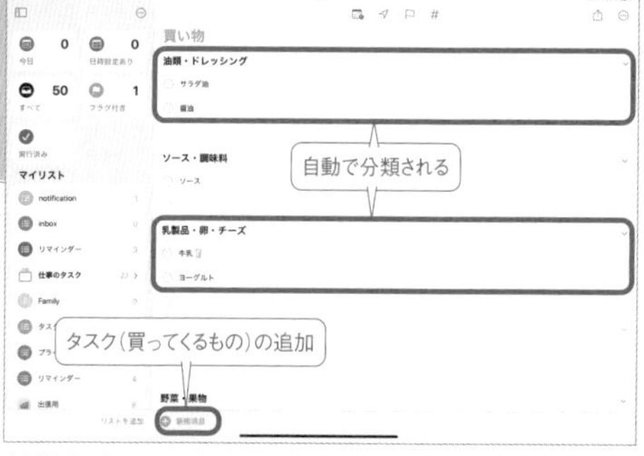

「新規項目」からタスク（買ってくるもの）を追加すると、自動で分類してくれる。手動での調整も可能だ。

266 間取り作成 高機能で楽しい間取りアプリを使ってみよう

手書き感覚で間取りを作成する

「まどりっち」は手書きでラフな住宅間取り図を簡単に作成できるアプリ。グリッドに沿って手書きで書き込んだ形状に応じて自動的に間取りの形に補正してくれる。作成された間取りには部屋の面積を平方で表示し、全体の坪数も表示してくれる。また、「リビング」や「寝室」などの頭文字を描くと部屋ボタンが表示され、タップすると部屋を設定することができる。

App

まどりっち
作者／福井コンピュータアーキテクト株式会社
価格／無料

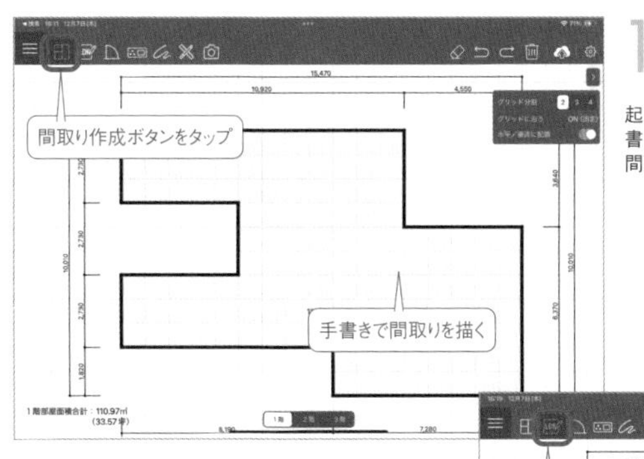

1 手書きで間取りを描こう

起動したらメニューから間取り作成ボタンをタップして、手書きで間取りを書こう。形状に合わせて自動的に補正され間取り図が簡単に作れる。

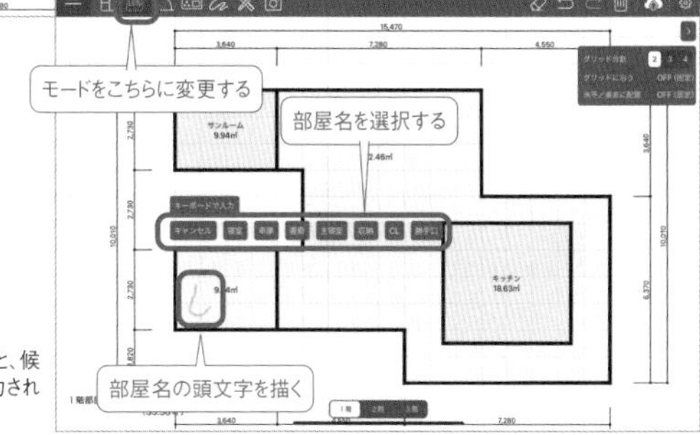

2 部屋の名前を付ける

作成した部屋の内部に直接部屋名の頭文字を書くと、候補の部屋名が表示される。選択すると部屋名が入力される。

267 家計簿 口座やポイントの残高を一元管理できる

資産の支出管理に便利なのが「Moneytree」。銀行口座を入力すると預金残高情報をiPadにインポートして表示。さらに、出金や入金があるたびに自動で決済記録をつけてくれる。クレジットカードやポイントカードの決済記録も付けることもできる。

App

Moneytree
作者／Moneytree
価格/無料(App内課金月額360円から)

左上にある通知画面で決済の詳細取引を通知してくれる。月に1回届く、前月の収支内容をまとめたレポートも便利だ。

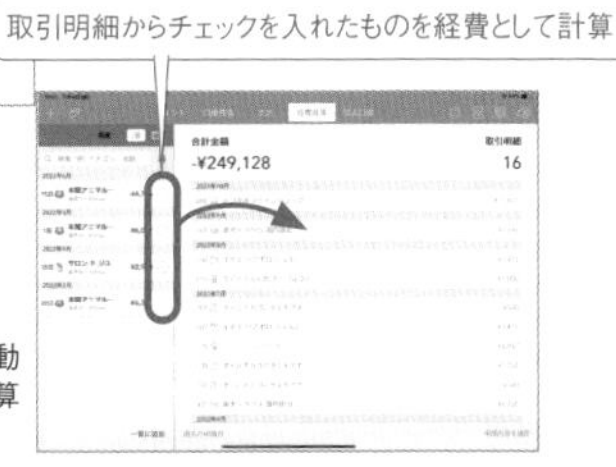

引き落とし明細を選んで、経費の自動計算も可能。有料プランでは経費精算書も作成できる。

268 確定申告 確定申告の準備もiPadならラクラクできる

電卓のようなシンプルなデザインで、家計簿を付けるように仕訳帳の記帳ができる。作成した仕訳帳は「弥生会計」や「freee」などの会計ソフトの形式で書き出しも可能だ。ただし、無料版は月の入力数が15件の制限があり、本格的に利用するには年額3,500円の課金が必要だ。

App

青色申告・白色申告の仕訳帳 Taxnote
作者／Umemoto Non
価格／無料(App内課金月額600円から)

起動後、下部メニューから「入力」を選択して入力する勘定項目をタップ。金額入力画面が現れるので、収支の金額を入力して「仕訳帳に記録」をタップしよう。

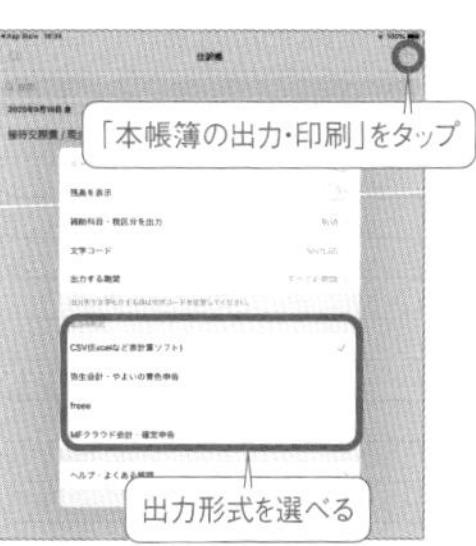

会計ソフトなどへ出力するには、「仕訳帳」画面でアクションボタンから「本帳簿の出力・印刷」をタップ。出力する形式・期間を選び「出力する」をタップしよう。

269 視力向上
3Dステレオグラム画像を見るだけで視力が回復する

3Dステレオグラムを利用して、視力の回復を図るアプリ。ピントを合わせせることを意識して表示される3D画像を見て脳内視力を鍛えるしくみだ。一日一回3分くらいするだけで、視力が回復したとの報告も多数寄せられている。

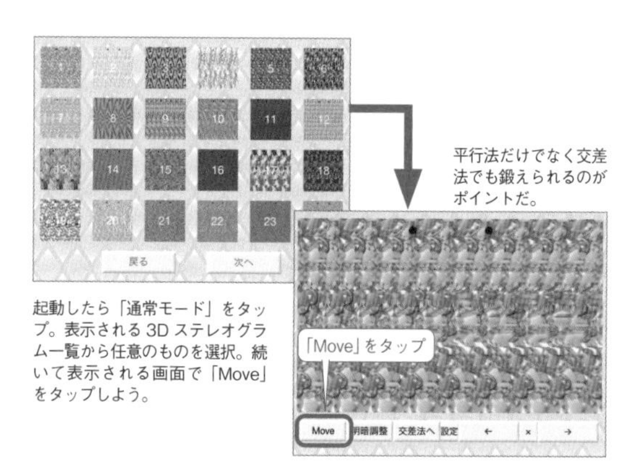

平行法だけでなく交差法でも鍛えられるのがポイントだ。

起動したら「通常モード」をタップ。表示される3Dステレオグラム一覧から任意のものを選択。続いて表示される画面で「Move」をタップしよう。

270 視力
iPadで動体視力をアップできる!

ランダムに動く点を追うことで、瞬間視や動体視力を鍛えることができる「視トレ」アプリ。最初は動きの速さに戸惑うが、慣れてくると次第にしっかりと目で追うことができるようになってくる。毎日継続することで、動体視力アップ効果も体感できるかもしれない。

5つのモードが用意されていて、それぞれ異なった動きで、動体視力を鍛えることができる。

こちらは3次元でボールの動きを追う訓練。どの訓練も目への負荷がかかるので、やりすぎに注意しよう。

271 ファミリー
子供用アカウントを詳細に設定する

子供のアプリや利用できる時間を詳細に設定可能

最新のiPadOSでは、子供が安全にiPadを利用するためのペアレンタルコントロール機能が強化。年齢に応じたメディア制限など、適切なコントロールが適用された状態で子供用アカウントを作成したり、iPadのセットアップが可能。子供用iPadの導入が手軽になった。

親の管理面も進化した。スクリーンタイムのリクエストが「メッセージ」に表示され、承認や拒否がより簡単に。「ファミリーチェックリスト」という、子供のペアレンタルコントロール設定をファミリーで確認できる機能も追加されている。

1 「ファミリーチェックリスト」を確認する

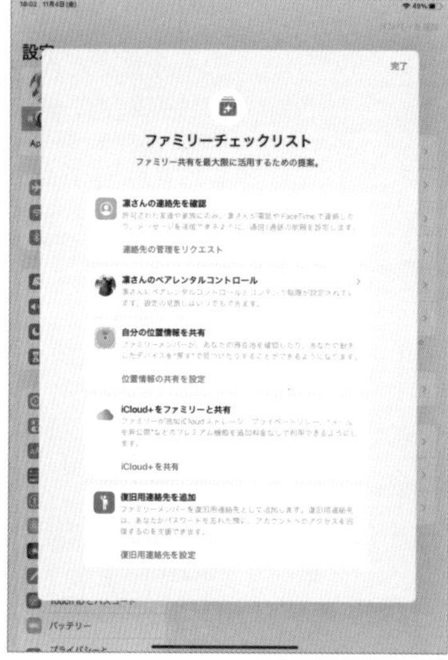

「設定」→「ファミリー」→「ファミリーチェックリスト」から、見直すべき提案を家族それぞれが確認できるようになった。

2 スクリーンタイムを設定しておく

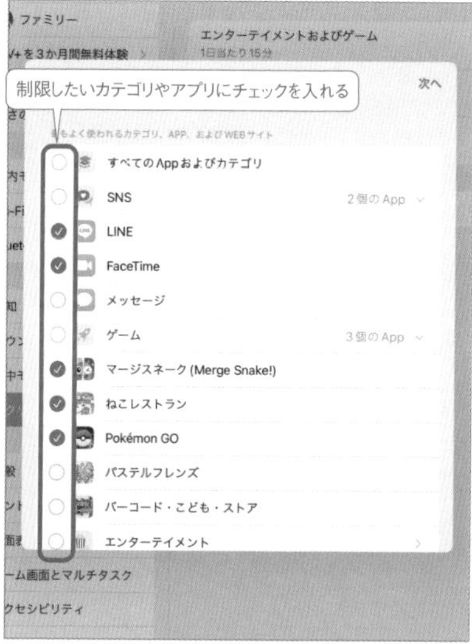

「設定」→「スクリーンタイム」の「App使用時間の制限」からは、カテゴリやアプリごとに使用制限を決められる。

世界地図

272 世界各国の形や配置が覚えられるパズル

ジグソーパズル感覚で世界の国を覚えることができるゲーム。子供はもちろん、大人でも世界の国々の形や配置はなかなか頭に入らないものなので、空き時間にゲーム感覚で楽しむのに向いている。

とても始めやすい、主要20カ国をランダムにピックアップした「クイック」をはじめ、「エリア」「サッカー強豪国」「人気海外旅行先」「コーヒー豆産地」などモードを選ぶことができ、飽きずに繰り返し楽しめる。境界線のない「エキスパート」モードも非常にマニアックで面白い。

App

あそんでまなべる世界地図パズル
作者／Digital Gene
価格／無料　言語／日本語

学習

273 算数の宿題の丸付けをAIで自動化する

中学年～高学年になってくると、子供の宿題の丸付けも一苦労。計算するだけで時間がかかってしまうが、「CheckMath」を使えば一瞬。カメラでスキャンするだけで、正解・不正解をチェックしてくれる。家事や仕事で忙しい合間の宿題チェックに、必携のアプリだ。

App

CheckMath
作者名／Study Evolution EdTech Pte. Ltd.
価格／無料(App内課金月額980円から)

タップしてプリントを撮影

「宿題チェック」をタップし、iPadのカメラで宿題のプリントを撮影する。

間違っている問題にチェックが付く。タップすると正解もわかる。

正解・不正解を瞬時にチェックし、間違っていたらチェックマークが付く。

上級技

Touch ID

274 家族でiPadを共有する場合Touch IDは全員分を登録しよう

家庭内で一台のiPadを共有している場合、ロック解除のたびに所有者がTouch IDで解除するのは面倒だ。そこで、iPadを使用するユーザーの指紋を全て登録しておけば、ロック解除の手間が大幅に軽減する。指紋データは最大5つまで登録できるので、十分対応できるだろう。

ただしTouch IDはiPadのロック解除だけでなく、ストアでの買い物にも使用できるので、特に子供が勝手に課金しないように、設定>「Touch IDとパスコード」で「Apple Pay」と「iTunes Store と App Store」をオフに設定しておこう。

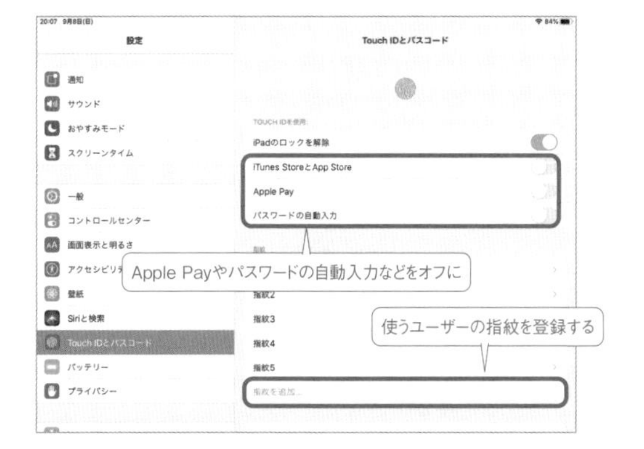

マスト!

iPad管理

275 子供たちに触らせたくない部分を指定してロック

飲み込みの速い子供は、タブレットなどのデバイスをすぐに使いこなせるようになるが、反面、あまり好ましくないアプリを起動したり、危険なサイトや動画を見てしまう可能性もある。そんなときに役立つのが、アプリの「コンテンツとプライバシーの制限」だ。これを設定すると、指定したアプリを起動するのにパスコードを設定したり、推奨年齢が定められたアプリの起動を許可しないようにすることができる。お子さんのいる家庭で、家族全員がiPadを使用するような場合には、ぜひ設定しておくといいだろう。

設定の「スクリーンタイム」をタップして、「コンテンツとプライバシーの制限」をタップする。

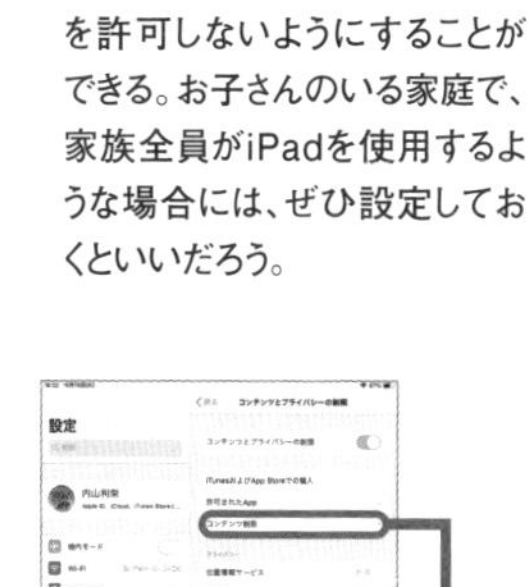

「コンテンツ制限」からアプリのインストールに制限をかけたり、レーティングを制限するなどの設定を行うことが可能だ。

COLUMN

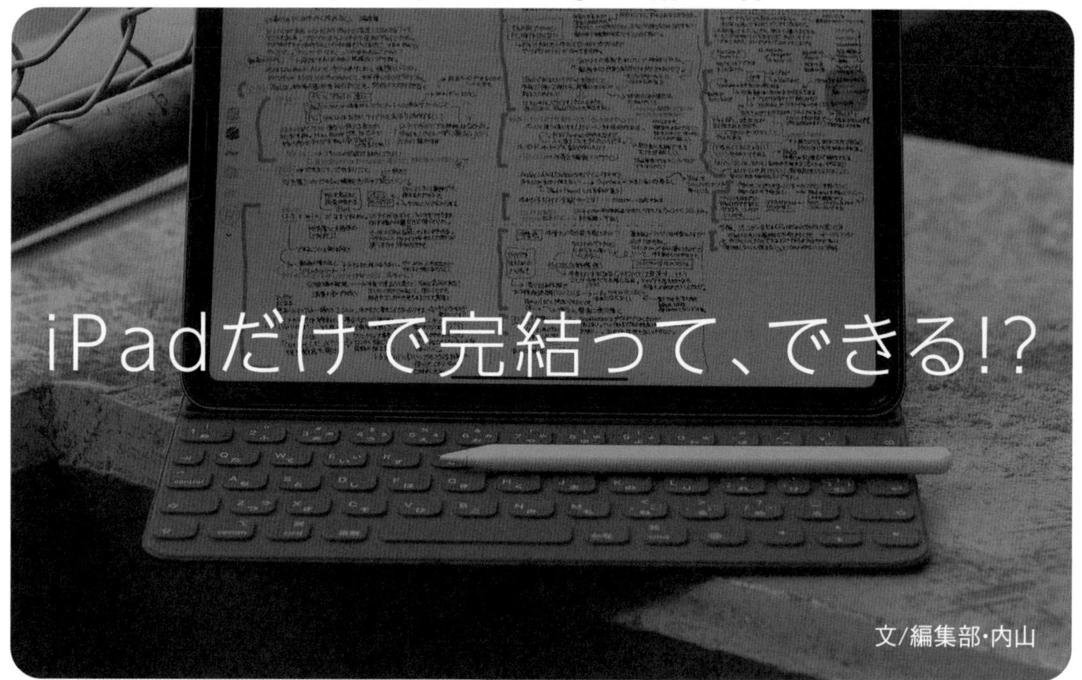

iPadだけで完結って、できる!?

文/編集部・内山

この本を読んでいただいた人なら、仕事、遊びを問わず「ぜんぶiPadだけで完結させたい!」と思ったことがあるのではないだろうか？　つまり、パソコンを使わず、iPadだけで生活を貫く……ということである。自分の場合も、iPadを使う時間の方がパソコンのそれよりも快適なので、年に何度かその行動に走ってしまい、家でも会社でもカフェでも、ひとまずiPadだけでいろいろやってみた経験が何度かある（その詳細は、2022年に発売された「iPad仕事術!SPECIAL 2022」にも4ページに渡って掲載しているので、興味がある方はぜひ一読していただきたい）。

で、その結果を先にお伝えすると「不可能ではない」ということだ。iPadの得意分野であるApple Pencilを使った手書きや、写真の閲覧、編集、テキスト入力（Smart Keyboard Folioを使用）、PDF作業、音楽、動画鑑賞……ほとんどのことはiPadだけでかなり快適に行える。ではなぜ、歯切れの悪い言い方なのかといえば、「ファイル管理」がとにかく大変なのである。

iPadでも「ファイル」や「Documents」などを自分なりのルールを作って丁寧に使っていけばそれなりにファイル管理はできるものの、やはりそこだけはパソコンにはかなわない印象だった。外部ディスプレイにつないで、ステージマネージャなどを常に使っているなら、ファイル管理は可能かもしれないが、iPadを好んで使う人なら、常時外部ディスプレイのある環境で作業をする人は少ないだろう。むしろ、その軽いボディを活かしてなるべく外に持ち運んで使いたくなる人の方が多い気がする。

ただ、どんなにファイル管理がつらくても、そこを我慢して工夫して使うことによって「絶対にできないことはない」という事実は判明した。これは大きな成果だった。iPadでなんでもやりたい!と思っている方は、一度、パソコンを使わない期間を設けてみると、なにか閃く可能性があるので、挑戦してみてはいかがだろうか。

編集作業をiPadだけでやるために選んだツール

原稿整理……Textforce
ファイラー……PDF Expert（Documents）
ラフ作成……GoodNotes 5、Note Always
FTP……Documents
PDF閲覧、注釈……PDF Expert、Adobe Acrobat Reader

iPadは、iPad Air 4（Smart Keyboard Folio）を使用。
ストレージは64GB。作業は基本的にDropbox内で行った。

iPad仕事術! SPECIAL 2022

ちょっと古いですが、まだ購入できます。Kindle Unlimitedでも読めます。

SECTION 08

トラブル解決とメンテナンス

iPadを紛失してしまったときや、フリーズさせてしまったとき、起動しなくなってしまったとき、容量やアプリのトラブルなどに、安全に対処するための解決法を解説!

276 Apple Pencil Apple Pencilが認識されないときは?

ペン先の緩みやiPadとの世代があっているかチェックしよう

充電に問題ないのにApple Pencilが突然反応しなくなるときがある。その場合、次の点をチェックしよう。今まで使えていて突然反応しなくなった場合によくあるトラブルはペン先の緩みだ。ペン先をしっかり締め直してみよう。また、一度iPad、もしくは使用しているアプリを再起動すると反応するようになることもある。

新しいiPadに買い替えたときに使えなくなってしまった場合は、iPadと互換性のないApple Pencilを使っている場合が多い。自分の利用しているiPadとApple Pencilが互換性があるかチェックしよう。

1 ペン先の緩みをチェック

ノートアプリなどの手書きアプリを使っていてよく発生するのがペン先の緩み。バッテリーが残っている場合は、ペン先が緩んでいないかチェックしよう。また、以前使ったもののしばらくPencilを使っていない場合は「過放電」状態になっていることもあり、充電が3%ほどで終わってしまう症状が現れる。この場合は丸1日ほど充電し続けることで復活する場合もあるが、直らない場合もある。気をつけよう。

2 Apple PencilとiPadの互換性をチェック

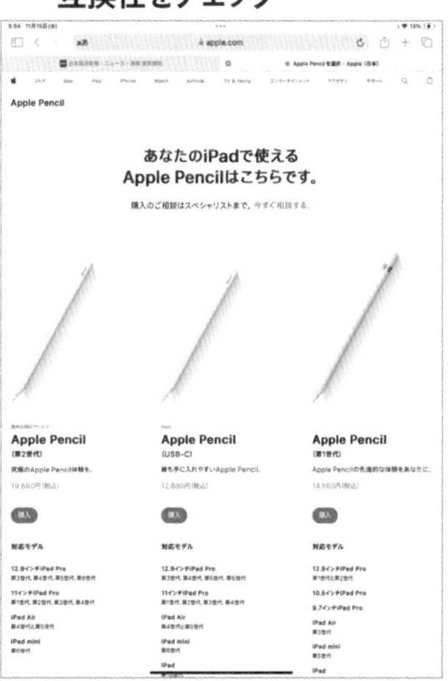

Googleで「Apple Pencil　世代」と検索し、世代をチェックしよう。最新のUSB-C型Apple Pencilの対応モデルは、第2世代Apple Pencilとほぼ同じだ。

マスト!

277 バックアップ iCloudの「同期」と「バックアップ」の違いとは?

同期とバックアップのデータは異なる点に注意しよう

iCloudは「バックアップ」と「同期」という機能がある。同期とはiPadのデータをiPhoneやMacなどほかのApple端末と共有すること。同期しているアプリのデータは「設定」のApple IDにある「iCloud」の画面で確認できる。「バックアップ」とは、iPadに入っているほぼすべてのデータをiCloudに1つにまとめてアップロードすること。故障時や機種変更をして以前のデータを復元したいときに利用する。バックアップファイルはiPadのデータなのでiPhoneやMac上で復元することはできず、また、iCloudの同期データとiCloudバックアップデータは同じではない点に注意しよう。

1 同期

現在進行形でほかのAppleデバイスでも同じデータを使いたい場合に使う。
例:iPadのSafariで現在見ているページをiPhoneですぐに見る

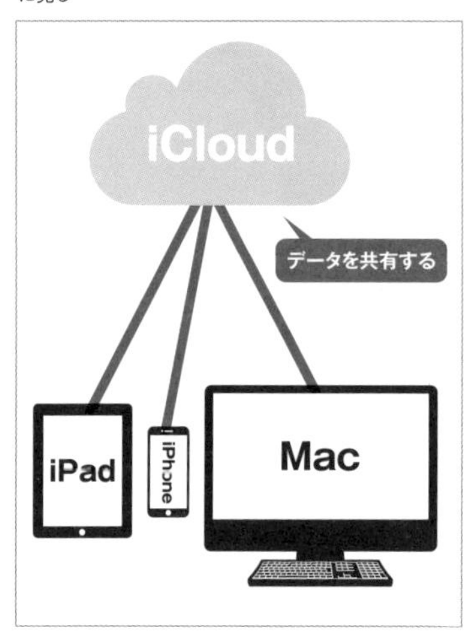

2 バックアップ

iPad全体を一つのファイルとしてまるごとiCloud上にアップロードした状態。
例:機種変更や故障時にiPadを初期化したあと、以前のデータを復元したいときに使う。

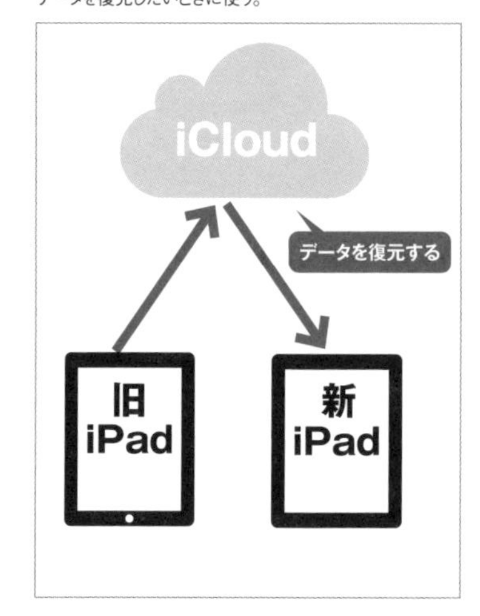

マスト!

278 購読 サブスクリプションの契約を解除するには?

購読しているアプリの支払いを管理する

App Storeでダウンロードするアプリの中には、定期ごとに自動引き落としされる購読型のアプリがある。代表的なのはApple MusicやiCloudストレージだ。購読しているアプリの購読の解除を行うにには、iPadの「設定」アプリの「アカウント」画面にある「サブスクリプション」メニューをタップしよう。

現在、または過去に購読したアプリが一覧表示される。購読中のアプリを選択して、購読を解除しよう。また、ここでは逆に新たに購読しなおしたり、購読プランの変更も行える。

1 サブスクリプション画面を開く

iPadの「設定」アプリの「アカウント」画面にある「サブスクリプション」メニューをタップする。

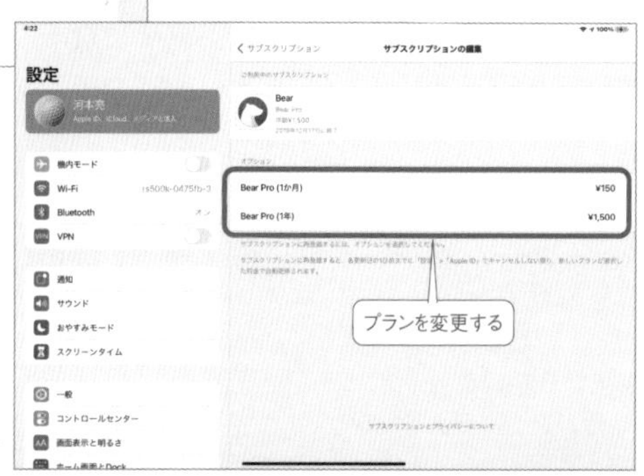

2 購読アプリのプランを変更する

購読しているアプリが一覧表示される。プランを変更、または解除したいアプリを選択するとメニューが表示される。

バックアップ

279 iPadのバックアップをiTunes上に作成する(Windows)

iPadのバックアップファイルのサイズは巨大なためiCloudストレージを圧迫する大きな要因となる。有料プランにアップグレードして容量を増やせば解決するが、無料でバックアップする方法もある。Windowsユーザーの場合は、パソコン版iTunesにバックアップしよう。iTunesはPC上にある音楽ファイルやビデオ、写真などをiPadに転送するほか、iPadのデータをまるごとバックアップする機能がある。また、バックアップを作成する際は暗号化しておこう。他の人がバックアップファイルを不正に使うことができなくなる。

メニューから「概要」を開き、「このコンピュータ」にチェックを入れ「ローカルバックアップを暗号化」にチェックを入れる。

「今すぐバックアップ」をクリックするとPCへのバックアップが始まる。復元する場合は隣の「バックアップを復元」をクリックしよう。

バックアップ

280 iPadのバックアップをFinder上に作成する(Mac)

パソコンで自分のiPadの全データのバックアップをとっておけば、いざというときの復元作業にも安心でき、iCloudの容量不足に悩まされることもない。パソコンへのバックアップはWindowsだけでなくMacでも行える。ただし、バックアップするアプリが違うことに注意。MacでiPadをバックアップする際はFinder上でバックアップする。iPadとMacを接続し、Finderを起動したらサイドバーに表示されるiPadの名前をクリックしよう。設定画面や方法はWindowsと同じだ。

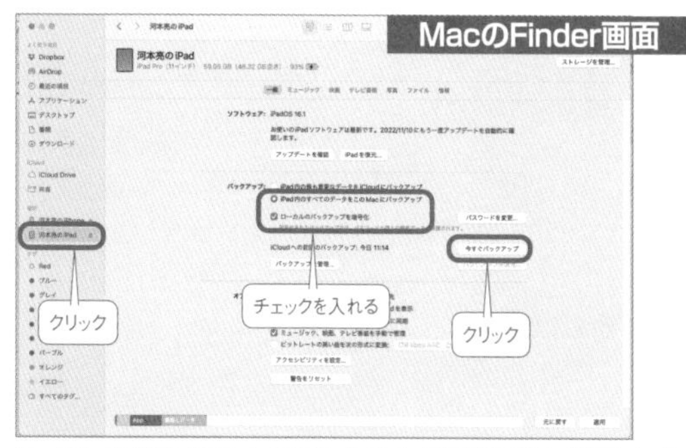

MacとiPadを接続したらFinderを起動。サイドバーに表示されるiPadをクリック。「一般」タブから「iPad内のすべてのデータをこのMacにバックアップ」と「ローカルのバックアップを暗号化」にチェックを入れ、「今すぐバックアップ」をクリックしよう。

上級技

iCloud

281 新機種にするときはiCloudの容量を無料で拡張できる

iCloudバックアップは、新しく購入したiPhoneやiPadにこれまで使っていたデータを移行するときに限って、21日間容量を無制限で利用できる。この機能を利用すれば、容量が5GBの無料プランのユーザーでも、うまくiCloudに巨大なiPadのデータをバックアップすることが可能だ。方法は、「設定」から「一般」タブを開き、「転送またはiPadをリセット」をタップし「新しいiPadの準備」から画面に従って進めていけばよい。ただし、「iOS 15」「iPadOS 15」以降がインストールされていないと、この機能が表示されない。

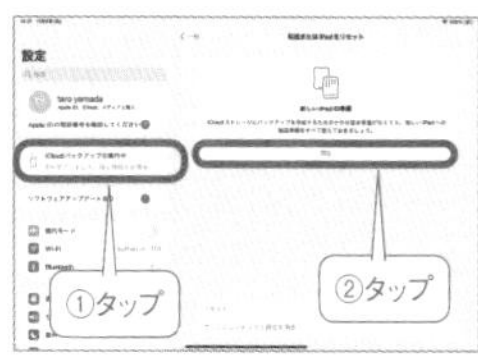

「新しいiPadの準備」の「開始」をタップするとバックアップが始まる。バックアップが終了するまで待とう。

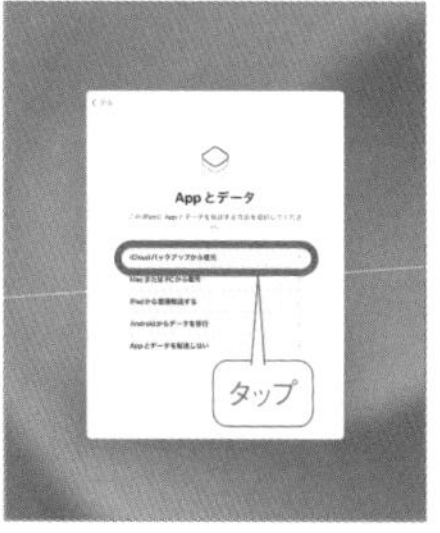

バックアップ完了後、新しいiPadの初期設定画面の「Appとデータ」画面で「iCloudバックアップから復元」をタップしてバックアップしたファイルを選択しよう。

リセット

282 「信頼しない」をタップしたときの対処方法は?

初期化したiPadを初めてパソコンに接続すると「このコンピュータを信頼しますか?」という警告表示が現れる。このとき、誤って「信頼しない」をタップしてパソコンがiPadが認識しなくなってしまったときは、「位置情報とプライバシーをリセット」を実行することで警告画面を再表示させ、接続をやり直すことができる。

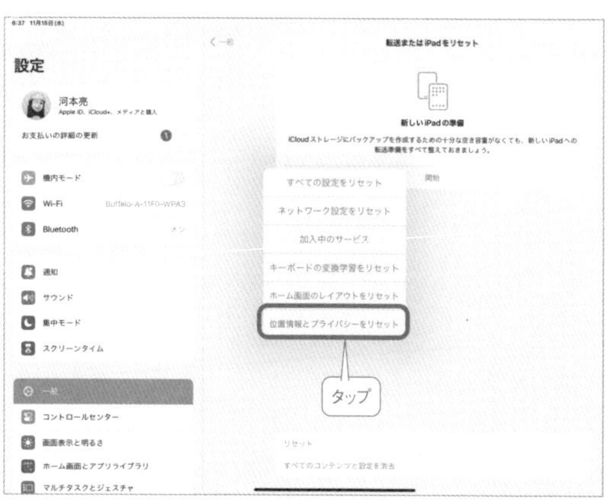

「設定」→「一般」→「転送またはiPadをリセット」→「リセット」と進み「位置情報とプライバシーをリセット」をタップしよう。

Siri

283 ロック画面でSiriを起動させないようにする

Siriはデフォルトだとパスコードロック中の画面でも起動でき、「私は誰？」などと聞くと自分の名前や住所を表示するほか、メール送信や連絡先の他のユーザー情報の閲覧も可能だ。これでは万一iPadを落とした際に個人情報が簡単に漏れてしまうので、パスコードロック中はSiriを起動させない設定にしておこう。パスコードロックを有効にしてから、「ロック中にアクセスを許可」の「Siri」をオフにすればOKだ。

「設定」→「Siriと検索」で「ロック中にSiriを許可」をオフにすれば、パスコードロック中にSiriが起動しなくなる。

バッテリー

284 iPadのバッテリーを交換するには？

もしiPad購入時にAppleCare＋に加入しており、バッテリー蓄電容量が本来の80%未満に低下している場合は、Appleサポートで無償でiPadのモデルに関係なくバッテリーを交換できる。なお、AppleCare＋対象外だったり保証期間が切れている機種の場合は、一律15,000円でバッテリー交換ができる。近くのApple正規サービスプロバイダに直接持ち込むか、配送依頼をしよう。手続きや詳細は「サポート」アプリで確認したり、直接Appleサポートに問い合わせよう。

サポートアプリを起動し、マイデバイスからバッテリーに問題のあるiPadを選択する。

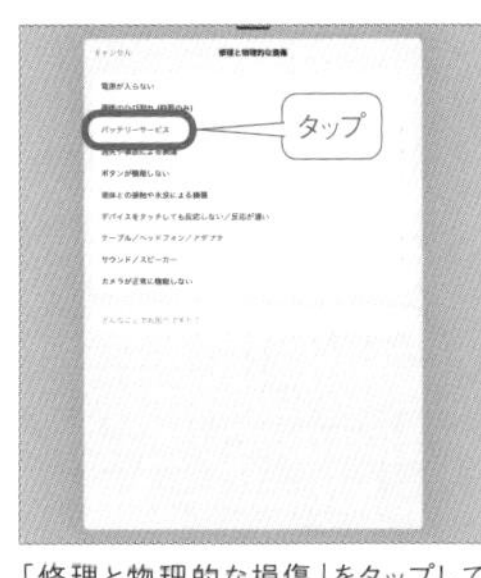

「修理と物理的な損傷」をタップして「バッテリーサービス」から修理の持ち込み先や、Appleサポートに問い合わせることができる。

ストレージ

285 ストレージがいっぱいでアプリがインストールできない

iPadのストレージがいっぱいになって、アプリをインストールできなくったら、余計なアプリやファイルを削除しよう。設定画面にある「iPadストレージ」を開くと、サイズの大きいアプリが一覧表示されるので、使っていないアプリは削除していこう。また、カメラロールにある不要な写真や動画を削除しよう。なお、カメラロールから削除しても「最近削除した項目」から削除しないと空き容量は増えないので注意しよう。

「設定」→「一般」→「iPadストレージ」を開き、下にスクロールするとサイズの大きなアプリが一覧表示される。

「写真」アプリのサイドバーを開き、「最近削除した項目」をタップ。「選択」をタップして削除したいファイルを選択して削除しよう。

トラブル

286 いざという時はアップルサポートを利用しよう

iPadで解決できないトラブルや不具合が発生したときは、Apple公式のトラブル対策アプリ「Appleサポート」を利用しよう。自分が利用しているApple製品を選択し、トラブル項目を選択すれば解決案を提示し、近くにある持ち込み修理可能なアップルストアを表示してくれる。アプリ上からスタッフに直接問い合わせることも可能だ。

起動すると利用しているApple IDと紐付けられたApple端末が表示される。iPadをタップするとさまざまなトラブルに関する項目が表示される。

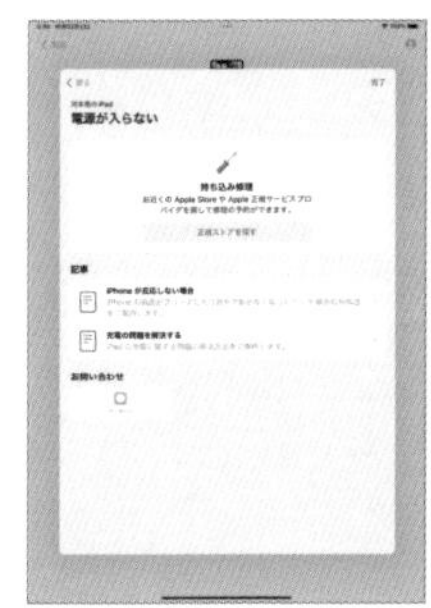

アプリ上からAppleサポートとメッセージで問い合わせることもできる。近くの持ち込み修理可能なストア検索もできる。

287 増設 iPadのストレージ不足を解消できるポータブルSSD

最初は余裕があったiPadのストレージも、使い続けているとすぐに不足しはじめる。USB-C型のiPadを使っているならストレージ容量を増やすには小型ポータブルSSDの導入を検討するといいだろう。おすすめはKEXINのポータブルSSDだ。値段は250GBで5,000円程度と非常に安価な上にサイズは64.5x27.9x9.9mmで重量はわずか23g。iPadを日常的に持ち歩いて使っている人なら邪魔にならないだろう。USB-C端子を標準搭載している最新のiPadモデルであれば拡張ハブを利用することもなくそのまま利用でき、読み取り速度は最大550mb/s、書き込み最大500mb/sなのでデータ転送も非常に速い。

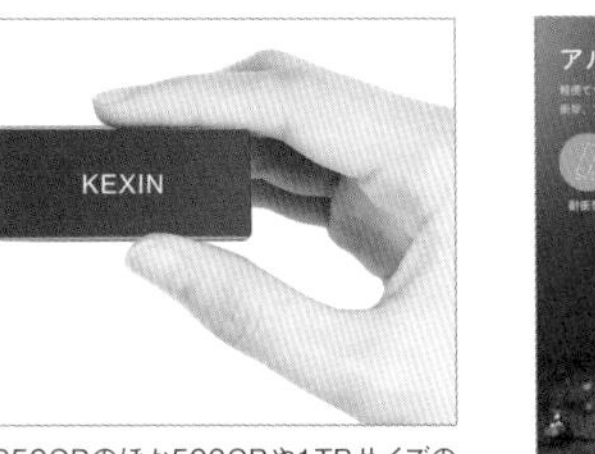

250GBのほか500GBや1TBサイズのポータブルSSDも用意されている。互換性が高くiPadのほかAndroid、Mac、Windowsでも利用できる。

アルミ合金のため優れた放熱性や耐衝撃性を持っているのも特徴。

288 Apple ID Apple IDのパスワードを忘れてしまったら?

もしApple IDのパスワードを忘れてしまったら、iTunes Storeアプリのトップ画面下にあるApple IDをタップ。「iForgot」をタップするとSafariが起動し、パスワードの再設定ページが開く。また、Apple ID自体を忘れてしまった場合は「設定」アプリを開き、IDをタップし、「サインインとセキュリティ」を開き、サインインに使用できるメールアドレスや電話番号を確認しよう。

Apple IDとして利用しているメールアドレスには下に「Apple ID」と記載されている。

289 トラブル パスコードを忘れてしまった時は…

リカバリモードを使って復元しよう

iPadのロック画面でパスコードを何度も間違えて入力すると、iPadを使用できないという警告が表示される。パスコードを忘れまったく操作できなくなった場合はリカバリモードを使って初期化するしかない。リカバリモードで復元するにはMacまたはWindowsパソコンが必要で、Windowsの場合はiTunesをインストールしておこう。リカバリモード画面で「復元」を選択し、画面に従って進めよう。iPadのデータはすべて消去されてしまうが、バックアップをとっていれば元のデータを復元することができる。

1 電源ボタンを長押ししてパソコンに接続する

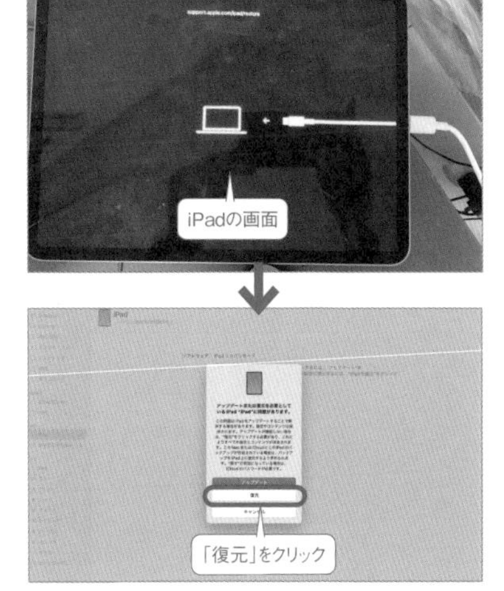

iPadをリカバリモードで起動し、リンゴマークが表示されたらすぐにiPadをパソコンに接続する。するとこのようなリカバリモード画面になる。初期化して復元するには「復元」をクリック。

point

リカバリモードの起動方法

ホームボタン非搭載モデルのiPadの場合

電源を切った状態でトップボタンを長押ししながら、すぐにiPadをパソコンに接続する。iPadにリカバリモードの画面が表示されるまでボタンを押し続け、表示されたら指を離す。

ホームボタン搭載モデルのiPad

電源を切った状態でホームボタンを長押ししながら、すぐにiPadをパソコンに接続する。iPadにリカバリモードの画面が表示されるまでボタンを押し続け、表示されたら指を離す。

290 トラブル iPadをなくした時の対処をマスターしておこう

「iPadを探す」を有効にすれば紛失したiPadを探せる！

iPadをどこかに置き忘れても、「iPadを探す」機能さえ有効にしておけば見つかる可能性がグンとあがるので、設定を済ませておこう。まず「設定」→「Apple ID」→「探す」を開き「iPadを探す」を有効にする。また「プライバシーとセキュリティ」→「位置情報サービス」をオンにして「位置情報の通知」を有効にしておこう、これで準備はオーケーだ。

実際にiPadを紛失した際には、ブラウザで「icloud.com」にアクセスして「iPhoneを探す」画面を開く。またはiPhoneなど手元にあるiOSデバイスで、「探す」アプリを使ってもよい。紛失したiPadがネットに繋がっていれば、現在地が地図上に表示されるはずだ。ただ、iPhoneと違ってiPadはネットに接続していない場合が多いので、設定では「“探す”ネットワーク」をオンにしておく方がいいだろう（画像参照）。iPadが「探す」の画面に現れたら「サウンド再生」をクリックすればiPad側で警告音が鳴る。また「紛失としてマーク」で取得者に向けた連絡先やメッセージを入力すれば、iPadにそのメッセージが表示される。紛失モードでは、パスコードロックを設定することも可能だ。さらにiPadの発見よりも情報漏えいの阻止が優先、という人は、「デバイスを消去」で中身のデータを消して初期化することもできる。ただし位置情報も検出できなくなるので注意が必要だ。

「iPadを探す」の設定と紛失したiPadの探し方

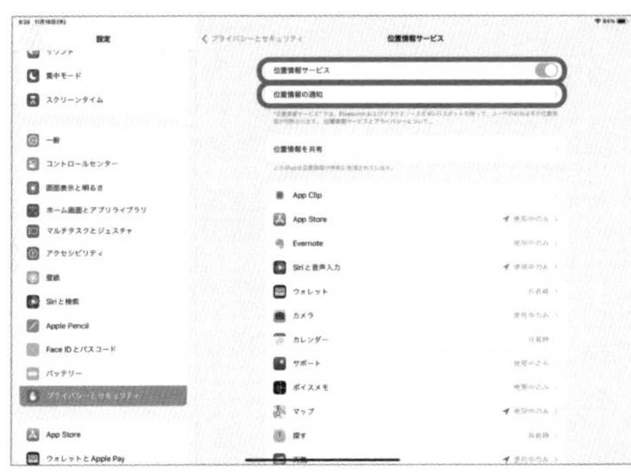

1 iPadを探すをオンにしておく

あらかじめ設定の「Apple ID」→「探す」を開き、「iPadを探す」をオンにしておく。「位置情報の通知」を有効にするとバッテリー切れになる直前にメールで位置情報を送信してくれる。

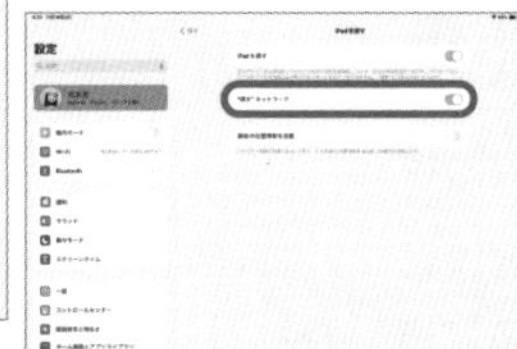

「Apple ID」→「探す」→「iPadを探す」と進み、「“探す”ネットワーク」をオンにしておくと、iPadがネットにつながっていなくても探せる確率が上がる。

2 icloud.comなどでiPadの位置を確認

iPadを紛失したら、icloud.comで「iPhoneを探す」を選択すると、紛失したiPadの現在地を地図で確認できる。または「iPhoneを探す」アプリでも探せる。

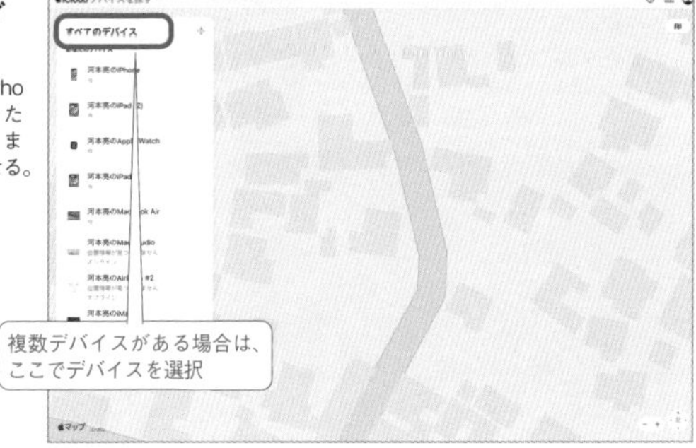

3 サウンド再生やパスコードロック

地図上に表示されている「サウンド再生」を実行するとiPad側で警告音が鳴る。また「紛失としてマーク」でパスコードの設定が可能だ。

4 紛失モードに設定

紛失モードでパスコード設定後、現れる入力画面で連絡先の電話番号を入力。iPadの画面に電話番号が表示されるようになる。

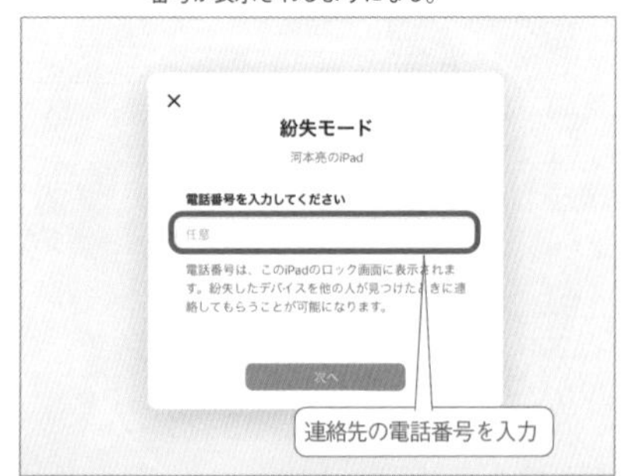

291 返金 問題のあるアプリの返金を要求するには?

「問題を報告する」ページで返金処理を行う

App Storeでダウンロードするアプリの中には、誤って購入したアプリや購入したもののバージョンが古くてうまく動作しないものもある。無料アプリであればそのままアンインストールしてしまえば問題ないが、有料アプリの場合は支払い分をきちんと取り戻したいもの。そんなときは、「問題を報告する」ページにアクセスしよう。このページでは、過去90日間の間にユーザーが購入したアプリに対する問題を報告することができる。間違って購入したアイテムの返金を申請したり、アプリの不具合のトラブルを報告して改善要請を出すことが可能だ。

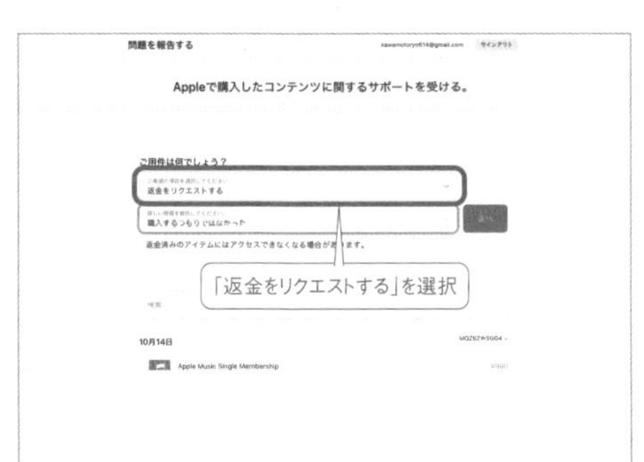

1 「問題を報告する」ページにアクセスする

Appleの「問題を報告する」(https://reportaproblem.apple.com/)というウェブページにSafariでアクセスして、Apple IDとログインパスワードを入力しよう。メニューから「返金をリクエストする」を選択して、返金理由を選択する。

2 返金リクエストのアプリを指定する

返金したいアプリにチェックを入れて、「送信」をクリックしよう。

292 トラブル 動作にトラブルが発生したときの対処方法

マスト!

アプリやiPad本体を再起動するのが基本

iPadを使っていて、特定のアプリの動作がおかしくなったり、またiPad自体の動作が不安定になったときの対処の基本は「再起動」することだ。アプリの場合は、画面を閉じただけでは完全に終了せず、マルチタスクで動作中のままとなっている。アプリを完全に終了させるには、App スイッチャーから完全に終了させよう。iPad全体を再起動する場合は電源を長押しして電源オフを行おう。USB-C型のiPadはトップボタンといずれか片方の音量ボタンを同時に長押しで、強制終了させることが可能だ。

1 Appスイッチャーからアプリを終了

画面下から上へスワイプするとApp スイッチャーが起動するので、終了したいアプリを選び、上へスワイプしよう。これでアプリを完全終了できる。

2 iPadを再起動

ホームボタンがあるiPadを再起動するには電源ボタンを長押しし、表示される電源オフ画面でスイッチを右へスライドすればよい。

293 トラブルシューティング 液晶が割れてしまったりヒビが入ってしまったら?

Apple Care+の保障が効くか調べてから対処しよう

iPadの液晶にヒビが入ってしまったら、一般修理業者に出すと法外な値段をとられる上、個人情報の流出にも不安だ。安全性を重視するならAppleサポートに依頼しよう。購入後1年以内なら無償になる可能性があり(故意の事故でない場合)、ほかに「AppleCare+ for iPad」に加入していれば割安の4,400円で修理に出すことができる。保障が有効かどうかは「Appleサポート」で簡単にチェックできる。

Appleサポート
価格:無料 作者:Apple

1 Apple Care+の保障を確認する

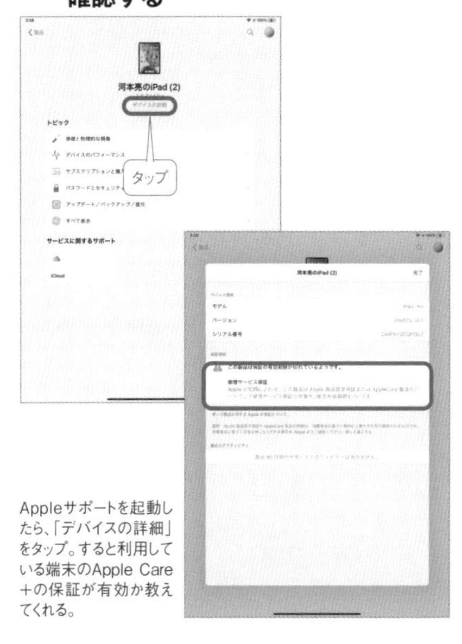

Appleサポートを起動したら、「デバイスの詳細」をタップ。すると利用している端末のApple Care+の保証が有効か教えてくれる。

2 Apple正規の修理店舗を探す

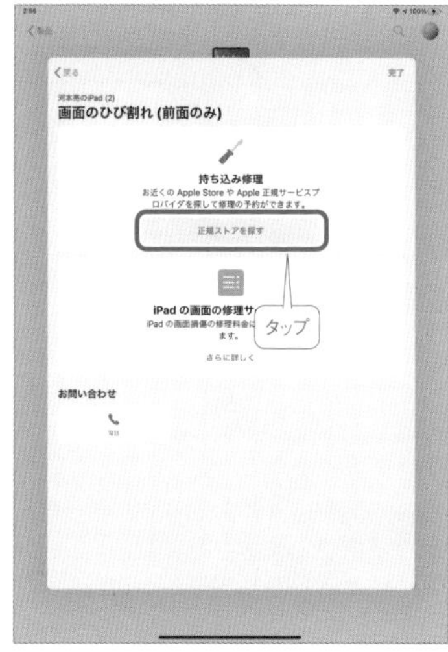

トップ画面で「修理と物理的な損傷」をタップして「正規ストア」をタップすると周辺位置情報を使って修理可能なApple正規ストアを探し、予約もすることができる。

294 トラブルシューティング 画面が真っ暗になりiPadが反応しなくなった

バッテリー切れやフリーズが原因の可能性

iPadを触ると画面が真っ暗で、何も反応しないときがある。原因としてまず考えられるのはバッテリー切れだ。バッテリー切れで真っ暗になっている場合は充電をしよう。充電器に差し込むと一瞬だけ、赤いバッテリーマークが表示され、その後いったん消え、10分ほどすると緑色の充電マークが表示される。バッテリー切れが原因でない場合はフリーズの可能性がある。フリーズの場合はiPadを強制終了して再起動することで回復することが可能だ。

1 バッテリー切れの疑い

バッテリー切れが原因のときは充電器に接続しよう。赤いバッテリーアイコンが表示され、しばらく経つと真っ暗になり、10分程度すると通常の緑のバッテリーアイコンに戻る。

2 システムフリーズの疑い

フリーズが原因で真っ暗になっていると思われる場合は、以下の要領で強制終了してみよう。

●ホームボタンのある機種:ホームボタンと電源ボタンを電源が落ちるまで(10秒ほど)同時に長押しする
●ホームボタンのない機種:音量を上げるボタンを押し、すぐ離す→音量を下げるボタンを押し、すぐ離す→ロゴが表示されるまでトップボタンを押し続ける

マスト!

295 トラブル トラブルが解決出来ない時のiPadリセット方法

まずは設定だけリセット、ダメなら初期化しよう

何をしてもiPadの不具合が直らない、という時の最終手段がiPad本体のリセットだ。リセットには2種類あり、「すべての設定をリセット」を実行した場合は、iPadの設定だけが初期化され、iPad内のデータやメディアは残ったままになる。まずはこのリセットを試してみて、効果がないようであれば、その下の「すべてのコンテンツと設定を消去」を実行してみよう。これはiPadを工場出荷時の設定に戻す機能で、2回表示される警告画面で「消去」をタップすれば、iPadの初期化が開始される。

なお定期的にiCloudやiTunesへのバックアップが実行されていれば、初期化後の復元作業も簡単だ。初期化後の画面で言語設定やWi-Fi接続設定を済ませ、「iPadを設定」画面で「バックアップから復元」を選択。Apple IDでサインインし、「このiPadの最新のバックアップ」を選んで「復元」をタップすれば、バックアップ時点のホーム画面やアプリが復元される。ただしiCloudにバックアップしたデータから復元すると、途中でWi-Fiが途切れてデータ復元に失敗することがある。また、iCloudのバックアップに使える容量は無料で5GBまでだったり、iCloudに対応していないアプリのデータは復元できない欠点がある。

完全なiPadのデータのバックアップと復元をするならパソコンを使ったほうがよいだろう。iPad内のほぼすべてのデータと設定情報をバックアップして復元することができる。

iPadの初期化とiPadの復元手順

iPadの設定だけをリセットする

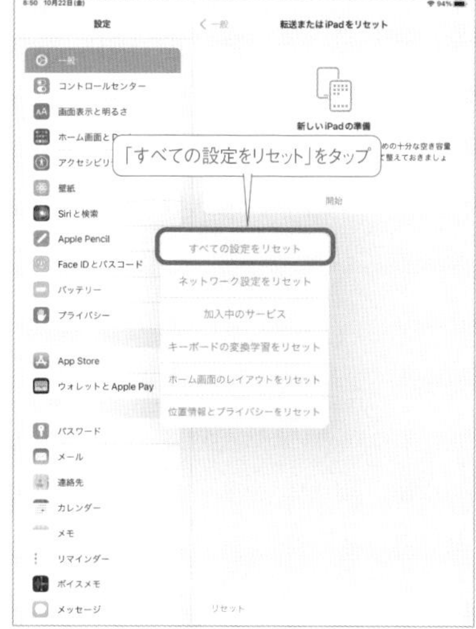

設定の「一般」→「転送または iPad をリセット」→「リセット」→「すべての設定をリセット」を選択。

全データを削除して初期化する

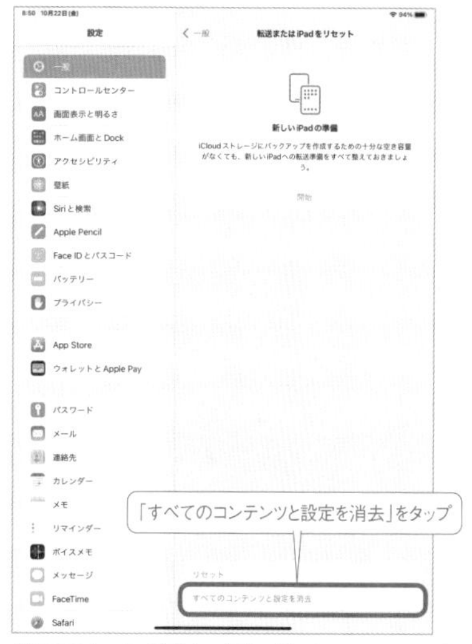

設定のリセットで直らない場合、「すべてのコンテンツと設定を消去」を実行すれば、iPad の全データが削除され、工場出荷時の状態に戻る。

バックアップから復元する

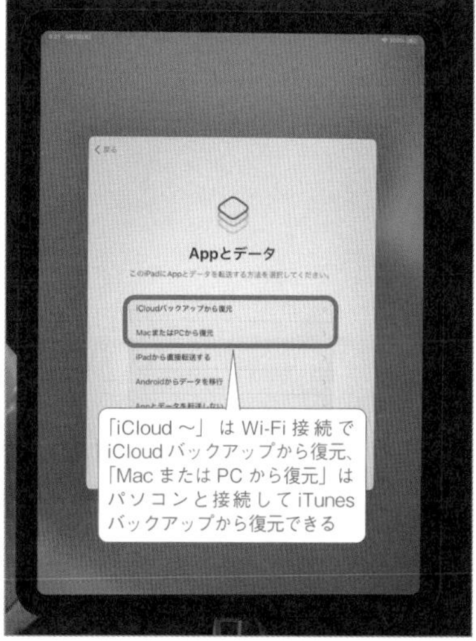

iPad が初期化されたら、設定を進めていき「iCloud バックアップから復元」を選択。「Mac または PC から復元」を選べば、パソコンからでも復元できる。

iTunesに接続して復元

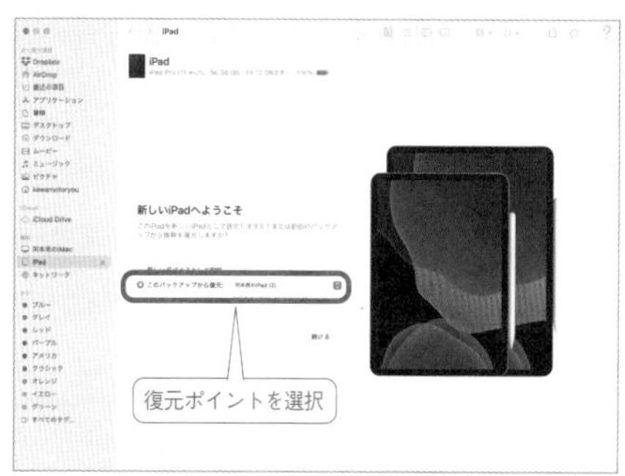

初期化後、iTunes（Mac の場合は Finder）につなぐと復元設定画面が表示される。「このバックアップから復元」で復元ポイントを選択すれば、以前の状態に戻すことができる。

point

無料でデータをすべてバックアップするテクニック

iCloudは無料だと通常、容量が5GBまでしかバックアップできないが、145ページで解説している「新機種にするときはiCloudの容量を無料で拡張できる」を利用することで、一時的にすべてのアプリやデータ、設定、iPad内の写真やビデオをバックアップすることが可能だ。

Staff

Writer 河本亮
小暮ひさのり
小原裕太

Designer 高橋コウイチ(wf)

DTP 西村光賢

iPad 便利すぎる! 295のテクニック

2024年1月1日発行

編集人 内山利栄

発行人 佐藤孔建

発行・発売所 スタンダーズ株式会社
〒160-0008 東京都新宿区
四谷三栄町12-4 竹田ビル3F
営業部(TEL)03-6380-6132
書店様向け注文(FAX)03-6380-6136

印刷所 株式会社シナノ

https://www.standards.co.jp